REGISTRE DES LETTRES

SOURCES CHRÉTIENNES

N° 520

GRÉGOIRE LE GRAND

REGISTRE DES LETTRES

Tome II
(Livres III-IV)

TEXTE LATIN DE DAG NORBERG (*CCL* 140)

INTRODUCTION ET NOTES
par
Marc REYDELLET

TRADUCTION
par
† Pierre MINARD et Marc REYDELLET

LES ÉDITIONS DU CERF 29, BD LA TOUR-MAUBOURG, PARIS

2008

La publication de cet ouvrage a été préparée avec le concours
de l'Institut des « Sources Chrétiennes »
(HiSoMA - UMR 5189 du Centre National de la Recherche Scientifique).

www.sources-chretiennes.mom.fr

La révision en a été assurée par Yasmine ECH CHAEL.

Imprimé en France

http://www.editionsducerf.fr
ISBN : 978-2-204-08735-3
ISSN : 0750-1978

AVANT-PROPOS

À la demande de Jean Rougé, j'avais aidé dom Pierre Minard à la mise au point du tome I des *Lettres* de Grégoire le Grand. À la mort du P. Minard en 1988, les *Sources chrétiennes* m'ont confié le soin de continuer cette publication pour les livres III et IV. J'ai accepté à la condition de me mettre à ce travail après achèvement de l'édition des *Carmina* de Venance Fortunat que je préparais pour la *CUF*. C'est donc seulement en 2004 que j'ai repris contact avec Grégoire le Grand et ce travail, je l'avoue, a pris beaucoup plus de temps que je ne croyais au départ. En effet la traduction laissée par dom P. Minard a dû être remaniée sur plus d'un point et ses notes n'étaient qu'une esquisse faite à partir de celles des *MGH*. Il est apparu utile aussi de faire une Introduction pour présenter les questions qui sont traitées dans les livres III et IV et l'on y a joint un tableau chronologique des lettres de cette période de septembre 592 à août 594, pour permettre au lecteur de repérer facilement celles qui traitent d'un même sujet. La bibliographie a été complétée en y ajoutant des ouvrages anciens non mentionnés dans la bibliographie du tome I ainsi que les ouvrages parus depuis. À l'instar de ce qui a été fait pour d'autres œuvres de Grégoire parues dans la collection des *SC*, un Index des mots latins a été constitué qui regroupe un certain nombre de termes caractéristiques du style et de la pensée de Grégoire et dont on trouvera l'analyse soit dans la partie littéraire de l'Introduction, soit dans les notes.

Ce second tome du *Registrum* s'efforce en effet de mettre en lumière l'aspect littéraire des lettres et leurs relations avec d'autres œuvres de Grégoire. Il aurait fallu aussi, dans cette perspective, tenir compte du problème de la prose métrique ou rythmique. Mais cela dépassait les limites de ce travail.

Je veux ici rendre hommage à la mémoire de dom P. Minard avec qui j'ai passé, à Ligugé, des heures de travail agréables et dont les travaux m'ont guidé dans la préparation de ce tome II du *Registrum.* J'exprime aussi ma reconnaissance au P. Dominique Bertrand et à la direction des *Sources chrétiennes* qui, pendant quinze ans, « *grande mortalis aeui spatium* », comme dit Tacite, n'ont pas désespéré de voir s'accomplir, Grégoire aidant, l'engagement que j'avais pris.

MARC REYDELLET

INTRODUCTION

Les livres III et IV du *Registrum* regroupent cent neuf lettres de septembre 592 à août 594, c'est-à-dire les indictions XI et XII. Grégoire a été sacré évêque de Rome le 3 septembre 590. La collection commence donc avec la troisième année de son pontificat et dans ces deux livres on voit le pape affermir son autorité et donner sa forme à ce qui, au fil du temps, apparaît comme la caractéristique de son règne : l'affirmation de l'autorité du Siège apostolique sur la partie occidentale de l'Empire restauré par Justinien[1]. Ces deux années sont riches en événements importants pour l'administration de l'Église. Toutes les régions de l'Empire sont présentes. Seules la Gaule franque[2] et l'Espagne visigotique sont absentes. Mais surtout, à l'arrière-plan, il y a le problème de la menace lombarde.

Les progrès de l'invasion lombarde

La menace des Lombards prit un tour aigu dans l'été 592, deux ou trois mois avant le début de la XIe indiction, quand Grégoire apprit que le duc de Spolète,

1. Cette introduction se limite aux questions particulières des livres III et IV. Pour une vue générale, on se référera à l'Introduction de P. Minard, éd. *Registre des lettres*, *SC* 370, p. 7-61. ~ Dorénavant, les lettres du *Registrum* seront désignées, selon l'édition de D. Norberg, *CCL* 140-140 A, par leur livre (en chiffres romains) et leur numéro (en chiffres arabes).

2. Sauf la lettre III, 33 adressée au patrice Dynamius, gouverneur de Marseille.

Ariulfe, s'apprêtait à descendre sur Rome (II, 27 et 38). Le pape réussit à écarter le danger en négociant avec le duc à des conditions que l'on ignore, mais dont on sait seulement qu'elles ne coûtèrent rien à l'Empire[1]. L'exarque Romanus, qui réprouvait cet accord, sans doute parce qu'il en pressentait la fragilité, accourut à Rome dont il retira la garnison, sauf les *Theodosiaci*, et avec ces troupes rétablit la ligne de communication entre Rome et Ravenne en reprenant Sutri, Orte, Narni, Todi, Pérouse[2]. Dans le même temps, le duc de Bénévent, Arogis, s'emparait de Fondi, s'assurant le contrôle de la *via Appia* et donc des communications entre Rome et Naples (III, 13 ; nov. 592).

L'offensive de l'exarque entraîna une réaction brutale du roi Agilulfe. Quittant sa capitale, Pavie, il franchit le Pô à la tête de ses guerriers et marcha sur Pérouse qu'il reprit après un siège de quelques jours[3]. Il vint ensuite assiéger Rome. Il semble bien d'ailleurs qu'il se soit agi d'impressionner l'exarque par un blocus, accompagné de pillages des campagnes environnantes et de capture des populations, plutôt que d'un siège selon les règles pour prendre la ville autrement que par surprise[4]. Ces événements datent de 593-594. Mais est-il possible d'être plus précis ? O. Bertolini estime que le roi s'ébranla au début de 593, qu'il commença le siège de Rome « probablement » à l'automne 593 et qu'il le leva « probablement » au début de 594[5]. On est tenté de penser qu'Agilulfe n'a pas mis si longtemps pour aller de Pavie à Rome. Mais alors, il ne se serait pas mis en

1. V, 36 : *sine ullo reipublicae dispendio* (p. 306, li. 75).
2. Paul Diacre, *Hist. Langob.* IV, 8 (*MGH, SRL*, p. 118).
3. Paul Diacre, *Hist. Langob.* IV, 8 (p. 118, li. 13-15).
4. Paul Diacre, *Hist. Langob.* IV, 8, ne parle que du siège de Pérouse ; il ajoute seulement que Grégoire fut épouvanté par la « venue (*aduentum*) de ce roi », avant de conclure que le roi « regagna Pavie, une fois la situation rétablie ». Grégoire lui-même emploie le terme d'*obsessio* seulement en juin 595 (V, 36, *CCL* 140, p. 307, li. 91), après avoir, quelques lignes plus haut, employé l'expression : *aduentus Agilulfi*.
5. O. Bertolini, *Roma di fronte a Bisanzio*, p. 248 et 250.

route aussitôt après la campagne de Romanus, comme l'affirme Paul Diacre[1]. En tout cas, les informations qu'on peut tirer de la datation des lettres s'accordent en partie avec ce calendrier. Dans une lettre à Constance de Milan de septembre 593 (IV, 2), Grégoire s'inquiète de savoir si le roi est en relation avec le patrice, c'est-à-dire l'exarque, et il propose ses services pour la conclusion d'un accord. Le siège de Rome ne doit pas avoir encore commencé. D'autre part, le *Registrum* ne donne aucune lettre pour janvier et février 594, et, pour mars, il y en a deux seulement : l'une à l'abbé de Saint-Pancrace et l'autre à Léon, acolyte de Sainte-Agathe des Gots, autrement dit pour des destinataires romains[2]. On peut penser que cet arrêt de trois mois dans l'activité de la chancellerie pontificale correspond à la période du siège. On sait aussi que la Ville dut se rendre après épuisement de ses réserves de blé[3], ce qui peut s'accorder avec un siège de trois ou quatre mois. Pour finir, Grégoire traita avec Agilulfe, comme il l'avait fait l'année précédente avec Ariulfe, sans qu'on sache avec certitude à quelles conditions : des sources tardives ont parlé d'un tribut annuel de cinq cents livres d'or[4].

On imagine ce qu'il fallut à Grégoire de courage moral et d'énergie physique pour surmonter une telle épreuve. Rome était dégarnie de troupes : « pour tenir Pérouse, écrivit-il plus tard, on avait abandonné Rome » (V, 36). Les *Theodosiaci*, faute d'être payés, manquaient de zèle dès juillet 592 (II, 38). Grégoire dut se transformer en chef militaire

1. Paul Diacre, *Hist. Langob.* IV, 8 : *statim Ticino egressus est.*

2. P. Ewald, dans son mémoire « Studien zur Ausgabe des Registers Gregors I » du *Neues Archiv*, p. 571-573, a étudié ces indications de mois sans lettres que l'on trouve à plusieurs endroits du *Registre*. Mais il ne cherche pas à expliquer le phénomène par les circonstances du moment. Ici la raison semble bien être la guerre ; ailleurs ce pourrait être une maladie du pape. Il dit plusieurs fois que sa santé l'a empêché d'écrire.

3. V, 36, (*CCL* 140, p. 306).

4. *Continuatio Hauniensis*, *MGH, AA* 9, p. 339.

pour organiser la garde des murailles[1]. Deux hommes pourtant furent pour lui de précieux collaborateurs : le préfet du prétoire d'Italie, Grégoire, et Castus, maître de la milice, auxquels il rendit hommage plusieurs fois ensuite, en les défendant contre la malveillance de l'empereur. Le plus éprouvant pour le pape était de voir le carnage et la désolation que l'ennemi semait sur son passage. Cela apparaît avec force dans les *Homélies sur Ézéchiel* qu'il prononça au cours de cette période[2]. Quand on lit ces pages brûlantes, on s'étonne que ces mois d'angoisse et de douleur n'aient pas laissé plus de traces dans la correspondance. On retrouve cependant le ton de l'Homélie II, 6, 22 dans la lettre au clergé de Milan d'avril 593 (III, 29). La « férocité des barbares » est mentionnée dans la lettre suivante (III, 30). Enfin le nom d'Agilulfe – sous la forme « Ago » – figure en septembre 593 dans la lettre à Constance dont nous parlions plus haut (IV, 2). Même si nous avons omis quelques passages, cela fait en fin de compte peu de choses. C'est qu'une correspondance administrative ne se prête guère à des épanchements[3]. Mais il est vrai que les méfaits de l'invasion lombarde sont partout présents dans les lettres de cette époque. Elle obligea le pape à remodeler l'organisation des évêchés. En novembre 592, il fit passer l'évêque de Fondi Agnellus sur le siège de Terracine, « parce que, à cause des malheurs de la guerre, il n'est possible à personne d'habiter ni dans ta cité ni dans ton Église » (III, 13). L'allusion aux méfaits d'Arogis est discrète, mais évidente. En janvier 593, il réunit les Églises de Cures en

1. *Hom. in Ez.* I, 11, 26 (*SC* 327, p. 484, li. 10).

2. Voir C. Morel, éd. *Hom. in Ez.*, *SC* 327, p. 8-11. Au début du livre II (*SC* 360, p. 42), Grégoire, bouleversé, annonce qu'Agilulfe a passé le Pô. ~ Sur les ravages de l'invasion, voir *Hom. in Ez.* I, 9, 9 (*SC* 327, p. 342, li. 6) ; II, 6, 22 (*SC* 360, p. 312-316) ; II, 10, 24 (p. 530).

3. Plus tard, dans sa longue lettre à l'impératrice (V, 39), le pape s'exprima plus librement sur les misères de l'Italie. Mais c'était presque une lettre personnelle.

Sabine et de Nomentum, parce que « l'impiété des ennemis a ravagé les Églises » (III, 20). La menace en effet est double : militaire et spirituelle. Les Lombards et Satan conjuguent leurs efforts contre le peuple chrétien. Grégoire nous fait aussi sentir le poids de la guerre en parlant de ces clercs qui fuient l'Italie pour se réfugier en Sicile.

Il parle peu de la guerre, mais il y pense toujours et toutes ses initiatives sont tournées vers elle, sans qu'il y paraisse. Les décisions qu'il prend doivent tenir compte du péril lombard. Ainsi est-il très préoccupé de la désignation d'un évêque à Naples (III, 15), parce que la ville est à la merci d'une attaque du duc de Bénévent. De même, il s'entoure de toutes les précautions pour faire élire Constance à Milan, parce qu'il est un homme sur qui il sait pouvoir compter comme intermédiaire dans ses relations avec la cour lombarde. Les efforts que Grégoire déploie pour empêcher Théodelinde de se rallier au schisme des Trois Chapitres obéissent au même souci.

Plus sournoisement, la guerre eut pour conséquence indirecte d'aigrir les relations entre le pape et l'Empire. À l'origine il y eut le désaccord avec l'exarque Romanus sur la politique à suivre en face des Lombards. Celui-ci ne voyait d'issue que dans une victoire militaire et reprochait au pape une attitude trop conciliante. Le pape en voulait à Romanus de ne pas défendre Rome tout en refusant qu'on traitât avec les Lombards. L'exarque desservait le pape auprès de la cour de Constantinople. Ce n'est pas un hasard si quatre lettres de nos deux livres témoignent de frictions entre la capitale impériale et Rome. Il y a d'abord, en juillet 593, un premier conflit avec le patriarche Jean (III, 52). Un mois plus tard, Grégoire se décide à protester contre la loi, promulguée depuis un an, qui interdit aux soldats et fonctionnaires l'entrée dans le clergé et dans les monastères. Grégoire déclare que sa santé l'a empêché d'écrire plus tôt. Faut-il le croire ? On pensera plutôt qu'il a longuement hésité et qu'il s'est décidé à réagir contre cet empereur, son ami, qui l'abandonne

à la fureur d'Agilulfe. Cette lettre fort respectueuse est aussi pleine d'un ressentiment qui dépasse son objet. Trois mois plus tard, le pape menace d'excommunication les évêques de Dalmatie, s'ils consacrent Maxime évêque de Salone[1]. Or il ne fait aucun doute que l'exarque n'ait prêté la main à ce qui ressemble à une conspiration contre l'autorité du pontife romain[2]. Enfin la requête de l'impératrice demandant au pape de lui envoyer la tête de saint Paul (IV, 30, de juin 594) procède d'une volonté manifeste inspirée par le patriarche de mettre Grégoire à l'épreuve. Certes, on n'en est pas encore au sommet de la crise qui n'éclata que l'année suivante avec le reproche de Maurice accusant Grégoire d'être un *fatuus* et avec la prétention du patriarche au titre « œcuménique[3] ». Mais c'est bien le début d'un lourd malentendu exaspéré par la guerre. Les initiatives du pape agacent la cour, et le pape a le sentiment d'être abandonné. Dans une de ses dernières *Homélies sur Ézéchiel*[4] il jette ce cri digne d'un vieux Romain : « Où est le sénat ? Où est le peuple ? » Ces mots sonnent comme un reproche cinglant à l'empereur qui ne fait rien pour Rome.

Les Églises de Naples et de Salone

Quelques affaires pendantes restaient à régler. La première était celle de la succession de Démétrius sur le siège de Naples. Celui-ci, pour des raisons très graves que le pape ne précise pas, avait été déposé et, dans une lettre de septembre 591[5], Grégoire avait demandé au clergé et au peuple de Naples de lui choisir un successeur. En attendant, il avait chargé l'évêque

1. IV, 16, de novembre 593. Voir *infra* III, 32, note 1 pour le détail de l'affaire.
2. Grégoire insiste pour qu'on lui présente la ratification de l'élection par l'empereur. Il veut avoir la preuve de la collusion entre la cour et les électeurs.
3. V, 36 et 37, de juin 595.
4. *Hom. in Ez.* II, 6, 22 (p. 316).
5. II, 3 (*SC* 371, p. 310).

de Nepi, Paul, de gouverner l'Église de Naples en qualité de « visiteur ». Certains Napolitains souhaitaient élire Paul comme évêque titulaire, mais Grégoire ne se montra pas pressé de ratifier l'élection et il leur demanda d'attendre de mieux connaître Paul[1]. Sans doute était-il informé que celui-ci ne faisait pas l'unanimité et c'est justement ce que montre la première lettre du livre III, de septembre 592 : Paul vient d'être victime d'une révolte dirigée en sous-main par une grande dame. En décembre, Florentius, sous-diacre de Rome, fut élu par les Napolitains. Mais, peut-être inquiet de subir le même sort que Paul, il prit la fuite avant d'être sacré. Le pape demanda alors l'aide du gouverneur de Campanie, Scolastique, pour qu'il convoquât de nouveau le peuple de Naples afin d'élire un évêque, ou, à défaut, de choisir « trois hommes droits et sages » qui viendraient à Rome pour procéder à l'élection (III, 15). Six mois plus tard, en mai 593, rien n'était réglé et, cette fois, le pape s'adressa non plus à l'autorité civile, mais au sous-diacre recteur de Campanie, Pierre, auquel il demanda d'envoyer deux ou trois délégués du clergé de Naples qui délibéreraient à Rome avec des représentants de la noblesse. En même temps il accorda à Paul le droit de rentrer à Nepi avec un don de cent sous d'or et d'un jeune esclave. La suite des événements nous échappe pour le détail, mais la lettre III, 60, d'août 593, félicite Fortunat d'avoir été bien accueilli comme évêque par les Napolitains. Il avait fallu neuf mois de tractations pour régler les difficultés de l'Église de Naples.

L'Église de Salone en Illyricum ne causait pas moins de souci au pape. Dès le début de son règne, Grégoire avait été en mauvais termes avec le titulaire du siège, Natalis. Sous Pélage II, celui-ci avait eu une querelle avec un de ses archidiacres, Honorat : pour l'écarter de ses fonctions d'administrateur des biens de l'Église, il l'avait, contre son

1. II, 8 (*SC* 371, p. 322), décembre 591.

gré, promu à la prêtrise[1]. Une nouvelle source de conflit survint en octobre 592 du fait de la déposition de l'évêque Florentius d'Épidaure par Natalis, sans jugement d'un synode. Nous ne savons pas comment l'affaire se termina. Quoi qu'il en soit, Natalis mourut (III, 32, d'avril 593) et l'Église de Salone élut comme évêque Honorat, l'adversaire du défunt (III, 46), pour le plus grand plaisir du pape. C'était sans compter avec les intrigues sur place du parti aristocratique[2] appuyé par l'empereur – même si Grégoire est très discret sur ces menées – qui défendait la candidature de Maxime en prétendant qu'Honorat était indigne. Grégoire fut contraint de s'opposer à l'élection de Maxime et de menacer d'excommunication les évêques qui le sacreraient. La lettre qu'il écrivit aux évêques de Dalmatie à ce sujet (IV, 16, de novembre 593) est d'un ton tout nouveau. Jamais encore le pape ne s'était montré aussi soucieux de défendre son autorité. Malgré cela, les évêques dalmates ayant passé outre à cette menace en prétextant avoir agi sur ordre de l'empereur, le pape somma Maxime de produire l'acte impérial, faute duquel il fulminerait « l'anathème de Pierre, prince des apôtres » (IV, 20, d'avril 594). On sent le pape exaspéré par cette résistance à sa volonté et, dans les derniers mots de la lettre, perce la crainte de voir ce mauvais exemple inspirer d'autres Églises. C'était bien l'autorité du Siège romain qui était en cause. En juillet 594, le scolastique de Dalmatie, Marcel, s'étant permis d'intercéder en faveur de Maxime, reçut une lettre très sèche de refus (IV, 38) qui rappelait que Maxime était excommunié. Ce schisme véritable se prolongea des années durant, avant que Maxime fît amende honorable le 25 août 599 à Ravenne (IX, 234).

Dans une région voisine, Grégoire eut aussi à connaître d'un imbroglio judiciaire dont fut victime Hadrien, évêque

1. II, 17 (*SC* 371, p. 338). Sur la signification de cette dégradation sous forme de promotion, voir III, 32, note 1.

2. O. Bertolini, *Roma di fronte*, p. 251-252, souligne que l'exarque Romanus était derrière ces manœuvres.

de Thèbes en Phtiotide (III, 6 et 7). Accusé par deux diacres, en matière criminelle et en matière pécuniaire, il avait été déféré devant la justice impériale. Celle-ci renvoya l'enquête à Jean, évêque de Larissa, à charge pour lui de prononcer en matière pécuniaire et d'en référer à l'empereur en matière criminelle. Sur ce point les témoins défavorables furent confondus. Pour les affaires pécuniaires, Hadrien ayant fait appel de la sentence de Jean de Larissa fut jeté par lui en prison, où il fut contraint à de faux aveux. Mais l'empereur l'acquitta au vu des témoignages présentés par les représentants du pape. C'est alors que les ennemis d'Hadrien obtinrent de l'empereur que l'affaire fût remise à la décision de Jean, évêque de Prima Justiniana. Ce nouveau procès conduit de façon scandaleuse et haineuse aboutit à la déposition de l'accusé. Devant tant d'irrégularités, Grégoire le rétablit dans ses fonctions (III, 7). Cette affaire est particulièrement intéressante en ce qu'elle montre les imbrications du pouvoir impérial et du pouvoir pontifical en matière judiciaire. On y voit comment le pape revendique le respect de ses droits, tout en reconnaissant ceux de l'empereur. Nous n'insisterons pas sur la fin burlesque de cette affaire : tout le monde se réconcilia, mais Grégoire décida de faire une enquête pour savoir si l'arrangement n'avait pas été obtenu à prix d'argent (III, 38). Ce qu'il faut retenir de tout cela, c'est le rôle d'appel que Grégoire fait jouer au Siège de Rome au-dessus des tribunaux ecclésiastiques locaux et, d'autre part, son effort pour sauvegarder l'autorité de la justice ecclésiastique contre les empiètements de la justice impériale.

L'Église de Milan

À Milan, l'invasion lombarde avait obligé l'évêque et une partie du clergé à se replier à Gênes. Pendant près de vingt ans, le siège épiscopal fut occupé par Laurent qui mourut entre août 591 et mars 593[1]. Grégoire écrivit au

1. La dernière lettre adressée à Laurent (I, 80) est datée d'août 591 et la lettre III, 26 – qui signale la mort de Laurent – est de mars 593.

clergé de Milan pour approuver le choix de Constance, un de ses amis, connu jadis à Constantinople. Il en profita pour dresser le portrait du bon évêque (III, 29, d'avril 593) et mettre en garde contre les ambitions épiscopales. Cette lettre montre que le pape tenait à associer son rôle d'administrateur et son rôle de pasteur. Même si l'élection de Constance paraissait assurée, le pape voulait être garanti contre toute contestation qui aurait pu résulter de la division du corps électoral entre Milan et Gênes. Il envoya donc à Gênes le sous-diacre Jean (III, 30, d'avril 593). Conformément à la règle, il informa de l'élection l'exarque Romanus en lui demandant d'assurer à Constance sa protection « qu'il ait été ou non sacré évêque », formule prudente qui montre qu'une contestation était toujours possible (III, 31, d'avril 593). Élu en avril, Constance fut sacré en septembre (IV, 1) et reçut le pallium. À ce moment Agilulfe marchait sur Rome. Les dernières lignes de la lettre IV, 2 laissent mal deviner dans quelle angoisse se trouvait le pape et la complexité du drame qui était en train de se jouer. L'installation à Milan d'un ami, d'un homme de confiance comme Constance engageait toute l'action diplomatique que le pape amorçait pour sauver Rome du carnage et, par delà la Ville, pour préserver toute l'Italie.

Le nouvel archevêque se heurta tout de suite à l'opposition de trois évêques, dont celui de Brescia – les autres sont inconnus –, qui refusaient la communion de Constance sous prétexte qu'il aurait signé une condamnation des Trois Chapitres (IV, 2 et 3, de septembre 593). Le plus grave est que ces évêques entraînèrent à leur suite la reine des Lombards, Théodelinde. Cette princesse, bavaroise de naissance, convertie au catholicisme, était, si l'on peut dire, une pièce maîtresse dans le jeu politique du pape avec les Lombards ariens. Il était de la plus haute importance qu'elle ne basculât pas dans le schisme en rompant la communion avec le pape. En vérité, les choses n'étaient pas très simples,

car, à la suite de deux de ses prédécesseurs, Vigile et Pélage II, Grégoire, dans son for intérieur, n'acceptait qu'avec réserve la condamnation des Trois Chapitres au concile de Constantinople de 553. C'est pourquoi on ne le voit jamais adopter de position doctrinale tranchée sur les Trois Chapitres. Il n'est que de relire la lettre II, 43[1] pour comprendre qu'il ne cherche ni à défendre, ni à condamner les Trois Chapitres – il affirme seulement que Théodore de Mopsueste a été condamné à juste titre –, mais il se place sur le plan de la sauvegarde de l'unité de la foi et de l'Église. Sa position est d'ordre disciplinaire plutôt que théologique. Les lettres IV, 2, 3 et 4 – les deux premières adressées à Constance et la troisième à Théodelinde – ne laissent aucun doute sur ce point. Le pape refuse d'entrer dans une controverse sur les Trois Chapitres. Il ne parle que de l'autorité du Siège apostolique, de sa fidélité au concile de Chalcédoine et de l'unité de l'Église. Prudemment, Constance renonça à remettre la lettre destinée à la reine, car il y était question du Ve concile. Il ne s'agissait pourtant que d'une allusion, mais Grégoire approuva l'initiative de l'archevêque et, en juillet, il récrivit une lettre à Constance et une autre à Théodelinde (IV, 37 et 33) où il ne parlait que des quatre premiers conciles œcuméniques.

Les relations avec les autres villes d'Italie

Si l'on met à part la longue lettre de juillet 593 par laquelle le pape reproche à Jean de Ravenne l'usage abusif qu'il fait du pallium (III, 54), toutes les autres lettres qui concernent l'Italie traitent de l'administration courante que complique cependant la présence lombarde. En novembre 592 Agnellus de Fondi est nommé évêque titulaire de Terracine. Comme toujours, la

1. Le nom des destinataires de cette lettre n'a pas été conservé. ~ Sur la signification de ce document, voir les notes de P. Minard, *SC* 371, p. 410 s.

lettre de nomination adressée à l'évêque s'accompagne d'une lettre d'information « au clergé, aux notables et au peuple » de la ville concernée (III, 13 et 14). En janvier 593 deux Églises sont regroupées : Gratiosus, évêque de Nomentum, est chargé d'administrer l'Église de Cures en Sabine (III, 20). En mars 593 un désaccord des habitants de Rimini avec leur nouvel évêque Castorius a rendu ce dernier malade et il s'est réfugié à Rome. En attendant, Léonce d'Urbino est chargé de la « visite » de Rimini (III, 24 et 25). En juin 593 Numerius, diacre de Nocera, est appelé à Rome pour y être sacré évêque de sa ville (III, 39).

Un groupe de six lettres du mois de juin 593 manifeste la volonté du pape de remettre de l'ordre dans les Églises du sud de l'Italie qui, mal reliées à Rome par la voie terrestre du fait de l'invasion lombarde, ont sombré dans un certain laisser-aller. Trois lettres sont envoyées : l'une au notaire Pantaléon (III, 40), les deux autres à Félix, évêque de Sipontum (III, 41 et 42) ; trois autres lettres sont adressées respectivement à Boniface de Reggio (III, 43), à André de Tarente (III, 44) et à Jean de Gallipoli (III, 45). On a là un tableau de la misère morale et matérielle qui règne dans cette contrée. À Sipontum, le diacre Evangelus a été fait prisonnier par les Lombards et a dû payer une rançon. Pendant ce temps, sa fille a été violée par Félix, neveu de l'évêque du même nom. Félix devra rembourser la rançon de son diacre et forcer son neveu à épouser la fille, sous peine d'être enfermé dans un monastère (III, 40-42). Il lui est aussi demandé de faire un inventaire des biens de son diocèse qu'il transmettra au pape (III, 41). Boniface de Reggio reçoit l'ordre de restituer à une certaine Stéphanie les biens que lui a volés son prédécesseur Lucius (III, 43). Enfin André de Tarente est suspens *a diuinis* pendant deux mois pour avoir fait bâtonner une femme assistée par l'Église et il devra aussi s'expliquer sur la rumeur dénoncée par Jean de Gallipoli selon laquelle il a eu une

liaison avec une concubine après son entrée dans les ordres (III, 44 et 45).

Il est encore question de l'Italie du Sud dans les mois qui suivent. Boniface de Reggio, que nous avons vu fraîchement installé en juin 593 à la succession de Lucius, est rappelé à l'ordre en septembre, parce qu'il ne tient pas son clergé et que celui-ci néglige ses devoirs (IV, 5). Sipontum est de nouveau sur la sellette en décembre 593 : il faut rappeler à Félix, comme en juin avec Evangelus, de payer la rançon du clerc Tribunus (IV, 17). Cela en dit long sur l'avarice du prélat et plus encore sur l'insécurité qui règne dans la région.

Comme on l'a rappelé plus haut, le *Registrum* ne mentionne rien pour les mois de janvier et février. En mars, il n'y a que deux lettres qui concernent deux églises de Rome : Saint-Pancrace dont le service est confié à l'abbé du monastère attenant et Sainte-Agathe dont est chargé l'acolyte Léon (IV, 18 et 19).

Enfin, trois lettres du livre IV concernent encore deux villes d'Italie. À Luni nous découvrons un évêque, Venance, qui laisse les juifs posséder des esclaves chrétiens. Grégoire lui rappelle de façon détaillée la législation impériale en ce domaine[1]. D'autre part, comme Venance a des difficultés à gouverner son diocèse, Grégoire, répondant à sa requête, charge Constance de Milan de lui prêter son aide (IV, 22, de mai 594). La troisième lettre, d'août 594 (IV, 39), concerne la nomination d'un visiteur de l'Église d'Hortona après la mort de son évêque. Mais ni le défunt ni le visiteur ne sont nommés. Cette lettre est restée à l'état de canevas.

Les îles

Le nombre des lettres destinées à la Sardaigne et à la Sicile est proportionnellement considérable : dix pour la Sardaigne ; dix-sept pour la Sicile, c'est-à-dire un peu plus du quart de la

1. IV, 21. Voir *infra* les notes 3-4 à cette lettre.

correspondance de cette période. En Sardaigne, qui relève de la préfecture d'Afrique, Grégoire avait fort à faire avec l'évêque de Cagliari, Janvier, personnage encombrant à qui il avait écrit déjà cinq lettres aux livres I et II[1]. On en vint au point qu'en mai 593, Grégoire ordonna au défenseur de Sardaigne de le faire venir à Rome accompagné d'un notaire du Saint-Siège pour répondre d'accusations portées contre lui (III, 36). La lettre IV, 9, de septembre 593, est un véritable réquisitoire. Janvier néglige de veiller à la discipline des monastères. Il ne réunit pas régulièrement les conciles épiscopaux de sa province. Il rend aux juifs ou il leur paie les esclaves qui se réfugient dans les églises. Il ne s'occupe pas de faire respecter les dispositions testamentaires en faveur de la fondation de monastères (la question est traitée en détail en IV, 8 et IV, 10). Le pape dut revenir sur ces questions en mai 594 (IV, 24). Le plus grave était l'état d'abandon spirituel des campagnes de Sardaigne où le paganisme refleurissait, même parmi les paysans des domaines de l'Église. Grégoire à ce sujet admoneste non seulement l'archevêque (IV, 26), mais aussi les propriétaires fonciers (IV, 23). Il faut même rappeler à Janvier ses devoirs les plus élémentaires sur le contrôle des mœurs du clergé et sur l'administration du baptême aux enfants. Sans doute est-ce pour remédier à cette crise que Grégoire ordonna de rétablir l'évêché de Fausiana (IV, 29). Mais il eut au moins la satisfaction de voir le duc de Sardaigne, Zabarda, faire la paix avec les Barbaricins, une population païenne du nord-est de l'île, afin de les convertir au christianisme (IV, 25). Leur chef, nommé Hospiton, s'était déjà converti et voulait travailler à la christianisation de ses congénères (IV, 27).

La Sicile était « devenue l'une des provinces privilégiées de la papauté[2] ». Elle apparaît aussi comme la terre d'asile

1. Voir *SC* 370, p. 258, n. 1.

2. C. Pietri, « La Rome de Grégoire », dans *Gregorio Magno e il suo tempo*, t. 1, p. 18.

de ceux qui fuyaient l'invasion lombarde. Sa situation était meilleure que celle de la Sardaigne. Cela tenait sûrement à la personnalité du représentant et ami personnel de Grégoire, l'évêque de Syracuse Maximien, qui était d'une tout autre trempe que le triste Janvier. Il est vrai aussi que, dès août 591, une épuration avait été entreprise dans l'épiscopat sicilien. Plusieurs évêques avaient dû répondre d'accusations, mais ils furent acquittés. Deux furent déposés qu'on retrouve ici : Paul de Triocala (Caltabellotta[1]) dont le pape confirme, en III, 49, le maintien dans un monastère et Agathon de Lipari pour qui le pape demande qu'on subvienne à ses besoins après sa destitution (III, 53). Un cas restait pendant : celui de Grégoire d'Agrigente et le pape demanda à Maximien de faire amener à Rome ses accusateurs en novembre 592 (III, 12). On relève aussi, en août 593, dans une lettre à l'évêque de Tyndare, la mention d'un mouvement de retour au paganisme et, plus curieuse encore, celle d'une hérésie d'inspiration monophysite (III, 59). Cela ne semble pas très grave et le pape n'a pas l'air vraiment alarmé, d'autant moins qu'il a pleinement confiance dans l'action de l'évêque, ce qui ne l'empêche pas pourtant de faire appel à la police impériale en alertant le préteur de Sicile. À part cela, toutes les autres lettres concernent des affaires personnelles. Pourtant, en septembre 593, le pape s'inquiéta d'un relâchement de la discipline ecclésiastique et par la lettre IV, 11, il renouvela sa délégation de pouvoir à Maximien, en lui rappelant un certain nombre de règles à observer dans le gouvernement de l'ensemble de la Sicile. Et un mois plus tard, dénonçant le crime commis par un homme de Messine, il commençait sa lettre en exprimant la crainte de voir la province courir à sa perte sous l'effet de ses péchés. Mais ces mots semblent dictés par l'émotion du moment (IV, 12) plutôt que par une réelle aggravation de la situation.

1. Cette identification du siège n'est pas sûre.

L'Afrique

L'Église d'Afrique était composée de six provinces : la Numidie, la Maurétanie Césarienne, la Maurétanie Sitifienne, la Proconsulaire ou Zeugitane, la Byzacène et la Tripolitaine. Chaque province avait un primat qui était l'évêque le plus ancien, sauf en Zeugitane où le primat était l'évêque de Carthage[1]. Le pape entretenait des rapports confiants avec Gennade, l'exarque d'Afrique, et sollicitait son concours dans les affaires religieuses[2]. Mais surtout, en juillet 592, il avait noué des relations avec Colombus, un évêque de Numidie[3]. Un an plus tard, mois pour mois, à la lettre que celui-ci lui avait fait apporter par son diacre Victorin, Grégoire répondit d'une manière particulièrement chaleureuse. Il se félicitait d'avoir trouvé en lui un homme « dévoué au Siège apostolique ». Il l'engageait à faire en sorte que le prochain concile veillât à éviter toute simonie dans les ordinations et lui envoyait une clef de saint Pierre (III, 47). Cette lettre n'a pas le caractère formel d'une délégation de pouvoir, comme la lettre II, 5 à Maximien de Syracuse[4], mais elle fait malgré tout de Colombus l'interlocuteur privilégié et l'homme de confiance du pape en Afrique. Cela ressort clairement de la lettre que Grégoire

1. Voir L. Pietri, *HC* 3, p. 865.

2. Ici en IV, 7. Mais déjà plus tôt en I, 59 ; 72 ; 73.

3. II, 39. Par le même courrier, II, 40, il remerciait Dominique de Carthage de la lettre qu'il lui avait envoyée pour le féliciter de son élection. ~ Aucune des lettres écrites par Grégoire à Colombus ne donne le siège de cet évêque africain. J. Ferron dans *DHGE*, art. « *Columbus* », t. 13, col. 346-347, fait état d'une inscription de N'gaous mentionnant un Columbus, *episcopus Niciuensis*. Mais il n'est pas sûr que ce soit le nôtre. Selon A. Audollent dans *DHGE,* art. « Afrique », t. 1, col. 844, Colombus était sans doute évêque de N'gaous, *Niciuibus* à l'ouest de Lambèse, voir la carte dans *DHGE, ibid.,* col. 849-850. Selon Y. Duval, « Grégoire et l'Église d'Afrique », p. 138-139, n. 25, « le nom n'est pas assez rare pour qu'on puisse être sûr de cette identification. » Ses relations étroites avec Grégoire lui valurent certaines inimitiés, voir VII, 2.

4. Une reconnaissance officielle de l'autorité de Maximien se justifiait par sa qualité d'évêque de Syracuse. Pour Colombus, cela aurait été indélicat à l'égard du primat de Numidie.

écrivit dans le même temps à Adéodat, primat de Numidie : il lui demandait de veiller à la régularité des ordinations et l'invitait à prendre conseil de Colombus comme si c'était lui. Un peu plus tard, en septembre 593, apprenant que le concile de Numidie n'avait pas suivi ses recommandations, il demanda à l'exarque Gennade, de prêter son aide à Colombus (IV, 7).

Dans les lettres des livres I, II et III qu'il envoie en Afrique, le pape fait presque toujours mention du donatisme, mais incidemment, sans y attacher une importance particulière. Sa grande préoccupation pour l'Afrique était manifestement alors la simonie[1]. Encore en octobre 593, traitant du cas d'un prêtre remplacé un peu trop hâtivement, il demandait au primat de Byzacène de vérifier si le remplaçant de ce prêtre n'avait pas agi par simonie (IV, 13). Or en juillet 594, dans une lettre au préfet du prétoire Pantaléon (IV, 32), le pape émet la crainte d'une résurgence du donatisme[2]. Le tableau dressé alors par lui est dramatique : évêques catholiques chassés de leurs églises ; réitération du baptême. Par le même courrier (IV, 35), il exhorte Colombus et Victor, un autre évêque, à réunir un concile pour lutter contre le donatisme dont le pape décrit une nouvelle fois les agissements en termes émus. Curieusement, dans la suite de la correspondance, le donatisme n'apparaît plus comme une menace réelle. En septembre 594, le pape félicite Dominique de Carthage d'avoir dompté les « sectes

1. I, 72 (*SC* 370, p. 284, li. 23) évoque « la possibilité de résister aux donatistes », *resistendi donatistis possibilitas* ; I, 75 (*ibid.*, p. 292, li. 16) interdit de promouvoir à la primatie un ancien donatiste ; I, 82 (*ibid.*, p. 306, li. 4) regrette que des donatistes aient été « préposés à des Églises » contre de l'argent ; II, 39 (*SC* 371, p. 396, li. 15) signale un évêque « corrompu par l'argent des donatistes » ; III, 47 et 48 invitent Colombus et Adéodat, le primat de Numidie, à veiller à la régularité des ordinations en évitant la simonie, mais sans parler du donatisme.

2. Déjà, peut-être, y a-t-il l'idée de la menace d'un schisme dans IV, 7, de septembre 593, à Gennade, puisque le pape l'invite à « arrêter les guerres intestines des Églises ».

des hérétiques » (V, 3). Il est difficile de penser qu'un tel résultat ait été obtenu en quelques mois et il est plus probable que le pape ait fini par s'apercevoir qu'il s'était laissé abuser par les rapports alarmistes d'un évêque africain, Paul, dont il parle à la fin des deux lettres IV, 32 et 35[1]. Dans ces lettres, le pape demande au préfet du prétoire d'une part et à Colombus et Victor d'autre part d'aider Paul à venir à Rome pour l'informer sur le danger donatiste. En fait, le zèle de Paul était suspect à ses confrères qui n'étaient pas pressés de le voir arriver à Rome[2]. D'ailleurs, comme on l'a vu plus haut, Grégoire fut vite éclairé sur la situation réelle du donatisme en Afrique. Pourtant, il ne rompit pas ses relations avec Paul et continua à le protéger.

En effet les tribulations de celui-ci ne s'arrêtèrent pas là et, bien que cela sorte du cadre chronologique des livres III et IV, il n'est pas sans intérêt d'en dire quelques mots, car cela éclaire la personnalité de cet étrange pourfendeur d'hérésie. Deux ans après, en août 596, Grégoire s'adressa cette fois à l'exarque Gennade (VI, 62) pour se plaindre que Paul soit toujours empêché de venir à Rome par les ennemis qu'il s'est faits non pas chez les donatistes, mais « pour la défense de la foi catholique ». Il a même été excommunié. Deux mois plus tard, en octobre 596 (VII, 2), le pape expliquait à Colombus que Paul était passé par Rome en même temps que le chancelier de l'exarque qui proposait de le faire juger sur le témoignage de trois hommes de son Église : Grégoire avait refusé, estimant ces témoins peu qualifiés, et il avait autorisé Paul à partir pour Constantinople. Les déboires de Paul continuèrent cependant, car,

1. Sur toute l'affaire, voir Y. DUVAL, « Grégoire et l'Église d'Afrique », dont nous reprenons l'argumentation.

2. D'après la lettre au préfet, des pressions s'exercent pour empêcher Paul de faire le voyage de Rome. Y. DUVAL, « Grégoire et l'Église d'Afrique », p. 142, n. 34, observe qu'il n'est pas question de ces pressions dans la lettre IV, 35, parce que Grégoire sait que l'opposition au voyage de Paul vient précisément de l'épiscopat numide.

en février 598, le pape remit à Paul, à Rome, deux lettres, l'une pour Adéodat, primat de Numidie, et pour Maurentius (VIII, 13), l'autre pour Colombus (VIII, 15) afin de leur demander d'aider leur confrère. Il s'avère que Grégoire, tout en reconnaissant que Paul avait exagéré le danger donatiste, ne lui en avait pas moins conservé son estime[1].

Une fois débrouillé l'écheveau d'une telle méprise, il reste à expliquer comment elle a pu être possible. C'est ce qu'a bien montré R.A. Markus[2]. Selon lui, l'affrontement du temps de saint Augustin était terminé. À l'époque de Grégoire, il y avait une coexistence entre donatistes et catholiques. Des évêques donatistes étaient chargés de communautés catholiques. Des catholiques permettaient à leurs familles et à leurs dépendants d'être donatistes. Les évêques catholiques consacraient des donatistes à la tête du clergé catholique[3]. On était en présence d'un particularisme de l'Église d'Afrique[4]. Il faut donc se garder de tirer de deux lettres de Grégoire l'idée d'une renaissance du donatisme. L'important est surtout de voir que, si le pape pouvait se laisser surprendre par de mauvais rapports, il disposait d'un service d'information suffisamment vigilant pour lui permettre très vite de ramener les choses à leurs justes proportions.

Constantinople

En tant que chef de l'Église et sujet de l'empereur, il était normal que le pape entretînt des relations étroites avec Constantinople. Mais, en plus, la noblesse de sa famille, sa qualité d'ancien haut fonctionnaire comme préfet de la Ville et surtout ses anciennes fonctions de nonce

1. C'est aussi l'opinion de V. Recchia, éd. *Lettere,* t. 2, p. 80-81.

2. R.A. Markus, « The problem of 'Donatism' in the sixth Century », dans *Gregorio Magno e il suo tempo*, t. 1, p. 159-166.

3. On a vu, *supra* p. 25, note 1, que, tout au plus, Grégoire, dans sa lettre I, 75, interdit l'accès au rang de primat à un ancien donatiste.

4. R.A. Markus, « The problem of 'Donatism' in the sixth Century », p. 165, conclut en disant qu'il s'agit de ce que E. Caspar a appelé l'*Autonomiegefühl* des Africains.

apocrisiaire, tout contribuait à faciliter les liens entre lui et le monde de la capitale impériale. Il connaissait personnellement l'empereur Maurice et sa famille et était le parrain du fils aîné du couple régnant. Maurice était resté sourd aux prières de Grégoire qui voulait éviter le fardeau du pouvoir épiscopal et il avait vite envoyé sa ratification de l'élection. Cependant les relations ne tardèrent guère à se refroidir[1].

Le pape, très affecté par ces affrontements avec l'empereur, l'impératrice et le patriarche de Constantinople, trouva du réconfort auprès des amis qu'il conservait dans la capitale impériale. Il écrivit à plusieurs d'entre eux pour leur recommander le diacre Sabinien, son nouvel apocrisiaire : au patrice Priscus en juillet 593 (III, 51) et au médecin Théotime en août (III, 65). Narsès essaya de concilier les points de vue de Grégoire et de Jean de Constantinople (III, 63, d'août 593). Mais surtout le pape comptait sur deux personnages importants à des titres divers : Théodore, médecin de l'empereur et Domitien, neveu de l'empereur et archevêque de Mélitène. C'est au premier qu'il confia le soin de remettre en privé à Maurice sa lettre de protestation contre la loi sur les soldats (III, 64) et de plaider sa cause auprès du souverain. La lettre à Domitien est une longue exégèse d'un passage de la *Genèse*. Mais à la fin, Grégoire profite de l'occasion pour glisser quelques mots sur l'impression de malaise que lui donne l'attitude de Maurice (III, 62). La dernière lettre du livre IV d'août 594 est adressée à Rusticiana, descendante de Boèce et vieille amie du pape, qui vivait à Constantinople.

Un homme, un style

L'aperçu que nous venons de donner permet de se faire une idée presque au jour le jour des affaires qui assaillaient le pape. Mais l'intérêt de ces lettres n'est pas seulement de retracer

1. Voir *supra* p. 13-14.

la chronique des heurs et malheurs de l'Église ; il est aussi d'éclairer la figure de Grégoire. Beaucoup de lettres des livres III et IV montrent que ses devoirs d'administrateur ne lui font pas oublier qu'il est aussi un pasteur et un maître spirituel. Écrivant à Agnellus de Fondi pour lui confier le siège de Terracine (III, 13) ou au clergé de Milan pour l'inviter à élire un évêque (II, 29), il éprouve le besoin de décrire les exigences de la charge épiscopale, comme il l'avait fait dans le *Pastoral.* On retrouve les idées qu'il avait déjà développées dans les *Moralia* sur l'ordre social et la conception du pouvoir (IV, 23). L'attention qu'il porte à la vie des moines et des moniales est caractéristique d'un homme qui ne s'est jamais consolé d'avoir à s'occuper des affaires du siècle (III, 61 ; IV, 8 ; IV, 9 ; IV, 11 ; IV, 40). La personnalité de Grégoire transparaît aussi dans les confidences qu'il lui arrive de faire sur sa santé et son découragement (III, 63 ; IV, 44). Tout cela est trop connu pour qu'on y insiste[1].

Curieusement, en soulignant comme nous venons de le faire, toute la richesse de cette figure de Grégoire, on en néglige un aspect particulièrement sensible dans la correspondance, celui du gouvernant de l'Église. Les lettres nous renseignent sur l'action du pape, mais elles montrent aussi les pensées, les principes qui l'inspiraient et, plus généralement, les méthodes de travail et le caractère de Grégoire, en un mot le style de son action. Pour cela, nous voudrions essayer de tirer parti de ce qu'il y a de plus impersonnel en apparence dans la correspondance, à savoir le recours fréquent à un cadre formel et à des formules stéréotypées. Mais, précisément, tout l'intérêt est d'observer dans quelle mesure ce cadre est respecté, et avec quelle fréquence ces formules sont employées. La chancellerie pontificale est constituée depuis le IVe-Ve siècle[2]. Un style s'est créé qui

1. Voir l'Introduction de P. Minard, *SC* 370, p. 42-52.
2. C. PIETRI, *Roma christiana*, t. 1, p. 676 s.

donne un air de monotonie à beaucoup de ces lettres. On a d'abord un *préambule* qui énonce une idée générale sur le sujet qui va être traité et l'intention qui a présidé à la décision. Vient ensuite la *notification* qui rappelle la situation à laquelle il s'agit de répondre. Enfin l'*exposé* présente les circonstances particulières qui exigent une décision. La décision suit : c'est le *dispositif*, accompagné d'une formule finale qui est souvent chez Grégoire une menace sur les risques encourus en cas de négligence ou de désobéissance. Ce schéma est, par exemple, parfaitement mis en œuvre dans la lettre III, 30, adressée au sous-diacre Jean pour qu'il fasse procéder au sacre de Constance de Milan. Le *préambule* tient en trois lignes : le Siège apostolique est supérieur aux autres et doit donc veiller à l'installation des évêques. La *notification,* toujours rattachée par une particule de liaison, ici *igitur*[1], explique qu'après la mort de l'évêque Laurent le clergé a fait savoir qu'il avait élu Constance. L'*exposé* explique qu'il manque les signatures au document envoyé au pape et qu'il faut s'assurer que tout le monde est d'accord. Il est donc nécessaire (*necesse est*) que Pierre se rende à Milan et veille à réunir les électeurs. Après quoi il fera sacrer le nouvel évêque, tel est le *dispositif*. Pour finir le pape rappelle qu'ainsi seront respectés les droits du Siège apostolique, tout en respectant les droits qu'il consent aux autres Églises[2].

Il s'en faut pourtant que toutes les lettres suivent ce schéma un peu solennel. Souvent Grégoire réduit le préambule à une courte formule qui rappelle l'occasion qui l'amène à écrire. Il peut répondre à une lettre[3] ou à une requête dont il précise quelquefois qu'elle lui est présentée

1. On trouve aussi *idcirco*, *ideoque*, *proinde*, *quamobrem*.

2. Ce schéma est ancien, voir C. PIETRI, *Roma christiana*, t. 2, p. 1491 s.

3. III, 29 ; 45 ; 46 ; 47 ; 57 ; 59 ; 60 ; 62 ; 63. IV, 1 ; 25 ; 37 ; 44.

4. III, 3 ; 4 ; 7 ; 34 ; 35 ; 40. IV, 2 ; 36 ; 42 ; 43.

par le porteur de la réponse[4]. Enfin, le pape fait état d'informations qui lui sont parvenues par un rapport (*relatio*) dont l'origine est signalée le plus souvent de façon très imprécise[1]. Combinée ou non avec *relatio*, on trouve l'expression *peruenit ad nos*, ou *peruenit ad aures nostras*, ou encore *perlatum est ad nos*[2]. Si ces façons d'entrer en matière attestent une volonté d'aller vite, sans sacrifier aux fleurs de la rhétorique, il en est quelques autres qui trahissent la colère, l'exaspération de Grégoire. C'est le cas dans la première lettre du livre III avec l'attaque brutale par l'interrogative indirecte et la mise en valeur de *scelus*. En III, 23 et IV, 12, on a le même procédé de dramatisation dès les premiers mots de la lettre[3]. Autre procédé : le verbe placé en tête qui sonne comme un reproche cinglant[4].

Pour qualifier la nature juridique de l'acte que constitue la lettre, la Chancellerie utilise plusieurs substantifs : *praeceptum*, *praeceptio* et surtout *auctoritas*. Mais, même si nous avons traduit chacun de ces mots de façon différente, il est bien difficile de voir entre eux une différence de sens, d'autant plus qu'ils sont parfois combinés entre eux : par exemple *huius praecepti auctoritate*[5]. Il semble vain en tout cas de classer les lettres par genre[6]. Par exemple, un mot comme *auctoritas* a trois sens possibles : le mot désigne

1. III, 13 : *relatio cleri*. IV, 4 : *quorumdam relatione* ; 21 : *multorum relatione* ; 22 : *quorumdam uenientium ad nos relatione* ; 35 : *multorum relatione.*

2. III, 9 ; 36. IV, 3 ; 6 ; 15 ; 22 ; 29 ; 33 ; 40. Nous ne relevons, ici et dans les notes précédentes, que les expressions qui figurent au début des lettres. Elles sont aussi très souvent dans le cours des lettres. Pour tous les emplois, on se reportera à l'Index des mots.

3. II, 23 : *Quamuis horrenda exsecrandaque nimis...* ; IV, 12 : *Tanta nobis subinde mala quae aguntur in illa prouincia nuntiantur...*

4. III, 42 : *Exspectabamus...* ; III, 56 : *Pridem praecepimus...* ; IV, 16 : *Oportuerat quidem...* ; IV, 24 : *Oportebat quidem...* C. Pietri, *Roma christiana*, t. 2, p. 1492, signale des cas d'omission du préambule dès le IVe-Ve siècle ; il y voit « une sorte de *breuitas imperatoria* ».

5. Voir l'Index des mots.

6. Comme C. Pietri, *Roma christiana*, t. 2, a pu le faire dans les tableaux des pages 1525-1535.

l'acte lui-même et nous le traduisons par « instruction » ; en certains cas, il garde le sens abstrait d'« autorité » ; mais parfois ce sens glisse à celui d'un titre honorifique désignant le pape, lorsqu'il est accompagné de *nostra*. *Auctoritas* prend une force toute particulière quand le pape l'invoque comme l'expression d'un pouvoir délégué par l'apôtre Pierre : *ex beati Petri apostolorum principis auctoritate*, ce qui n'arrive qu'exceptionnellement et pour des affaires très graves (III, 6 ; IV, 16 seulement). D'une façon générale, la force de l'*auctoritas* apparaît bien par le fait que le mot est parfois accompagné de participes comme *suffultus, munitus*[1]. À des oreilles romaines, même au VIe siècle, le mot *auctoritas* sonnait bien plus fort que pour nous le mot « autorité ». L'*auctoritas* définit, sous la république, le pouvoir du sénat et, rapproché de *princeps*, il fait penser au chapitre 34 des *Res gestae* d'Auguste qui fondait son pouvoir de *princeps* sur l'*auctoritas* qu'il distinguait de la *potestas*[2]. Il n'en est que plus remarquable de voir Grégoire refuser de recourir à la *potestas* en lui opposant la persuasion et la raison (IV, 21 ; 41). Plus généralement, des expressions comme *auctoritatis tenore, praecepti serie,* sont héritées du style juridique et se retrouvent dans le *Code Justinien*.

Si le vocabulaire qui qualifie la nature juridique des actes du pape est pauvre, en revanche, les verbes qui expriment sa volonté et ses décisions sont très variés. On observe d'abord que le verbe *iubere* – ainsi que *iussio* ou *iussum* – qui apparaît plusieurs fois au livre I[3] a disparu dans les livres II, III et IV. Ces mots sont désormais réservés à l'empereur et à l'impératrice. Rien d'étonnant à cela : *iubere* était le verbe qui traduisait la volonté du peuple en ses comices et ce pouvoir souverain est passé du peuple à l'empereur. Il n'est donc pas impossible que Grégoire ait renoncé à un registre de voca-

1. C'est exceptionnel avec un autre mot, ainsi en II, 41 (*SC* 371, p. 406, li. 9) : *nostra praeceptione suffultum.*
2. C. PIETRI, *Roma christiana,* t. 2, p. 1515.
3. I, 1, 12 ; 18, 12 ; 37, 6 ; 40, 8 ; 42, 108 ; 48, 10 ; 52, 7 ; 66, 8.

bulaire qui pouvait heurter le souverain. Il disposait d'ailleurs d'une palette suffisamment riche pour donner ses ordres. Le verbe le plus fréquent est *praecipere*. C'est aussi le plus impératif et celui qui, par sa relation avec le substantif *praeceptum*, a la plus forte valeur juridique. On rencontre aussi très souvent *uelle*. Mais d'autres, qui ne traduisent pas pour autant une moins ferme injonction, sont employés manifestement dans un souci de courtoisie : *admonere* est encore assez ferme. On remarque aussi que *hortari* est de préférence employé dans les lettres aux évêques. C'est aussi le cas de *praeuidere*. *Prohibere* traduit une volonté particulièrement affirmée.

L'esprit dans lequel le pape traite les affaires transparaît dans des formules qui, pour être répétitives, n'en sont que plus révélatrices de son caractère. Sauf les cas exceptionnels où sa décision est définitive[1], dès qu'il a connaissance d'une irrégularité ou d'un trouble dans une Église, il charge un de ses représentants, par exemple le recteur du patrimoine de l'endroit, ou l'évêque du lieu, de faire une enquête : *perquirere*, *perscrutari*. Ces verbes sont rarement employés seuls ; presque toujours un adverbe ou une expression adverbiale (*subtiliter* ; *subtili indagatione*) vient rappeler au destinataire tout le soin qu'il doit mettre dans l'accomplissement de sa mission[2]. Le souci de la vérité est maintes fois rappelé. Il faut que toutes les informations, toutes les dénonciations soient contrôlées. Les formules du genre : *quod si uerum est*, *si ita esse cognoueris* abondent[3]. Inversement, il est très important que des fautes ne restent pas cachées ou,

1. Par exemple l'usurpation de Salone, voir IV, 16 et 20.
2. Voir l'Index des mots, *s.u.* « *perspicere* » et « *perscrutari* ».
3. Ces deux formules se trouvent en IV, 12, à cinq lignes de distance. Nous en avons relevé vingt exemples sous une forme ou une autre. Voir l'Index des mots, *s.u.* « *cognitio* », « *cognoscere* », « *inuenire* », « *manifeste* », « *manifestus* », « *repperire* ». Nous avons recensé tous les emplois d'*inuenire*, même si, dans certains cas, il s'agit d'un biblisme, avec une valeur de copule, comme l'hébreu *matsah*. On peut joindre les formules de conjuration du genre : *quod absit*, *quod non credimus*, *auertat Dominus*, qui sont aussi fréquentes.

pis encore, que l'autorité supérieure, tout en les connaissant, ne les laisse pas impunies (*celare*, *dissimulare*, *dissimulatio*). Celui qui ne châtie pas les fautes de ceux qui lui sont soumis se rend lui-même coupable de ces fautes. C'est par exemple ce que Grégoire reproche à Félix de Sipontum qui n'a pas sévi contre son neveu qui a séduit et enlevé une moniale[1]. Le premier devoir de l'évêque est de protéger le troupeau de « l'ennemi rusé[2] ». Il est un « surveillant[3] ». Grégoire rappelle à Jean de Constantinople que son nom de Grégoire signifie « vigilant[4] ». Il forge même le mot de *circuminspectio* pour définir la fonction épiscopale[5]. Les devoirs de l'évêque sont bien résumés dans le début d'une lettre à Théodore de Lilybée : « La sollicitude de Ta Fraternité nous est tout à fait agréable, parce que, ce qu'elle apprend de la vie des prêtres, elle a soin de le vérifier et après enquête elle en rend compte[6]. »

Le souci du pape de tenir son monde en haleine se marque dans les lettres par une recherche d'expressivité. Divers procédés stylistiques servent à souligner l'importance et l'urgence des injonctions du pape. En tête des moyens destinés à renforcer l'expression, il faut mettre le verbe *debere* pour la fréquence de ses emplois à titre explétif après un verbe d'ordre tel que *iniungere*, *petere*, *praecipere*, *adhortari*, *commonere*, *impellere*[7]. Dans le même registre,

1. III, 42. Voir aussi III, 47 ; 49 ; 54 ; IV, 12 ; 23.

2. *Hostis callidus*, c'est-à-dire Satan : voir l'Index des noms propres, *s.u.* « *SATAN ».

3. III, 15, 20 : *inspector.*

4. III, 52, 5 ; voir note 3 *ad loc.*

5. IV, 9, 4 ; 9, 45 ; 22, 23, si l'on suit la leçon de *R1*, les autres manuscrits donnant *circumspectio*, ce qui revient au même.

6. III, 49. Dans la phrase suivante, Grégoire ajoute que l'évêque, pour persévérer dans cette voie, devra être *studiosus ac uigilans*. Pour les emplois fréquents de *studere* et *studium*, voir l'Index des mots, *s.u.*

7. III, 1 *iniunximus ut debuisset corrigere* ; 2 *ut debuissemus petiuerunt* ; 9 *praecipimus ut debeas imminere* ; 12 *ut fieri debeat adhortari* ; 14 *commoneo ut praebere debeatis* ; 38 *impellit ut dissimulare nullatenus debeamus*. Il n'est pas évident que ces accumulations de mots servent à créer des clausules.

on trouve aussi l'emploi d'expressions comme *necesse est, oportet.* Un autre thème fréquent est celui de l'urgence dans l'exécution des ordres du pape. Là encore la palette du vocabulaire est riche. Grégoire invite celui qu'il charge d'une mission, à « se hâter » (*festinare*), à « ne pas différer » (*non differre*), à « ne pas traîner » (*non lentare*), à s'exécuter « sans retard » (*sine mora*) et « avec promptitude » (*celeriter, cum celeritate*) et à « ne pas invoquer d'excuse[1] » (*sine excusatione*). Les délégués du pape doivent « faire pression » (*imminere*) pour obtenir l'obéissance de ceux auprès de qui ils sont envoyés. Quand une décision est prise, elle est irrévocable. Grégoire exprime souvent l'idée qu'une affaire réglée ne doit pas revenir devant lui[2]. Remarquable est aussi la manière dont il précise presque systématiquement par un adverbe la manière dont il entend que ses volontés soient exécutées[3].

Même si ces procédés ne sont pas étrangers à la littérature juridique ni, tout simplement, à la rhétorique tardive, leur accumulation et leur fréquence dans nos lettres ne laissent pas d'apparaître comme le signe d'une autorité impatiente de voir le monde en état de paraître devant le Juge au jour imminent de la fin des temps. On pourrait même parler de fébrilité et d'angoisse chez cet homme de santé fragile. Cela explique qu'assez souvent, le pape charge ses représentants de réprimer sévèrement[4] les fautes dont ils auront eu connaissance, quand ce ne sont pas les représentants du pape eux-mêmes qui sont menacés de punitions en cas de

1. La lettre III, 12 accumule, avec un luxe de redondances, toutes les formules que nous venons de rencontrer.

2. Ainsi, en III, 43 ; 45 ; 56 ; IV, 12 ; 13 ; 36 ; 40.

3. Voici la liste, sans doute pas exhaustive, de ces adverbes : *diligenter, districte, efficaciter, peculiariter, salubriter, specialiter, studiose, sollerter, sollicite, strenue, subtiliter, uehementer, uigilanter, uiuaciter.*

4. *Dictricte* et les mots de la même racine sont les plus fréquents, voir l'Index des mots.

désobéissance ou de négligence dans l'accomplissement de leur mission[1]. Les termes *uindicta*, *ultio* et mots apparentés reviennent de façon presque obsédante dans ces lettres[2] et l'on est presque tenté d'y voir une suspicion répressive universelle. En réalité, il faut voir que cette rigueur, d'une part, est moins un trait de caractère de Grégoire que la conséquence de l'idée qu'il se fait de ses devoirs et, d'autre part, est corrigée, dans la pratique, par un sens profond de la mansuétude.

À toutes occasions, le pape invoque « les lois et les canons » (*leges canonesque*) qui dirigent son action. Par lois, il faut entendre le droit impérial – *mundanae leges* – et leur association avec les canons n'a rien de surprenant, car le *Code Théodosien* et le *Code Justinien* traitent largement de questions religieuses : la *Novelle* 23 de Justinien définit le pouvoir des évêques. Le terme de « canons » est plus imprécis. Plus exactement, il ne permet pas de dire de quel genre de documents il s'agit. On sait en effet qu'il a existé plusieurs collections canoniques[3]. En II, 44, on trouve l'expression *statuta maiorum*[4]. Est-ce un terme générique pour désigner les canons des conciles ou bien faut-il y voir l'allusion à une collection telle que les *Statuta Ecclesiae antiqua* qui datent d'entre 442 et 506[5] ? Que la collection

1. Même un homme de confiance, un ami, comme le sous-diacre Pierre n'échappe pas à la menace d'encourir l'*indignatio* du pape : III, 1 (fin). Secundinus de Taormine, un frère dans l'épiscopat, pour un simple retard dans la construction d'un autel, risque la colère du pontife.

2. Voir l'Index des mots. Il s'agit sans doute de peines canoniques. *Castigare*, souvent accompagné de l'adverbe *corporaliter*, désigne des châtiments corporels.

3. Voir l'index de C. Pietri, *Roma christiana*, *s.u.* « Collections canoniques », et J. Gaudemet, *Église et cité. Histoire du droit canonique*, Paris 1994, p. 43-55. C. Pietri, p. 1477, remarque que, si le mot « canons » se réfère évidemment aux décisions des conciles, il peut avoir un sens plus large et désigner « tout le domaine des règlements, y compris ceux que promulguent les évêques romains ».

4. *SC* 371, p. 424, li. 119.

5. Voir J. Gaudemet, *Église et cité*, p. 54.

soit d'origine gauloise – peut-être l'œuvre de Gennade de Marseille – n'empêche pas qu'elle ait pu être connue à Rome [1]. Quoi qu'il en soit, le pape est le garant de l'observance des lois de l'Église et, en tant que sujet, il doit faire respecter les lois impériales [2]. En troisième lieu, il est tenu au respect de la *consuetudo*. Celle-ci sert à régler des questions de discipline ecclésiastique. Le pape l'invoque pour le bon déroulement du sacre de Constance de Milan (III, 30 ; 31) ; à propos du port du pallium (III, 54, où le mot revient sept fois) ; à propos des comptes des *xenodochia* (IV, 24) ; à propos de l'onction baptismale dans le rite romain (IV, 26) ; pour le rétablissement de l'évêché de Fausiana en Sardaigne (IV, 29) ; pour l'interdiction de toucher aux corps des martyrs (IV, 30) ; enfin sur la mention du nom de Jean de Ravenne au cours de la messe par Constance de Milan (IV, 37) [3]. La coutume est d'ailleurs une garantie du droit particulier des Églises : « De la sorte, en observant cette coutume, le Siège apostolique conserve son autorité propre et ne diminue pas les droits qu'il a concédés à d'autres [4] » (III, 30). Lois, canons, coutumes,

1. Il ne serait pas impossible non plus que, lorsque le pape associe les deux mots *leges et canones*, il se réfère à une compilation de règlements ecclésiastiques et de lois du code de Justinien. De tels recueils sont bien attestés sous le nom de *Nomokanon* à partir du XIe siècle. Mais il en a existé des exemples dès la fin du VIe siècle. Voir J. GAUDEMET, art. « *Nomokanon* », *PW*, *Suppl.* 10, 1965, col. 417-429.

2. À la fin de la lettre III, 61 à Maurice, il déclare avoir publié en qualité de *iussioni subiectus* la loi qu'il désapprouve.

3. La *consuetudo* est une notion que l'Église a empruntée à la jurisprudence civile, comme le rappelle C. PIETRI, *Roma christiana*, t. 2, p. 1480, en précisant que les papes suivent les deux critères de validité des coutumes : « qu'elles proposent une solution rationnelle et qu'elles soient établies sur une longue tradition ». C'est ce que Grégoire souligne bien dans les textes que nous venons de citer. III, 30 parle d'*antiquitatis mos* ; III, 31 de *uetus mos* ; IV, 26 d'*usus uetus* ; IV, 29 de *pristinus modus*. En IV, 37, Grégoire demande à Constance de vérifier « l'antique coutume ». D'ailleurs la coutume peut être mauvaise : voir IV, 34 (mariage des sous-diacres).

4. Le respect du droit de chaque Église en même temps que de celui de l'Église romaine apparaît aussi en II, 40 (*SC* 371, p. 404, li. 60) et III, 29.

tous ces textes sont conservés dans les archives pontificales, le *scrinium*[1].

Investi de la mission de veiller sur ce dépôt de l'Église, le pape ne saurait être qu'intransigeant. De plus, sa rigueur se nourrit de la double conviction que la fin du monde est proche et que le dernier jugement est sur nous. Grégoire parle de la fin du monde en plusieurs passages, mais deux sont plus développés. L'un, à la fin d'une lettre au clergé de Milan (III, 29), est remarquable par le lien qu'il établit entre l'invasion lombarde et la fin du monde. L'autre, dans la lettre à Maurice (III, 61), est d'un ton apocalyptique[2]. Parfois, pour désigner la menace de la damnation, Grégoire se sert du mot *periculum*. Cela ressort des passages où *periculum* est accompagné d'un complément qui en précise clairement le sens : *animae tuae periculum* (III, 44 ; 54) ou même, une fois : *animae periculum diuino iudicio* (III, 45). Cette crainte de Dieu engendre une tension spirituelle qui se traduit par le dilemme paulinien : plaire à Dieu, plaire aux hommes[3].

Rien pourtant ne serait plus trompeur que d'en rester à cette image d'un Grégoire tranchant et autoritaire, animé d'une sévérité implacable, ce qu'il appelle *officii nostri censura*[4]. Au fil des lettres, on découvre une figure plus souriante du pape. Tout d'abord, il faut être attentif aux passages assez nombreux dans ces deux livres dans lesquels il nous livre sa conception du pouvoir épiscopal. Le texte le plus significatif est la lettre IV, 41 adressée à Boniface, un seigneur africain non autrement connu qui avait fait part au pape des doutes sur la foi qu'il éprouvait, ainsi que certains de ses collègues. Grégoire l'invite à venir s'entretenir

1. Le *scrinium* est mentionné dans nos lettres en III, 49 et 54. Il est déjà constitué au IVe siècle, voir C. PIETRI, *Roma christiana*, t. 1, p. 673.

2. Voir l'Index des mots, *s.u.* « *Diuinum iudicium* ».

3. Voir l'Index des mots, *s.u.* « *placere Deo aut hominibus* ».

4. III, 29. Même si l'on peut donner à *censura* un sens figuré, il nous a semblé qu'il fallait dans la traduction garder la couleur romaine du mot.

avec lui et, après avoir, au cours de sa lettre, protesté de sa volonté de ne convaincre que par des arguments de raison, il conclut que les amis de Boniface ne doivent pas craindre de trouver en lui « une violence qui viendrait du pouvoir ». Et il ajoute : « Car nous, comme en toutes affaires, mais principalement en celles qui sont de Dieu, nous avons hâte de contraindre les hommes plus par la raison que par le pouvoir. » Nulle part Grégoire n'a aussi nettement opposé le pouvoir et la raison. Mais l'idée que le pouvoir doit s'exercer par la raison revient souvent chez lui. Cela découle du principe énoncé dans les *Moralia* : « L'homme a été placé par la nature pour commander à des animaux dépourvus de raison et non à d'autres hommes[1]. » S'il refuse que les juifs aient des esclaves chrétiens, c'est pour éviter que ceux-ci se convertissent au judaïsme en cédant « non à la persuasion, mais au droit de la puissance[2] ».

Pour traduire cette idée d'une conduite raisonnable, *ratio* n'est pas le seul mot[3]. On trouve aussi l'adjectif et l'adverbe de la même racine : *rationabilis* et *rationabiliter*. Dans un registre voisin, celui de la convenance ou son contraire, on remarque les emplois de *congruus*, *incongruus* et *incongrue*[4]. Mentionnons enfin le recours fréquent à l'adverbe *salubriter* pour souligner l'effet bénéfique que l'on recherche. Tout ce

1. *Mor.* XXI, 15 (*PL* 76, 203) : *Homo quippe animalibus* ***irrationabilibus*** *non autem ceteris hominibus natura praelatus est.*

2. IV, 21 : *non tam suasionibus quam potestatis iure.* Il s'agit de la *potestas* du maître. C'est pourquoi nous traduisons par « puissance ».

3. Ce n'est pas non plus l'emploi le plus fréquent de *ratio.* Le mot a souvent le sens de « compte » ou de « manière ». De tous les emplois mentionnés dans l'Index des mots, seuls ressortissent à ce dont il est question ici III, 23, 16 ; 43, 10 ; IV, 14, 6 ; 36, 15 ; 37, 51 ; 38, 16 ; 41, 6 ; 41, 10 ; 41, 22. Le rapprochement entre *ratio* et *potestas* ne se trouve qu'en IV, 41, 22. Mais on a un équivalent en IV, 36, 15 sous la forme : *contra rationem et contra nostrum propositum.*

4. Voir l'Index des mots, *s.u.* On rencontre aussi *decet* : III, 10, 17 ; 33, 7 ; 34, 6 ; 58, 1 ; IV 1, 8 ; 4, 23 ; 33, 29 ; 38, 19.

vocabulaire marque le style des lettres d'une couleur un peu solennelle qui les rapproche du style administratif ou juridique de l'époque. Mais il n'est pas pour autant défendu d'y voir la volonté explicite de montrer que la décision prise échappe à l'arbitraire, en s'inscrivant dans le cadre d'un certain ordre.

Enfin, l'image que nous avons présentée plus haut d'un Grégoire sévère, exigeant, impatient, doit être complétée et corrigée par quelques traits qui apparaissent dans nos lettres. D'abord les recommandations qu'il adresse à ceux de ses « frères » qui viennent d'accéder à l'épiscopat sont particulièrement intéressantes. Installant Agnellus de Fondi sur le siège de Terracine, il lui donne les recommandations suivantes : protéger son peuple des attaques du démon ; lui offrir un modèle par sa propre vie ; par la prédication, enseigner aux illettrés la loi de Dieu ; conformer ses actes à son enseignement[1]. À Fortunat qui vient d'être accueilli à Naples, il conseille de répondre à l'affection de ses fidèles, de réprimer les méchants ; de relâcher sa rigueur à l'égard des gens de bien ; de prêcher la bonne voie[2]. Ces deux textes se complètent plutôt qu'ils ne se répètent. Ainsi, on ne trouve pas dans le second l'idée que l'évêque doit obéir aux règles qu'il édicte. Mais surtout le second texte est le seul à dire que le rôle de l'évêque est de « réprimer les méchants », ce qui apparaît conforme à la fonction de justicier qu'on voit Grégoire exiger des évêques et qu'on le voit exercer lui-même tout au long de ses lettres. Pourtant un troisième texte montre que, si cela est une nécessité, Grégoire n'en prend pas son parti de gaieté de cœur et s'efforce de mettre des bornes à la sévérité épiscopale. Dans la lettre IV, 1, qui accompagne l'envoi du pallium à Constance de Milan, le pape lui trace une ligne de conduite, comme à Agnellus et à Fortunat. Mais il insiste plus parti-

1. III, 13. Le texte présente la même idée sous plusieurs formes.
2. III, 60.

culièrement, et longuement, sur l'importance de ne pas abuser de l'« indignation sacerdotale » et de la mêler de « douceur ». Elle sera ainsi plus efficace et attirera le respect[1].

Nous avons là, à n'en pas douter, le fond de la pensée de Grégoire. Il revient sur cette idée dans le commentaire de l'*Exode* qu'il dédie à Domitien de Mélitène, en condamnant les « maîtres trop sévères » et la « rigueur de la discipline » qui ne s'arrête pas devant le repentir spontané du coupable. Sa conviction est si forte qu'il va jusqu'à dire que cette attitude peut faire décroître l'amour pour le Rédempteur[2]. Lui-même s'attache à tempérer la sévérité du droit[3]. Il rappelle d'ailleurs le principe selon lequel mieux vaut prévenir que guérir : cela vaut pour les ordinations sacerdotales, en s'assurant que les ordinands remplissent bien les conditions requises ; et pour l'hérésie donatiste qu'il faut éradiquer tout de suite avant qu'elle n'ait fait des victimes[4].

En définitive, il ne faut pas trop chercher à distinguer, comme on a parfois voulu le faire, les lettres officielles et les lettres personnelles[5], puisque, même dans le maniement du style formulaire de la chancellerie, on découvre la griffe d'une personnalité. Il semble plus juste de prendre les lettres dans leur ensemble, pour y observer le double visage d'un homme qui s'est toujours senti partagé entre la charge qu'il

1. Il est possible que Grégoire dédie spécialement à Constance ces fines remarques psychologiques, parce qu'il connaît bien le caractère emporté du personnage qu'on peut déduire de son conflit avec l'ancien soldat Fortunat, en IV, 37, voir note 8 *ad loc.*

2. III, 62.

3. III, 7, 89 : *nos humanius decernentes* ; 42, 8-9 : *legis duritiam mollientes* ; 53, 3 : *humanitatis intuitu.* Dans le premier et le troisième cas, il s'agit de peines canoniques. Mais en III, 42, le pape va contre la loi civile qui punit de mort le ravisseur d'une vierge.

4. Respectivement III, 48 ; IV, 26, 30-39 et IV, 35, 24-38.

5. La distinction est difficile à faire. Par exemple, dans quelle catégorie ranger la lettre III, 61, à l'empereur ? Par le ton, elle est d'une gravité tout officielle et pourtant elle a été remise à l'empereur par son médecin.

remplit et ses aspirations mystiques. On a d'un côté le pontife imposant sa volonté avec autorité et non sans parfois un peu de brusquerie, intransigeant sur les règles et les principes. De l'autre, nous voyons une âme compatissante[1], ennemie de toute contrainte physique ou morale envers autrui[2], et surtout accablée par les soucis de ce monde. Il revient plusieurs fois dans nos lettres sur sa lassitude et même ses angoisses. À propos de la succession épiscopale de Naples, il se déclare « fort tourmenté » par le refus et la fuite de Florentius. La lettre au patrice Priscus où il peint la vie comme une alternance de bonheurs et de malheurs ressemble trop à tant de développements des *Moralia* pour qu'on n'y voie pas seulement un morceau de littérature. En août 593, au moment du conflit avec l'empereur, il se dit à deux reprises « harassé par le flot des tribulations ». L'action des donatistes en Afrique l'afflige. Les derniers mots du livre IV sont pour confier à son amie de Constantinople, Rusticiana, les corvées et les fardeaux qui l'écrasent[3]. L'étonnant est de le voir ainsi tourmenté, mais jamais hésitant. Son jugement tombe fermement, implacable. Ce style, par ses contrastes mêmes, est le reflet d'une âme.

1. Il faudrait citer toutes les aides et subsides que le pape prodigue aux nécessiteux. Les affaires de Côme, un négociant, par exemple, retiennent longuement son attention.

2. La lettre III, 52, au patriarche Jean de Constantinople, est éloquente. Le pape s'indigne de ceux qui veulent imposer la foi par des coups et qui oublient qu'ils sont des « pasteurs » et non des « persécuteurs ».

3. Respectivement, III, 15, 1-8 ; 51, 1-17 ; 62, 55-56 et 63, 18 ; IV, 35, 1-3 et § 2 ; 44, 18-20. Dans cette dernière lettre, l'emploi d'*angariae* crée une paronomase avec *angustiae* et évoque l'idée d'angoisse. ~ Nous avons laissé de côté la question de la prose rythmique ou métrique dont l'étude demanderait à être traitée à part et sur l'ensemble du *Registre*. On pourra consulter sur ce sujet les analyses de V. Recchia, éd. *Lettere*, t. 1, p. 51-60.

Corrections apportées au texte du *CCL* 140

Comme dans le tome I, le texte qui est reproduit dans ce volume est celui de l'édition Norberg du *CCL*[1], à quelques différences près que nous signalons ici :

III, 41 *praepositi* corrigé en *propositi* (p. 168, li. 1, n. 1)
III, 48 *consilium* corrigé en *concilium* (p. 188, li. 45, n. 5)
III, 52 *carrissime* corrigé en *carissime* (p. 202, li. 51)
IV, 6 *Agnello, cuidam filio suo* corrigé en *Agnello cuidam, filio suo,* (p. 266, li. 7, n. 5)
IV, 39 <*(non desint qui digne famulentur). Et remoto strepitu uno eodemque consensu talem uobis praeficiendum expetite*> : passage suppléé par Norberg intégré au texte (p. 366, li. 9-11, n. 4).

1. Les pages de l'édition du *CCL* sont indiquées en marge du texte latin.

TABLEAU CHRONOLOGIQUE DES LETTRES

Ce tableau ne recense que les lettres qui mentionnent un événement ou une décision importants.

LIVRE III

Septembre 592	Attentat du Castellum Lucullanum contre Paul de Nepi (1-2).
Octobre 592	Affaire de la condamnation d'Hadrien de Thèbes (6-7). Florentius d'Épidaure est déposé par Natalis (8-9).
Novembre 592	Ordre à Maximien de Syracuse de faire venir à Rome les accusateurs de Grégoire d'Agrigente (12). Nomination d'Agnellus, évêque de Fondi, sur le siège de Terracine (13-14).
Décembre 592	Le sous-diacre Florentius élu à Naples s'enfuit. Grégoire demande l'aide de Scolastique (15).
Janvier 593	Gratiosus de Nomentum reçoit en plus le gouvernement de l'Église de Saint-Anthème à Cures en Sabine (20).

Février 593 Remise de dette (21).

Mars 593 Antonin, recteur du patrimoine de Dalmatie doit faire élire un évêque à Salone, si Natalis est bien mort (22).

Léonce d'Urbino nommé visiteur de l'Église de Rimini, Castorius le titulaire du siège étant retenu à Rome par la maladie (24-25).

Première mention de la mort de Laurent de Milan (26).

Avril 593 Confirmation de la mort de Natalis de Salone : élection d'Honorat.

Grégoire ordonne au clergé de Milan d'élire un évêque (29).

Le sous-diacre Jean est envoyé en mission à Gênes (30).

Romanus informé de l'élection de Constance à Milan (31).

Honorat, diacre de Salone, est lavé des accusations portées contre lui (32).

Mai 593 Grégoire charge le sous-diacre Pierre de l'élection de Naples et accepte le retour de Paul sur son siège de Nepi (35).

Sabinus, défenseur de Sardaigne, doit faire venir à Rome Janvier de Cagliari pour répondre des accusations portées contre lui (36).

Envoi à Corinthe d'un diacre de Rome pour enquêter sur les conditions de la réconciliation entre Hadrien, évêque de Thèbes, et ses accusateurs (38).

Juin 593 À Pierre, sous-diacre de Campanie : qu'il fasse venir à Rome Numerius pour y être ordonné évêque de Nocera (39).
Lettres au notaire Pantaléon et aux évêques Félix de Sipontum, Boniface de Reggio, André de Tarente et Jean de Gallipoli (40-45).

Juillet 593 Au clergé de Salone : ratification de l'élection du diacre Honorat comme évêque (46).
Mission donnée à Colombus de veiller au bon déroulement du prochain synode de Numidie (47).
À Adéodat, primat de Numidie : il devra écouter Colombus (48).
Reproches à Jean de Constantinople pour avoir maltraité deux prêtres (52).
À Jean de Ravenne : il fait un usage abusif du pallium (54).

Août 593 Fortunat est accueilli comme évêque à Naples (60).
À Maurice : sur la loi interdisant aux fonctionnaires l'entrée dans les ordres et dans les monastères (61).

LIVRE IV

Septembre 593 Sacre de Constance de Milan ; il reçoit le pallium (1).
Constance et les Trois Chapitres (2-4).
Boniface de Reggio doit tenir son clergé (5).

	Gennade, exarque d'Afrique, est invité à faire respecter les canons par le concile de Numidie en accord avec Colombus (7). À Janvier de Cagliari (8-10). À Maximien de Syracuse : rappel de ses missions (11).
Octobre 593	Maximien de Syracuse doit satisfaire à un plaignant (12). Clementius, primat de Byzacène, doit rendre ses fonctions à un prêtre écarté à tort (13). Maximien doit incardiner à Syracuse le diacre Félix qui a abjuré le schisme des Trois Chapitres (14). Cyprien, recteur de Sicile, fera l'inventaire du mobilier d'église apporté en Sicile par les prêtres fuyant l'Italie (15).
Novembre 593	Grégoire menace Salone d'excommunication (16).
Décembre 593	Félix de Sipontum doit rembourser la rançon du clerc Tribunus (17).
Janvier 594	Aucune lettre.
Février 594	Aucune lettre.
Mars 594	Maur nommé abbé de Saint-Pancrace (18). Léon, acolyte, est chargé de Sainte-Agathe (19).
Avril 594	Maxime de Salone suspens *a diuinis* jusqu'à confirmation de l'ordre impérial (20). Venance, évêque de Luni doit empêcher les juifs de posséder des esclaves chrétiens (21).

Mai 594

Constance de Milan aidera Venance de Luni à réformer son Église (22).

Les propriétaires de Sardaigne doivent lutter contre le paganisme de leurs paysans (23).

À Janvier de Cagliari : sur des abus à corriger (24).

Le duc Zabarda fait la paix avec les Barbaricins pour les convertir au christianisme (25).

À Janvier de Cagliari : réformes à faire (26).

Au duc Hospiton : Félix et Cyriaque l'aideront à convertir les Barbaricins (27).

Juin 594

À Janvier : il nommera un évêque à Fausiana (29).

À l'impératrice Constantina, sur les reliques des saints (30).

Juillet 594

À Pantaléon, préfet du prétoire d'Afrique : qu'il réprime le donatisme (32).

Deuxième lettre à Théodelinde, pour qu'elle reste en communion avec Rome (33).

À Léon de Catane : Honorata, veuve du sous-diacre Speciosus, doit être libérée du monastère où on l'a enfermée (34).

À Victor et Colombus : qu'ils combattent le donatisme (35).

Constance de Milan n'a pas à satisfaire les exigences des citoyens de Brescia qui veulent être sûrs qu'il n'a pas condamné les Trois Chapitres (37).

Au scolastique Marcel qui intercède pour Maxime de Salone : il refuse le pardon (38).

Août 594	Nomination d'un visiteur de l'Église d'Hortona (39).
	À l'abbé Valentin : les femmes ne doivent pas entrer dans son monastère (40).
	Boniface, *uir magnificus* d'Afrique n'a qu'à venir parler au pape de ses difficultés théologiques (41).
	Que Maximien de Syracuse renvoie à l'évêque de Formies les clercs de son diocèse formés en Afrique (42).
	Rusticiana n'aurait pas dû rentrer si vite à Constantinople de son pèlerinage au Sinaï (44).

COMPLÉMENT BIBLIOGRAPHIQUE

Cette bibliographie complète celle qui a été donnée par P. Minard, *SC* 370, p. 63-67.

Abréviations

BEFAR *Bibliothèque des Écoles françaises d'Athènes et de Rome*, École française de Rome, Rome.

CCL *Corpus Christianorum, Series Latina*, Turnhout.

CIL *Corpus Inscriptionum Latinarum*, éd. Th. Mommsen *et al.*, Berlin 1863-.

DACL *Dictionnaire d'archéologie chrétienne et de liturgie*, Paris.

DHGE *Dictionnaire d'histoire et de géographie ecclésiastique*, Paris.

DSp *Dictionnaire de spiritualité*, Paris 1932-1995.

HC 3 Pietri, L., (dir.), *Histoire du christianisme,* 3. *Les Églises d'Orient et d'Occident (432-610)*, Paris 1998.

KP Ziegler, K. – Sontheimer, W. – Gärtner, H., (dir.), *Der kleine Pauly. Lexikon der Antike. Auf der Grundlage von Pauly's Realencyclopädie der classischen*

Altertumswissenchaft, 5 vol., Stuttgart – Munich 1964-1975.

MEFR — *Mélanges d'archéologie et d'histoire de l'École française de Rome*, Rome.

MGH — *Monumenta Germaniae Historica*, Berlin puis Munich.

- *AA* — *Auctores Antiquissimi.*
- *Epist* — *Epistolae.*
- *SRL* — *Scriptores Rerum Langobardicarum et Italicarum.*
- *SRM* — *Scriptores Rerum Merouingicarum.*

PCBE 2 — Charles PIETRI – Luce PIETRI (dir.), *Prosopographie chrétienne du Bas Empire*, 2. *Prosopographie de l'Italie chrétienne (313-604)*, vol. I, A-K, École française de Rome, 1999 ; vol. II, L-Z, École française de Rome, 2000.

PLRE 3 — J.R. MARTINDALE (dir.), *The Prosopography of the later Roman Empire,* 3 : *A.D. 527-641,* 2 vol. (3 A et 3 B), Cambridge 1992.

PW — PAULY, A. – WISSOWA, G. – KROLL, G. *et al.*, *Real-Encyclopädie der klassischen Altertumswissenschaft*, Stuttgart – Munich 1893-.

RAC — *Reallexikon für Antike und Christentum*, Stuttgart.

RecSR — *Recherches de Science Religieuse,* Paris.

RHDFE — *Revue historique de droit français et étranger*, Paris.

SC — *Sources Chrétiennes*, Paris.

TLL — *Thesaurus Linguae Latinae*, Munich.

Textes anciens
(cités dans les Notes)

AGNELLUS, *Lib. Pont.* = AGNELLUS, *Liber pontificalis ecclesiae Rauennatis*, *MGH*, *SRL*, p. 265-391.

Cod. Iust. = *Code Justinien*, éd. P. Krüger, dans *Corpus iuris ciuilis*, t. 2 : *Codex Iustinianus*, Berlin 1877.

Cod. Theod. = *Code Théodosien*, éd. Th. Mommsen – P. Meyer, *Theodosiani libri XVI cum constitutionibus sirmondianis*, I/2, *Textus cum apparatu*, Berlin 1904 (1971[4]) ; trad. du Livre XVI dans *Les lois religieuses des empereurs romains de Constantin à Théodose II*, t. 1, *Code Théodosien. Livre XVI*, éd. Th. Mommsen, trad. J. Rougé, intr. et notes R. Delmaire, *SC* 497, Paris 2005.

Corpus iuris ciuilis

t. 1, *Institutiones*, éd. P. Krüger ; *Digesta*, éd. Th. Mommsen – P. Krüger, Berlin 1928.

t. 2, *Codex Iustinianus*, éd. P. Krüger, Berlin 1915.
t. 3, *Nouellae*, éd. R. Schöll – G. Kroll, Berlin 1928.

FORTUNAT, *Carm.* = VENANCE FORTUNAT, *Carmina*, éd. et trad. M. Reydellet, *CUF*, Paris, t. 1 : 1994, t. 2 : 1998, t. 3 : 2004.

GRÉG., *Dial.* = GRÉGOIRE LE GRAND, *Dialogues*, introd., éd. et trad. A. de Vogüé, *SC* 251, 260 et 265, Paris 1978-1980.

GRÉG., *Hom. in Euang.* = GRÉGOIRE LE GRAND, *Homélies sur l'Évangile*, *PL* 76, 1075-1312 ; éd. R. Étaix, *CCL* 141, 1999.

GRÉG., *Hom. in Ez.* = GRÉGOIRE LE GRAND, *Hom. in Ez.*, éd. et trad. C. Morel, *SC* 327 et 360, Paris 1986 et 1990.

GRÉG., *Epist.*[1] = GRÉGOIRE LE GRAND, *Lettres (Registrum epistularum)* :

Ewald – Hartmann = éd. P. Ewald – L. Hartmann, *MGH, Epist* 1-2 (1 : Livres I-VII ; 2 : Livres VIII-XIV), 1887-1899 (1992²) ;

Norberg = éd. D. Norberg, *CCL* 140-140 A, 1982 ;

éd. et trad. ital. V. Recchia, *Lettere*, 4 vol., coll. *Opere di Gregorio Magno* 5, Rome 1996-1999 ;

éd. D. Norberg, introd., trad. et notes P. Minard, *Registre des lettres*, t. 1, Livres I-II, 2 vol., *SC* 370-371, Paris 1991.

GRÉG., *Mor.* = GRÉGOIRE LE GRAND, *Moralia siue Expositio in Iob*, *PL* 76, 533-1169 ; éd. Adriaen, *CCL* 143, 143 A, 143 B, 1979-1985.

GRÉG., *Reg. past.* = GRÉGOIRE LE GRAND, *Règle pastorale*, éd. et trad. B. Judic, *SC* 381-382, Paris 1992.

GRÉG. T., *Hist. Franc.* = GRÉGOIRE DE TOURS, *Historia Francorum*, trad. R. Latouche, *Les Classiques de l'histoire de France au Moyen Âge* 27, Paris 1963-1965.

JEAN DIACRE, *Vita Greg.* = JEAN DIACRE, *Vita Gregorii*, *PL* 75, 19 D-188 B.

Epist. austr. = *Lettres Austrasiennes*, éd. E. Malaspina, *Il liber epistolarum della cancelleria austrasica (sec. V-VI)*, Rome 2001.

1. Dans les notes de commentaire, les lettres du *Registrum* sont désignées par leur livre (en chiffres romains) et leur numéro (en chiffres arabes) selon l'édition D. Norberg, sans autre indication.

Nou. = *Novelles (Nouellae)*, éd. R. Schöll – G. Kroll, dans *Corpus iuris ciuilis*, t. 3 : *Nouellae*, Berlin 1870.

Paul Diacre, *Hist. Langob.* = Paul Diacre, *Histoire des Lombards (Historia Langobardorum)*, éd. G. Waitz *et al.*, *MGH, SRL*, Hanovre 1878 (1988^2), p. 45-187.

Regesta (éd. Jaffé) = *Regesta Pontificum Romanorum*, 2 vol., éd. Ph. Jaffé, rév. G. Wattenbach, Leipzig 1885. ~ Le *Registrum* est au t. 1, p. 143-219 (n° 1067 [704] – 1994 [1306]), éd. P. Ewald.

Reg. Ben. = *La Règle de S. Benoît (Regula Benedicti)* VIII-LXXIII, éd. J. Neufville, trad. et notes A. de Vogüé, *SC* 182, Paris 1972.

Venance Fortunat = voir *supra* Fortunat

Études

Bertolini, *Roma di fronte a Bisanzio* = Bertolini, O., *Roma di fronte a Bisanzio e ai Longobardi,* Bologne 1941.

Boesch Gajano, « Teoria e pratica pastorale », dans *Colloque de Chantilly* = Boesch Gajano, S., « Teoria e pratica pastorale nelle opere di Gregorio Magno », dans *Grégoire le Grand*, *Colloque de Chantilly* (cité *infra*), p. 181-189.

Boüard, A. de, *Manuel de diplomatique française et pontificale*, t. 1, *Diplomatique générale*, Paris 1929.

Boüard, M., *Les notaires de Rome au Moyen Âge*, *MEFR* 21, 1911, p. 291-307.

Brown, *Gentlemen and officers* = Brown, T.S., *Gentlemen and Officers. Imperial Administration and Aristocratic*

Power in Byzantine Italy A.D. 554-800, British School at Rome, 1984.

CARCOPINO, *Les fouilles* = CARCOPINO, J., *Les fouilles de Saint-Pierre et la tradition*, nouvelle éd., Paris 1963.

CARCOPINO, J., *De Pythagore aux Apôtres,* Paris 1956.

CLARK, F., « The Renewed Controversy about the Authorship of the *Dialogues* », dans *Gregorio Magno e il suo tempo* (cité *infra*), t. 2, p. 5-25.

COURTOIS, C., *Exconsul. Observations sur l'histoire du consulat à l'époque byzantine*, *Byzantion* 19, 1949, p. 37-58.

CRACCO RUGGINI, L., *Economia e società nell' Italia Annonaria. Rapporti fra agricoltura e commercio dal IVe al VIe secolo d. C.*, Milan 1971.

CRACCO RUGGINI, « Grégoire le Grand et le monde byzantin » = CRACCO RUGGINI, L., « Grégoire le Grand et le monde byzantin », dans *Grégoire le Grand, Colloque de Chantilly* (cité *infra*), p. 83-94.

CRACCO RUGGINI, L., « Le associazioni professionali nel mondo romano bizantino », *Settimane di studio sull' alto medioevo* 18, 1977, p. 59-194.

DAGENS, C., *La fin des temps et l'Église selon Grégoire le Grand*, *RecSR* 58/2, 1970, p. 273-288.

DAGENS, *Saint Grégoire le Grand* = DAGENS, C., *Saint Grégoire le Grand. Culture et expérience chrétienne,* Paris 1977.

DIEHL, C., *Études sur l'administration byzantine dans l'exarchat de Ravenne (568-751)*, *BEFAR* 53, Rome 1888.

DIEHL, C., *L'Afrique byzantine*, 2 vol., Paris 1896.

DUCHESNE, L., *Les évêchés d'Italie et l'invasion lombarde*, *MEFR* 23, 1903, p. 83-116 et *MEFR* 25, 1905, p. 365-399.

DUDDEN, F.H., *Gregory the Great : his Place in History and Thought*, 2 vol., Londres 1905.

DUVAL, « Grégoire et l'Église d'Afrique » = DUVAL, Y., « Grégoire et l'Église d'Afrique. Les 'hommes du pape' », dans *Gregorio Magno e il suo tempo* (cité *infra*), t. 1, p. 129-158.

EIDENSCHINK, J., *The Election of Bishops in the Letters of Pope Gregory the Great*, Washington D.C. 1945.

EWALD, « Studien zur Ausgabe des Registers Gregors I », *Neues Archiv* = EWALD, P., « Studien zur Ausgabe des Registers Gregors I », *Neues Archiv der Gesellschaft für ältere deutsche Geschichtskunde* 3, 1878, p. 433-625.

FASOLI, G., « Castelli e signorie rurali », *Settimane di studio sull'alto medioevo* 13, 1965, p. 531-567.

FISCHER, E.H., « Gregor der Grosse und Byzanz. Ein Beitrag zur Geschichte der päpstlichen Politik », *Zeitschrift der Savigny-Stiftung. Kanon. Abt.* 67, 1950, p. 15-144.

FLICHE, A. – MARTIN, V. (dir.), *Histoire de l'Église depuis les origines jusqu'à nos jours*, 26 vol., Paris 1934-.

GASPARRI, « Gregorio Magno e l'Italia meridionale » = GASPARRI, S., « Gregorio e l'Italia meridionale », dans *Gregorio Magno e il suo tempo* (cité *infra*), t. 1, p. 77-101.

GAUDEMET, J., *Église et cité. Histoire du droit canonique*, Paris 1994, p. 43-55.

GILLET, R., « Saint Grégoire le Grand », dans *DSp*, fasc. XLII-XLIII, 1967, col. 872-910.

GIORDANO, *Giustizia e potere* = GIORDANO, L., *Giustizia e potere giudiziario ecclesiastico nell'epistolario di Gregorio Magno*, coll. *Quaderni di « Vetera Christianorum »* 25, Bari 1997.

GOFFART, W., « From Roman Taxation to Medieval Seigneurie. Three Notes », *Speculum* 47, 1972, p. 165-187 et p. 373-394.

GOUBERT, *Byzance et l'Occident* = GOUBERT, P., *Byzance avant l'Islam*, t. 2 : *Byzance et l'Occident sous les successeurs de Justinien*, Paris 1965.

GOUBERT, P., « Notes prosopographiques sur la Sicile byzantine », *Studi bizantini e neoellenici* 7 (*Atti dello III. Congresso internazionale di studi bizantini*, Rome 1953), 1953, p. 365-373.

Grégoire le Grand, Colloque de Chantilly = *Grégoire le Grand, Actes du Colloque de Chantilly* (Septembre 1982), éd. J. Fontaine – R. Gillet – S. Pellistrandi, Paris 1986.

Gregorio Magno e il suo tempo = *Gregorio Magno e il suo tempo. XIX Incontro di studiosi dell'antichità cristiana in collaborazione con l'École française de Rome* (Roma, 9-12 maggio 1990), 2 vol., I. *Studi storici* ; II. *Questioni letterarie e dottrinali,* coll. *Studia Ephemeridis « Augustinianum »* 33 et 34, Rome 1991.

HAHN, I., « Das bauerliche Patrocinium in Ost und West », *Clio* 1, 1968, p. 261-278.

HARTMANN, L.M., *Geschichte Italiens im Mittelalter*, Stuttgart – Gotha 1923.

HIGOUNET, R., « Le problème économique : l'église et la vie rurale pendant le très haut Moyen Âge », *Settimane di studi sull' alto medioevo* 7, 1960, p. 775-803.

JARNUT, J., *Prosopographische und sozialgeschichtliche Studien zum Langobardenreiche in Italien (568-774)*, Bonn 1972.

LÖFSTEDT, *Philologischer Kommentar* = LÖFSTEDT, E., *Philologischer Kommentar zur Peregrinatio Aetheriae. Untersuchungen zur Geschichte der lateinischen Sprache,* Darmstadt 1970 (= Uppsala 1911).

MARKUS, *Gregory the Great* = MARKUS, R.A., *Gregory the Great and his World*, Cambridge 1997.

MARTIN, *La Pouille* = MARTIN, J.-M., *La Pouille du VI*e *au XII*e *siècle*, *Collection de l'École française de Rome* 179, Palais Farnèse, Rome 1993.

MARTROYE, F., « Les '*defensores ecclesiae*' aux Ve et VIe siècles », *RHDFE* 4/2, 1923, p. 597-622.

MAYR, R., *Vocabularium Codicis Iustiniani*, 2 vol., Hildesheim 1965.

NIERMEYER, *Lexicon* = NIERMEYER, J.F., *Mediae latinitatis Lexicon minus,* Leyde 1954-1976.

NORBERG, *Studia critica* = NORBERG, D., *In Registrum Gregorii Magni studia critica*, coll. *Uppsala Univ. Ars-shrift*, 2 vol., Uppsala 1937, 1939.

NORBERG, « Style personnel et style administratif », dans *Colloque de Chantilly* = D. NORBERG, « Style personnel et style administratif dans le *Registrum epistularum* de saint Grégoire le Grand », dans *Grégoire le Grand, Colloque de Chantilly* (cité *supra*), p. 489-498.

NORBERG, *Syntaktische Forschungen* = D. NORBERG, *Syntaktische Forschungen auf dem Gebiet des Spätlateins und des frühen Mittellateins*, Uppsala 1943.

OSTROGORSKY, *Histoire de l'État byzantin* = G. OSTROGORSKY, *Histoire de l'État byzantin*, Paris 1956.

PIETRI, C., *Roma christiana* = PIETRI, C., *Roma christiana. Recherches sur l'Église de Rome, son organisation, sa politique, son idéologie, de Miltiade à Sixte III (311-440)*, 2 vol., *BEFAR* 224, Rome 1976.

PIETRI, C., « L'Illyricum ecclésiastique » = C. PIETRI, « La géographie de l'Illyricum ecclésiastique et ses relations avec l'Église de Rome (ve-vie siècles) », dans *Villes et peuplement dans l'Illyricum protobyzantin*, *Collection de l'École française de Rome* 7, Rome 1984, p. 48-49 et p. 55-56.

REYDELLET, *La royauté* = REYDELLET, M., *La royauté dans la littérature latine de Sidoine Apollinaire à Isidore de Séville, BEFAR* 243, Rome 1981.

RICHARDS, J., *Consul of God. The Life and Times of Gregory the Great,* Londres 1980.

RICHÉ, *Éducation et culture* = P. RICHÉ, *Éducation et culture dans l'Occident barbare, VIe-VIIIe siècles*, 2e ed., Paris 1962.

SPEARING, E., *The Patrimony of the Roman Church in the Times of Gregory the Great*, Cambridge 1918.

STEIN, *Histoire du Bas-Empire* = STEIN, E., *Histoire du Bas-Empire,* 2 vol., I. *De l'État romain à l'État byzantin (284-476)* ; II. *De la disparition de l'Empire d'Occident à la mort de Justinien (476-565)*, trad. franç. J.-R. Palanque, Paris – Bruxelles – Amsterdam 1959.

THRAEDE, *Grundzüge griechisch-römischer Brieftopik* = K. THRAEDE, *Grundzüge griechisch-römischer Brieftopik*, coll. *Zetemata, Heft* 48, Munich 1970.

WAGENVOORT, H. – TELLENBACH, G., « *Auctoritas* », dans *RAC* 1, 1950, col. 902-909.

WORMALD, P., *The Decline of the Western Empire and the Survival of its Aristocracy, Journal of Roman Studies* 66, 1976, p. 217-226.

TEXTE

ET

TRADUCTION

LIBER III

MENSE SEPTEMBRIO INDICTIONE XI

III, 1

GREGORIVS PETRO SVBDIACONO CAMPANIAE

Quale in Castello Lucullano sit scelus in Paulo fratre et coepiscopo nostro commissum directa nobis fecit relatio manifestum. Et quia his diebus Scolasticus uir magnificus Campaniae iudex hic praesens inuentus est, specialiter ei 5 iniunximus ut tantae peruersitatis insaniam districta debuisset emendatione corrigere. Sed quia nunc praedictae relationis portitor nobis ut personam dirigeremus imminuit, ideoque Epiphanium subdiaconum illic direximus, qui una

1. Pierre, sous-diacre de l'Église de Rome : voir *PCBE* 2, « *Petrus* 70 », p. 1762-1771. Ami de jeunesse de Grégoire, sans qu'il soit prouvé qu'il fut un moine du *Cliuus Scauri*, il fit carrière dans le haut clergé de Rome. Pélage II le nomma *defensor* de l'Église romaine à Ravenne. En 590, Grégoire fit de lui le recteur du patrimoine en Sicile. Cette lettre montre qu'en septembre 592, il était recteur du patrimoine de Campanie. La lettre III, 54 de juillet 593 lui donne le titre de diacre et il est alors à Rome auprès de Grégoire qui en fait son interlocuteur dans les *Dialogues*, voir A. de Vogüé, éd. *Dialogues*, *SC* 251, p. 44-45. C'était à la fois un grand administrateur et un lettré qui, d'après JEAN DIACRE, *Vita Gregorii* IV, 68 (*PL* 75, 222), sauva les œuvres de Grégoire après sa mort.

2. Paul, évêque de Nepi : voir *PCBE* 2, « *Paulus* 38 », p. 1682-1683. Grégoire l'envoya comme visiteur à Naples après la déposition de Démétrius ; voir II, 3 (*SC* 371, p. 312) qui parle, sans autre précision, de crimes qui auraient mérité la mort. Peu après sa désignation, en décembre 591, les Napolitains, ou plus vraisemblablement certains d'entre eux demandèrent à le garder comme leur évêque titulaire. Grégoire les invita à attendre (II, 8). En mars 592, il est toujours à Naples, puisque Grégoire désigne Jean, dont le siège n'est pas connu, pour célébrer les Pâques (II, 23). Ici, nous apprenons que Paul a été victime d'un attentat près de Naples, avant septembre 592. C'est seulement en mai 593 que Paul obtint de regagner son diocèse de Nepi (III, 5).

3. Aujourd'hui Pizzofalcone. Sur le monastère du *Castellum Lucullanum*,

LIVRE III

SEPTEMBRE 592. INDICTION XI – AOÛT 593

III, 1

PL et *MGH* : III, 1 – Septembre 592

Au sous-diacre Pierre, recteur du patrimoine de Campanie, il annonce qu'il a averti Scolastique, gouverneur de Campanie, d'avoir à mater la révolte qui s'est produite dans le Castellum Lucullanum contre Paul, visiteur de l'Église de Naples. Il lui ordonne de seconder Scolastique et le sous-diacre Épiphane dans l'instruction de cette affaire ; les esclaves qui ont trouvé refuge dans les églises de Lucullanum doivent être renvoyés à Naples.

GRÉGOIRE À PIERRE, SOUS-DIACRE DE CAMPANIE[1]

Quel forfait a été commis contre notre frère et collègue dans l'épiscopat Paul[2] dans le Castellum Lucullanum[3], le rapport qui nous en a été adressé nous l'a fait connaître. Et puisque ces jours-là le magnifique Scolastique[4], gouverneur de Campanie, s'est trouvé présent, nous lui avons expressément enjoint de se faire un devoir de mettre ordre à une perversité si insensée, par une répression rigoureuse. Maintenant, le porteur du susdit rapport nous a pressé d'envoyer quelqu'un ; nous y avons donc envoyé le sous-diacre Épiphane[5], pour qu'en accord avec ledit

voir P. RICHÉ, *Éducation et culture*, p. 173 et p. 202-203.

4. Scolastique, *uir magnificus* et gouverneur de Campanie : voir *PCBE* 2, « *Scolasticus* 1 », p. 1997 et *PLRE* 3 B, « *Scholasticus* 2 », p. 1117. ~ Par la lettre III, 15 de décembre 592, Scolastique est invité à contrôler l'élection d'un évêque de Naples après le refus de Florentius.

5. Épiphane, sous-diacre de Rome : voir *PCBE* 2, « *Epiphanius* 21 », p. 652. Il n'est mentionné que dans cette lettre et la suivante.

cum praefato iudice a quibus excitata sit uel commissa seditio inuestigare ac possit agnoscere et digna ultione uindicare. Experientia ergo tua ita tota uirtute in hac causa solaciari festinet, quatenus et cognosci ueritas et in delinquentes ualeat uindicta procedere. Quoniam igitur mancipia gloriosae Clementinae in eodem scelere interfuisse et uoces, quae seditionem commouerent, iactitasse dicuntur, si ita est, districtae ea imminete ultioni substerni, nec pro persona illius sit seueritas uestra remissior, quia tanto amplius ferienda sunt, quanto utpote nobilis feminae pueri ex sola superbia deliquerunt. Sed et illud subtili uos oportet indagatione perquirere, utrumne praedicta femina in tanta habuerit sceleris immanitate consilium, aut si cum eius est scientia perpetratum, ut quam sit periculosum non solum manibus sed etiam in sacerdotem uerbis excedere, ex nostra cuncti possint defensione cognoscere. Si quid enim in hac causa lentatum fuerit uel omissum, ad tuam culpam ac potius cognoscas pertinere periculum, nec aliquem apud nos excusationis locum inuenies. Nam quanto te apud nos res ista, si districtissime fuerit perscrutata et emendata, commendat, tanto, si leuigata fuerit, nostram contra te scito indignationem exacui.

Mancipia autem si qua de cetero in monasterium sancti Seuerini uel in alia ecclesia eiusdem castelli de ciuitate refugerint, mox ad notitiam tuam peruenerit, nullomodo

6. Clémentine : voir *PLRE* 3 A, p. 317 et *PCBE* 2, p. 454-455. Elle était peut-être fille du patrice Clementinus, voir *PLRE* 3 A, « *Clementinus* 1 », p. 318. Grégoire lui adressa une lettre de consolation (I, 11 ; *SC* 370, p. 99) pour la mort d'Eutherius, un ami commun. Les soupçons de Grégoire contre Clémentine n'entamèrent pas son amitié pour elle, puisqu'en 598/599, il lui renouvela son affection dans la lettre IX, 86.

7. L. GIORDANO, *Giustizia e potere*, p. 33, n. 58, cite d'autres exemples de la volonté de Grégoire de ne pas faire acception des personnes : I, 19 ; II, 18 ; 19 ; VI, 26.

8. *Subtili indagatione perquirere* est une formule fréquente dans les lettres. On trouve aussi, souvent, simplement l'adverbe *subtiliter.* L. GIORDANO,

gouverneur il puisse rechercher et retrouver les instigateurs et les artisans de cette révolte et les punir par le châtiment qui convient. Que Ton Expérience se hâte donc d'apporter son aide dans cette affaire avec toute son énergie, de façon que la vérité puisse être connue et qu'on puisse procéder au châtiment des délinquants. Et puisque l'on dit que des esclaves de la glorieuse Clémentine[6] ont participé à ce forfait et ont lancé des paroles qui ont poussé à la révolte, s'il en est bien ainsi, faites pression pour qu'ils subissent un châtiment rigoureux et ne relâchez pas votre sévérité eu égard à sa personne[7], parce qu'ils doivent être d'autant plus frappés qu'en qualité de serviteurs d'une femme noble ils se sont rendus coupables par pur orgueil. Mais il vous faut également rechercher par une enquête minutieuse[8] si la susdite dame n'aurait pas trempé elle-même par ses conseils dans un forfait aussi inhumain, et, s'il fut perpétré avec sa complicité, tous doivent reconnaître par notre sanction qu'il est périlleux de commettre une faute contre un évêque non seulement par voies de fait, mais encore en paroles. Si donc, dans cette affaire, il y avait quelque retard ou négligence, sache que ce sera de ta faute et qui plus est à tes risques et périls et tu ne trouveras auprès de nous aucun moyen d'excuse. Car autant cette affaire te recommande auprès de nous, si elle est examinée et réprimée très rigoureusement, autant, si elle est traitée légèrement, tu auras, sache-le, soulevé notre indignation contre toi.

Par ailleurs, si des esclaves se sont réfugiés d'un autre monastère dans celui de Saint-Séverin[9] ou de la cité dans une autre église du même village, dès que cela parviendra

Giustizia e potere, p. 52, n. 37, signale que *Cod. Iust.* VII, 47, 1 prescrit au juge de faire preuve de *subtilitas « in casibus qui incerti esse uidentur »*.

9. Selon EUGIPPIUS, *Vita Seuerini* 46, 2 (*MGH, AA* 1/2, p. 30), le corps du saint, mort le 8 janvier 482, avait été ramené du Norique qu'il avait évangélisé pour être enterré au *Castellum Lucullanum* près de Naples sur ordre du pape Gélase.

illic ea immorari permittas, sed intra ciuitatem in ecclesiam
35 reuocentur. Et si iustam contra dominos suos querellam habuerint, cum congrua ordinatione de ecclesiis exire necesse est. Si uero uenialem culpam commiserint, dominis suis, accepto de uenia sacramento, sine mora reddantur.

III, 2

GREGORIVS PAVLO EPISCOPO

Licet non mediocriter nos contristauerit cognita quam es perpessus iniuria, habemus aliquam tamen consolationis materiam, quod laudem tuam huic rei inesse cognouimus, ob id quod pro aequitatis rectitudine hoc, quantum directa
5 nobis patefecit relatio, pertulisti. Vt ergo ad maiorem fraternitatis tuae gloriam applicetur, haec res constantiam tuam nec frangere nec a uia debet ueritatis auertere. Nam maior in sacerdotibus merces est in ueritatis tramite, etiam post iniurias, permanere. Ac ne tantae impietatis insania inulta
10 remaneat, et in peius indisciplinatio perniciosa prorumpat, Scolastico uiro magnifico Campaniae iudici, quia hic
148 praesens inuentus est, ut haec digna coercitione uindicare debuisset iniunximus. Sed quia homines tui a nobis ut personam debuissemus dirigere petiuerunt, propterea Epiphanium
15 subdiaconum illic nos transmisisse cognosce, qui una cum

1. Suite de la lettre précédente.

2. *Rectitudo* est un mot important du vocabulaire moral et spirituel de Grégoire. Voir C. MOREL, « La *rectitudo* dans les *Homélies* de Grégoire le Grand sur Ézéchiel (livre I) », dans *Grégoire le Grand, Colloque de Chantilly*, p. 289-295, où l'auteur note, p. 292 : « L'humilité est une condition de la rectitude, elle lui est inhérente. » Le même auteur, dans son édition des *Homélies sur Ézéchiel*, montre que cette notion peut avoir des sources dans la littérature classique (*SC* 327, p. 98, n. 1 ; p. 99, n. 3 ; p. 266, n. 1).

à ta connaissance, ne permets sous aucun prétexte qu'ils y restent, mais qu'ils soient ramenés dans une église à l'intérieur de la ville. Et s'ils ont une juste plainte contre leurs maîtres, il faut les faire sortir des églises par l'ordre qui convient. S'ils ont commis une faute légère, qu'ils soient rendus sans délai à leurs maîtres après avoir obtenu sous serment leur pardon.

III, 2

PL et *MGH* : III, 2 – Septembre 592

Il console Paul, évêque de Nepi et visiteur de l'Église de Naples, pour les violences subies. Il lui annonce qu'il a donné ordre à Scolastique, le gouverneur, et au sous-diacre Épiphane, de punir ces outrages.

GRÉGOIRE À PAUL ÉVÊQUE[1]

Bien que nous ayons été non médiocrement contristé par la nouvelle des outrages que tu as subis, nous avons cependant quelque sujet de consolation en sachant que cette affaire est à ta louange dans la mesure où tu as souffert ce traitement, comme le révèle le rapport qui nous a été adressé, pour la rectitude de ton équité[2]. Donc pour que cette affaire mène à une plus grande gloire de Ta Fraternité, elle ne doit pas briser ta constance, ni l'écarter du chemin de la vérité. Car il y a pour les évêques une plus grande récompense à demeurer dans le sentier de la vérité même après des outrages. Et pour que la folie d'une telle impiété ne reste pas impunie et qu'une pernicieuse indiscipline ne se développe de façon plus grave, nous avons enjoint au magnifique Scolastique, gouverneur de Campanie, puisqu'il s'est trouvé présent, de se faire un devoir de punir cela par le châtiment mérité. Et puisque tes hommes nous ont demandé de nous faire un devoir d'envoyer quelqu'un, sache que nous avons pour cette raison délégué là le sous-diacre Épiphane avec pouvoir d'enquêter, conjointement avec le

suprascripto iudice inuestigare ualeat ac cognoscere ueritatem, quatenus in eos, a quibus tantum facinus immissum uel constiterit perpetratum, sua instantia dignam faciat exerceri uindictam.

III, 3

GREGORIVS IOHANNI ABBATI

Petiit dilectio tua ut frater Bonifatius in monasterio tuo a te debeat praepositus ordinari, quod ego ualde miratus sum quare non ante factum est. Nam ex eo illum tibi dari feci, iam eum ordinare debuisti.

5 De tunica uero sancti Iohannis omnino grate suscepi, quia sollicitus fuisti mihi indicare. Sed studeat dilectio tua mihi ipsam tunicam aut, quod est melius, eundem episcopum qui eam habet cum clericis suis cum ipsa ad me transmittere, quatenus et benedictione tunicae perfruamur, et de eodem 10 episcopo uel clericis mercedem habere ualeamus.

Causa uero quae cum Floriano uertitur, incidere uolui, et iam ei uel octoginta solidos mutuos dedi. Quos ille credo disponit sibi pro monasterii debito recompensari, et omnino uolo eandem causam decidi, quia Stephanum chartularium

1. Jean, abbé : voir *PCBE* 2, « *Iohannes* 77 », p. 1106-1107. Abbé du monastère de Sainte-Lucie à Syracuse, selon la lettre VII, 36. ~ La lettre III, 3 fait suite à I, 67 (*SC* 370, p. 270), adressée au sous-diacre Pierre, recteur du patrimoine de Sicile, pour lui demander de mettre le *cancellarius* Faustus à la tête de l'administration des biens temporels du monastère. Faustus avait dû refuser, car on voit ici l'abbé Jean toujours aux prises avec des difficultés.

2. Boniface : voir *PCBE* 2, « *Bonifatius* 31 », p. 339 ; seule mention du personnage. ~ *Praepositus* est le terme employé par saint Benoît pour désigner le second de l'abbé, voir *Reg. Ben.* LXV et GRÉG., *Dial.* II, 22. A. de Vogüé, *SC* 182, p. 655 s., traduit par « prévôt ». Nous préférons parler de « prieur », comme le fait par exemple P. DELATTE, *Commentaire sur la règle de saint Benoît*, Paris 1913, p. 520.

3. Sur la tunique de saint Jean, voir JEAN DIACRE, *Vita Greg.* III, 57 ; 58 ; 59 (*PL* 75, 169) qui montre qu'il ne peut s'agir que de la tunique de Jean l'Évangéliste.

susdit gouverneur, et de connaître la vérité, de sorte que par ses instances il fasse appliquer la punition méritée à ceux par qui il sera reconnu qu'un tel crime a été machiné et perpétré.

III, 3

PL et *MGH* : III, 3 – Septembre 592

À Jean, abbé de Sainte-Lucie à Syracuse, il écrit au sujet de l'installation de Boniface comme prieur, de l'envoi de la tunique de saint Jean, de la conclusion de l'affaire de Florian, de la discipline des moines et au sujet d'une affaire.

GRÉGOIRE À L'ABBÉ JEAN[1]

Ta Dilection a demandé qu'il lui fût fait un devoir d'installer le frère Boniface comme prieur dans ton monastère[2]. Je m'étonne beaucoup que cela ne soit pas déjà fait. En effet, depuis que je te l'ai confié, tu aurais dû déjà l'installer.

Au sujet de la tunique de saint Jean[3], j'ai accueilli avec beaucoup de reconnaissance le soin que tu as pris de m'informer. Mais que Ta Dilection s'efforce de m'envoyer la tunique elle-même ou, mieux encore, avec elle, l'évêque qui la détient ainsi que ses clercs, afin que nous bénéficiions de la bénédiction de la tunique et que nous puissions avoir la faveur de la présence de ce même évêque et de ses clercs.

Quant à l'affaire qui est en cours avec Florian[4], j'ai voulu la trancher et déjà je lui ai bien rendu quatre-vingts sous qu'on lui devait. Je crois qu'il veut y voir la compensation d'une dette qu'a envers lui le monastère, et je veux absolument que cette affaire soit close. En effet le chartulaire

4. Florian : voir *PCBE* 2, « *Florianus* 3 », p. 846. Habitant de la région de Syracuse non autrement connu. ~ Le nominatif *causa* est un phénomène d'attraction inverse, voir D. NORBERG, *Syntaktische Forschungen*, p. 76.

15 dicitur imminere ut eam praedictus Florianus in publico transferat, et graue nobis est cum publico litigare. Vnde necesse nobis est aliquid cedere, ut possimus eandem causam ad compositionem perducere. Quod dum factum fuerit, dilectioni tuae, Deo auxiliante, nuntiamus.

149 20 De fratrum uero animabus omnino esto sollicitus. Sufficit iam quod opinio monasterii per uestram neglegentiam inquinata est. Non frequenter foris egrediaris. In causis istis procuratorem institue, et tu ad lectionem atque orationem uaca.

25 De hospitalitate esto sollicitus. Quantum potes pauperibus largire, ita tamen ut serues, quod Floriano restitui debeat.

In ipsis autem fratribus monasterii tui quos uideo, non inuenio eos ad lectionem uacare. Vnde considerare necesse est quantum peccatum est, ut ex aliena oblatione Deus 30 uobis alimoniam transmiserit, et uos discere Dei mandata neglegatis.

De sex uero unciis domus, si authenticam chartulam non uidemus, ad exemplaria nil possumus facere. Sed Florentino defensori praeceptum transmisi ut, si ei ueritas constiterit, 35 easdem sex uncias uobis restituat. Quibus restitutis reliquas uobis sex uncias aut in emphyteusin damus, aut reditus commutamus.

5. Étienne : voir *PCBE* 2, « *Stephanus* 37 », p. 2125-2126 ; *PLRE* 3 B, « *Stephanus* 28 », p. 1189-1190 ; cf. II, 26 (*SC* 371, p. 364, n. 1). Le titre de *chartularius* désigne un fonctionnaire de la préfecture du prétoire d'Italie. Selon *PLRE*, c'est « peut-être » le même personnage dont les exactions sont dénoncées par Grégoire à l'impératrice en V, 38.

6. Voir *infra* III, 7, note 1. Grégoire tient à ce que l'affaire soit réglée par le tribunal épiscopal.

7. *Lectioni uacare* est une expression qui revient plusieurs fois dans *Reg. Ben.* XLVIII (*SC* 182, p. 598-604).

8. Encore un rappel de la *Reg. Ben.* LIII (*SC* 182, p. 610), qui prescrit que « tous les hôtes qui se présentent doivent être accueillis comme le Christ. »

9. Selon le système duodécimal, *uncia* désigne la douzième partie d'un tout. Six onces représentent donc la moitié de quelque chose.

Étienne[5] fait pression, dit-on, pour que ledit Florian porte la chose devant la justice et il nous est pénible d'avoir un procès civil[6]. C'est pourquoi il est nécessaire que nous cédions quelque chose pour pouvoir mener cette affaire à composition. Quand ce sera fait, nous l'annoncerons à Ta Dilection, avec l'aide de Dieu.

Sois plein de sollicitude pour les âmes des frères. Cela suffit déjà que la réputation du monastère soit salie par votre négligence ! Ne sors pas au dehors fréquemment. Pour ces affaires-là institue un procureur, et toi, vaque à la lecture et à la prière[7].

Aie grand soin de l'hospitalité[8]. Tout ce que tu peux, donne-le aux pauvres, de telle sorte cependant que tu conserves ce qui doit être restitué à Florian.

Quant aux frères eux-mêmes de ton monastère que je vois, je ne les trouve pas vaquant à la lecture. C'est pourquoi il est nécessaire de considérer la gravité du péché qu'il y a à recevoir de Dieu votre subsistance par des dons venant de l'extérieur et de négliger de vous instruire des préceptes de Dieu.

À propos de la demie maison[9], si nous ne voyons pas l'acte original, nous ne pouvons rien faire d'après des copies. Mais j'ai envoyé l'ordre au défenseur Florentin[10] de vous restituer cette demie maison, si la vérité lui est évidente. Celle-ci restituée, nous vous donnons la moitié restante soit en emphytéose[11], soit en échange des revenus.

10. Florentin, *defensor* : voir *PCBE* 2, « *Florentinus* 4 », p. 836. Le nom, abrégé par les manuscrits, de la fonction, *defensori*, est restitué par Norberg, alors que Ewald – Hartmann (*MGH, Epist* 1), lisaient *Dei famulo*. ~ Sur les fonctions du défenseur, voir L. GIORDANO, *Giustizia e potere*, p. 91 et particulièrement les deux très longues notes 183 et 184. Les défenseurs avaient un rôle de conseillers juridiques.

11. Sur l'emphytéose, voir *SC* 370, p. 14. Grégoire laisse le choix entre un bail de longue durée, avec la charge d'entretenir le bien, et un bail annuel avec versement d'un loyer.

III, 4

GREGORIVS BONIFATIO EPISCOPO REGIO

Quibusdam uenientibus agnoui fraternitatem tuam misericordiae operibus uehementer insistere. Atque omnipotenti Deo gratias retuli quia iuxta egregii praedicatoris uocem « *Nunc uiuimus, si uos statis in Domino*[a]. » Sed illud
5 mentem meam fateor non leuiter momordit, quod eadem opera multis uos ipsi nuntiastis. Ex qua re collegi quod mens uestra non studeat Dei oculis sed humano iudicio placere[b]. Vnde necesse est, frater carissime, ut cum bona
150 exterius agis, haec interius cum magna cautela custodias,
10 ne appetitus placendi hominibus subrepat, et omnis labor boni operis incassum fiat. Nos enim qui sumus, quibus placeri ab hominibus quaeritur ? Quid namque aliud quam *puluis et cinis*[c] sumus ? Sed illi tua fraternitas placere desideret, qui et non longe est ut appareat, et omne quod
15 retribuerit finem nullomodo habebit.

4. a. 1 Th 3, 8 b. cf. 1 Th 2, 4 ; Ep 6, 6 ; Ga 1, 10 c. Gn 18, 27

---

1. Boniface, évêque de Reggio de 590/92 à avril 599 : voir *PCBE* 2, « *Bonifatius* 28 », p. 335. JEAN DIACRE, *Vita Greg.* III, 7 (*PL* 75, 133), nous apprend qu'il était prêtre de l'Église de Rome quand Grégoire le nomma évêque de Reggio. C'est une de ces nominations faites directement par le pape pour imposer son autorité sur les Églises locales. On trouvera plus loin deux autres lettres adressées à Boniface : III, 43 et IV, 5.

2. Grégoire aime jouer avec ces distinctions *interius* / *exterius*, être / paraître, soit pour les concilier soit pour les opposer : III, 15, 20-21 ; III, 57, 9 ; IV, 1, 21 ; IV, 22, 21. Voir les remarques de P. Minard, *SC* 370, p. 78, n. 3 et surtout les analyses de C. DAGENS, *Saint Grégoire le Grand*, p. 133 s. Il faut ajouter que c'est un thème fondamentalement évangélique : Mt 6, 17 (oindre sa tête quand on jeûne) ; Mt 23, 27 (les sépulcres blanchis).

III, 4

PL et *MGH* : III, 4 – Septembre 592

Il exhorte Boniface, évêque de Reggio, à rapporter ses œuvres de miséricorde à la gloire de Dieu.

GRÉGOIRE À BONIFACE, ÉVÊQUE DE REGGIO[1]

Par quelques visiteurs j'ai appris que Ta Fraternité donnait ses plus grands soins aux œuvres de miséricorde. Et j'ai rendu grâces à Dieu tout-puissant de ce que, selon le mot de l'éminent prédicateur : « *Maintenant nous vivons, puisque vous tenez bon dans le Seigneur*[a]. » Mais j'avoue que mon âme a reçu une morsure non légère de ce que vous avez parlé vous-même à beaucoup de monde de ces mêmes œuvres. D'où j'ai conclu que votre âme cherche à plaire non aux yeux de Dieu mais au jugement des hommes[b]. Il est donc nécessaire, frère très cher, que, lorsque tu fais le bien extérieurement, tu prennes grand soin de le garder intérieurement en toi[2], de peur que ne se glisse un désir de plaire aux hommes, et que tout le labeur de la bonne action ne devienne inutile. Car qui sommes-nous, nous qui demandons à plaire aux hommes ? Que sommes-nous d'autre que *poussière et* que *cendre*[c3] ? Mais que Ta Fraternité désire plaire à celui qui ne va pas tarder à apparaître, et tout ce qu'il donnera en récompense n'aura aucune fin[4].

3. Gn 18, 27 : ... *loquar ad Dominum meum, cum sim puluis et cinis.* Peut-être aussi réminiscence d'HORACE, *Carm.* IV, 7, 16 : *puluis et umbra sumus.*

4. Sur l'imminence du jugement et l'importance de la menace eschatologique, C. DAGENS, *Saint Grégoire le Grand*, p. 379-384. JEAN DIACRE, *Vita Greg.* IV, 65 (*PL* 75, 214), dit que « Grégoire dans toutes ses paroles et ses actes considérait comme imminent le dernier jour de la rétribution future. »

MENSE OCTOBRIO INDICTIONE XI

III, 5

GREGORIVS PETRO SVBDIACONO CAMPANIAE

Sicut in iudiciis laicorum priuilegia turbare non cupimus, ita eis praeiudicantibus moderata te uolumus auctoritate resistere. Violentos namque laicos coercere non contra leges est agere sed legi ferre subsidium. Quia igitur Deusdedit, 5 gener Felicis de Orticello, praesentium latrici uiolentiam dicitur irrogasse praefatamque rem illicite detinere, ita ut uiduitatis eius deiectio non misericordiam prouocare sed eius inueniatur roborare malitiam, praecipimus experientiae tuae ut tam contra praefatum uirum quam in ceteris causis, 10 in quibus se asserit praefata femina praeiudicium sustinere, nostrae ei solacium tuitionis impendas. Nec a quolibet eam praegrauari permittas, ne uel ea quae tibi, salua tamen aequitate, mandantur, in aliqua inueniaris parte neglegere, uel uiduis aliisque pauperibus, dum illic auxilium non 15 inueniunt, ex huius itineris profligentur longinquitate dispendia.

1. Deusdedit : voir *PCBE* 2, « *Deusdedit* 8 », p. 554. Gendre de Félix : voir *PCBE* 2, « *Felix* 67 », p. 805. Tous deux non autrement connus, aussi bien qu'Orticellum. Sans doute sont-ils des Campaniens puisque l'affaire qui les concerne est du ressort de Pierre. ~ Cette phrase d'ailleurs n'est pas claire, car la proposition *praefatamque rem illicite detinere* dépend grammaticalement de *dicitur* qui est d'abord personnel avec comme sujet Deusdedit et qu'il faut ici reprendre au sens impersonnel. On comprend toutefois que cette appropriation illégale est le fond de l'accusation de Deusdedit contre cette femme.

OCTOBRE 592. INDICTION XI

III, 5

PL et *MGH* : III, 5 – Octobre 592

Il donne ordre à Pierre, recteur du patrimoine de Campanie, de protéger une veuve contre Deusdedit, gendre de Félix d'Orticellum.

GRÉGOIRE À PIERRE, SOUS-DIACRE DE CAMPANIE

De même que nous ne désirons pas bousculer dans les procès les privilèges des laïcs, de même nous voulons que tu leur résistes avec une autorité pleine de mesure quand ils portent préjudice. Contenir la violence des laïcs n'est pas agir contre les lois, c'est porter secours à la loi. Comme donc on dit que Deusdedit, gendre de Félix d'Orticellum, a traité avec violence la porteuse des présentes et que la susdite détient illégalement un bien, de sorte que son humble état de veuve se trouve ne pas provoquer sa pitié, mais augmenter sa méchanceté, nous prescrivons à Ton Expérience d'assurer à cette femme le secours de notre protection tant contre l'homme susdit que pour toutes les autres affaires dans lesquelles la susdite affirme subir un préjudice[1]. Ne permets à qui que ce soit de l'accabler de peur qu'on ne découvre en toi la moindre négligence dans la mission qui t'est confiée, toute justice étant sauve, et que les veuves et les autres pauvres, faute de trouver assistance là-bas, ne voient leurs dépenses s'accroître du fait de la longueur de ce voyage[2].

2. Les trois derniers mots de cette lettre font difficulté. J'essaie de traduire le texte établi par Norberg qui suit Ewald – Hartmann. La correction de *dispendium* des mss en *dispendio* au lieu de *dispendia* faciliterait peut-être la lecture.

151

III, 6

GREGORIVS IOHANNI EPISCOPO PRIMAE IVSTINIANAE

Post longas tribulationes suas, quas Hadrianus Thebanae ciuitatis episcopus a consacerdotibus suis uelut ab hostibus pertulit, in Romana ciuitate confugit. Et licet aduersus Iohannem Larissaeum episcopum eius fuisset prima sug-
5 gestio non ab eo in causis pecuniariis reseruatis legibus iudicatum, tamen post haec magis contra personam fraternitatis tuae, a qua non iuste se sacerdotii gradu flagitabat esse deiectum, grauissime querebatur. Sed nos, indiscussis petitionibus non credentes, eadem quae apud Iohannem
10 fratrem et coepiscopum nostrum uel quae apud fraternitatem tuam sunt acta relegimus. Et quidem de memorati Iohannis episcopi Larissaei iudicio, quod fuerat appellatione suspensum, satis et piissimi rerum domini ad Corinthi episcopum missis iussionibus decreuerunt, et nos quoque
15 per praesentium latores epistulis nostris ad praefatum Iohannem Larissaeum directis, Christo auxiliante,

1. Jean, évêque de Prima Justiniana (aujourd'hui Caricingrad, à l'ouest de Niš). ~ Justinien avait embelli son village natal de Tauresium et lui avait donné le nom de Prima Justiniana. Il n'en fit pas, comme il en avait eu d'abord le projet, le siège de la préfecture du prétoire d'Illyricum. Mais par la *Novelle* XI, 131 du 14 avril 535, il y transféra le siège métropolitain de Scupi (Skoplje), en accordant à l'évêque de Prima Justiniana le rang d'archevêque. Sur ces faits et sur la situation complexe de l'Illyricum, voir E. STEIN, *Histoire du Bas-Empire*, t. 2, p. 396. Voir aussi C. PIETRI, « L'Illyricum ecclésiastique », p. 48-49 et p. 55-56. ~ Sur l'affaire d'Hadrien, voir aussi L. PIETRI, *HC* 3, p. 864-865 et L. GIORDANO, *Giustizia e potere*, p. 75-76.

2. Thèbes de Phtiotide, en Grèce.

3. Larissa, ville de Thessalie.

III, 6

PL et *MGH* : III, 6 – Octobre 592

Il excommunie pendant trente jours Jean, archevêque de Prima Justiniana, pour avoir, contre les lois et les canons, privé du sacerdoce Hadrien, évêque de Thèbes, qui a été condamné injustement par Jean, évêque de Larissa, et pour cela fait appel. Il lui ordonne de rétablir Hadrien sur son siège.

GRÉGOIRE À JEAN, ÉVÊQUE DE PRIMA JUSTINIANA[1]

Après les longues tribulations qu'Hadrien, évêque de la cité de Thèbes[2], a supportées de la part de ses collègues dans l'épiscopat comme s'ils étaient ses ennemis, il s'est réfugié dans la ville de Rome. Et, bien qu'une première réclamation ait été faite par lui contre Jean, évêque de Larissa[3] pour avoir rendu un jugement non conforme aux lois relatives aux affaires financières, cependant il a porté en plus après cela une plainte très grave contre la personne de Ta Fraternité qu'il accusait de l'avoir injustement déposé du rang d'évêque. Mais nous, sans ajouter foi à ces requêtes avant examen, nous avons relu les décisions prises devant Jean, notre frère et collègue dans l'épiscopat et aussi celles qui ont été prises devant Ta Fraternité. Et certes, au sujet du jugement du susdit Jean, évêque de Larissa, jugement suspendu par un appel, les très pieux maîtres de l'Empire[4] ont rendu un décret par une injonction envoyée à l'évêque de Corinthe[5] et nous aussi avons pris un décret avec l'aide du Christ par lettres transmises au susdit Jean de Larissa

4. L'empereur Maurice (582-602) et son fils aîné Théodose, proclamé Auguste le 26 mars 590 à l'âge de cinq ans. Sur la famille impériale, voir *infra* III, 61, note 11. Le pluriel, comme toujours, désigne Maurice et son fils Théodose. Hartmann (*MGH, Epist* 1, p. 8, n. 5) refuse cette explication et préfère y voir un pluriel de majesté. Il invoque la lettre VI, 61 (64 dans éd. Norberg, *CCL* 140) adressée au seul Maurice. En fait l'un n'empêche pas l'autre.

5. L'évêque de Corinthe s'appelait Anastase.

decreuimus. Cum diuersi disceptatione iudicii, cuius examinationem tibi imperialia iussa tradiderant, et inspecta gestorum apud Iohannem episcopum de criminalibus habi-
20 torum serie uentilaris, repperimus prope nil te quod ante nominatas indictasque tibi causas attinuit exquisisse, sed machinationibus quibusdam testes aduersus Demetrium diaconem in damnatione eius episcopi produxisse, qui eum de illo, quod nec audiri fas est, dicentem se audisse testi-
25 monium perhiberent. Quod dum praesens Demetrius contradiceret se dixisse, aduersus sacerdotalem morem disciplinamque canonicam deiectum honore suo diaconem proconsuli prouinciae tradidisti. Qui cum multis laniatus uerberibus aduersus episcopum suum forsan aliqua potuisset
30 tormentorum necessitate mentiri, usque ad finem negotii
152 nihil eum de his de quibus interrogabatur penitus inuenimus fuisse confessum. Sed nec alia in gestis ipsis, siue per depositionem testium, siue per Hadriani professionem, quod ei potuisset obesse repperimus. Sed tantum fraternitas
35 tua, nescio quo mentis motu, diuino humanoque iure contempto, abruptam protulit in eius damnatione sententiam, quae licet non esset appellatione suspensa, contra leges canonesque prolata ipsa non poterat iure subsistere. Postquam tamen, ex abundanti, et appellationem tibi constat
40 esse porrectam, mirati sumus cur nec homines tuos secundum cautionem Honorato diacono nostro per responsales ecclesiae tuae expositam, qui tui iudicii rationem potuissent reddere, transmisisti. Quod factum te uel de contumacia uel de conscientiae trepidatione redarguit. Si igitur haec
45 quae nobis oblata sunt ueritate uallantur, quoniam occasione uicium nostrarum consideramus uos iniusta praesumere,

6. Formule toute faite, pour souligner un désir de discrétion et de réserve. Voir I, 82 (*SC* 370, p. 306, li. 6) : *quod dici nefas est*, et III, 40, 2.

7. Honorat, diacre de l'Église romaine : voir *PCBE* 2, « *Honoratus* 12 », p. 1010, qui pense pouvoir l'identifier avec l'apocrisiaire à Constantinople mentionné dans la lettre I, 6 (*SC* 370, p. 88).

par le porteur des présentes. Quand on examine ta conduite à propos de la contestation d'un jugement controversé dont les ordres de l'empereur t'avaient confié l'examen et après vérification de la série d'actions intentées devant l'évêque Jean pour des faits criminels, nous découvrons que tu n'as presque fait aucune enquête sur ce qui concernait les affaires mentionnées plus haut et à toi confiées, mais que par diverses machinations tu as produit des témoins contre le diacre Démétrius pour la condamnation de son évêque, afin que ceux-ci témoignassent l'avoir entendu tenir sur l'évêque des propos qu'il n'est pas permis d'entendre[6]. Comme Démétrius présent niait avoir tenu ces propos, tu as, contre l'usage épiscopal et la discipline canonique, livré le diacre au proconsul de la province, après l'avoir destitué de son rang. Bien que celui-ci, déchiré par de nombreux coups de fouet, eût pu peut-être, forcé par la torture, mentir contre son évêque, nous n'avons absolument rien trouvé qu'il ait avoué jusqu'à la fin de l'affaire à propos de ce sur quoi il était interrogé. Nous n'avons non plus rien découvert d'autre dans les actes eux-mêmes, soit par la déposition des témoins, soit par la déclaration d'Hadrien, qui pût lui être objecté. Mais il y a seulement que Ta Fraternité, je ne sais par quel trouble d'esprit, au mépris du droit divin et humain, a prononcé en le condamnant une sentence brutale, qui, même si elle n'avait pas été suspendue par un appel, ne pouvait en droit subsister, ayant été prononcée contre les lois et les canons. Cependant, maintenant qu'il appert de surcroît qu'un appel aussi t'a été adressé, nous nous sommes étonné que tu n'aies pas même envoyé tes gens pour rendre compte de ton jugement, selon l'engagement pris envers notre diacre Honorat[7] par les représentants de ton Église. Et ce fait t'a convaincu et de contumace et d'un trouble de conscience. Si donc ce qui nous a été présenté est garanti par la vérité, puisqu'à l'occasion de nos fonctions nous considérons que

de his alias secundum id quod a nobis deliberatum fuerit Christo auxiliante decernimus.

Quod uero ad praesens attinet, cassatis prius atque ad 50 nihilum redactis praedictae sententiae tuae decretis, ex beati Petri apostolorum principis auctoritate decernimus triginta dierum spatio sacra te communione priuatum ab omnipotenti Deo nostro tanti excessus ueniam cum summa paenitentia ac lacrimis exorare. Quod si hanc sententiam nostram te 55 cognouerimus implesse remissius, non iam tantum iniustitiam sed et contumaciam fraternitatis tuae cognoscas, adiuuante Domino, seuerius puniendam. Praefatum uero Hadrianum fratrem et coepiscopum nostrum, ex tua sententia ut diximus nequaquam canonibus neque legibus subsistente 60 damnatum, in suo loco atque ordine reuerti, Christo comitante, disponimus, ut nec illi fraternitatis tuae noceat contra iustitiae tramitem prolata sententia, nec caritas tua pro placanda futuri indignatione iudicis incorrecta remaneat.

153

III, 7

GREGORIVS IOHANNI EPISCOPO LARISSAEO

Frater noster Hadrianus, Thebanae ciuitatis episcopus, ad Romanam urbem ueniens lacrimabiliter est conquestus de

8. Il faut donner à *contumacia* son sens juridique de refus d'obtempérer à une décision de justice.

vous vous permettez des injustices, nous décidons en cette matière autrement, selon ce que nous aurons délibéré avec l'aide du Christ.

Quant à ce qui concerne le présent, les décisions de ta susdite sentence une fois cassées et réduites à néant, nous décrétons en vertu de l'autorité du bienheureux Pierre prince des apôtres que, privé pendant la durée de trente jours de la sainte communion, tu demanderas à notre Dieu tout-puissant, dans le plus grand repentir et les larmes, le pardon d'une telle faute. Que si nous apprenons que tu te plies trop mollement à notre présente sentence, sache que ce ne sera plus seulement ton injustice mais encore la contumace de Ta Fraternité[8] qu'il faudra punir plus sévèrement avec l'aide de Dieu. Quant au susdit Hadrien, notre frère et collègue dans l'épiscopat, qui a été condamné par une sentence de toi dépourvue, comme nous l'avons dit, de tout fondement dans les canons et les lois, nous décidons qu'il soit rétabli sur son siège et dans son rang avec l'assistance du Christ, afin que la sentence de Ta Fraternité prononcée contre la voie de la justice ne lui nuise et que ta charité, pour apaiser la colère du Juge à venir, ne demeure pas impunie.

III, 7

PL et *MGH* : III, 7 – Octobre 592

Il blâme Jean, archevêque de Larissa, d'avoir injustement condamné Hadrien, évêque de Thèbes. Sous peine d'excommunication, il décide que les accusations contre Hadrien seront tranchées par les représentants de Rome résidant à Constantinople ou par le Siège apostolique lui-même. Qu'il rétablisse Hadrien dans la plénitude de ses droits et lui rende les biens de l'Église de Thèbes.

GRÉGOIRE À JEAN, ÉVÊQUE DE LARISSA

Notre frère Hadrien, évêque de la cité de Thèbes, venant dans la ville de Rome, s'est plaint avec larmes d'avoir été

quibusdam se capitulis a fraternitate tua necnon Iohanne, Primae Iustinianae episcopo, non legitime neque canonice 5 condemnatum. Cumque per diuturnum tempus nullam diuersae partis uideremus hic aduenire personam, qui eius debuisset obiectionibus respondere, necessario, cognoscendae ueritatis intuitu, ea quae penes uos acta sunt relegenda tradidimus. Ex quibus cognouimus Iohannem atque 10 Cosmam diacones, unum pro lubrico corporis, alterum pro fraudibus ecclesiasticarum rerum proprio depulsos officio, de pecuniariis criminalibusque capitulis aduersus eum piissimis nostris imperatoribus suggessisse. Qui per iussiones suas te uoluerunt, seruata uidelicet iuris canonumque districtione, 15 cognoscere, ita ut de pecuniariis quidem ferres firmam iure sententiam, de criminalibus uero eorum clementiae, habita subtilius examinatione, suggereres. Quod si tam rectas iussiones tua fraternitas rectis quoque mentibus accepisset, numquam uiros pro suis excessibus proprio remotos officio 20 atque iam inimicantis animi ad accusationem passim sui suscepisset episcopi, maxime cum ex suggestione piissimis oblata dominis eorum sit detecta fallacia, quia cum consensu omnium clericorum contra suum pontificem se suggessisse professi sunt.

25 Post haec tamen, ut breuiter quaedam strictimque quae apud te sunt acta percurram, primum capitulum penes fraternitatem tuam motum est Stephani Thebani diaconi, 154 cuius uitam quasi sciens turpissimam Hadrianus episcopus non eum sui ordinis honore priuauerat. Quod capitulum 30 nullus deductorum testium ad Hadriani episcopi dicit peruenisse notitiam, nisi quod solus Stephanus turpis uitae

1. La procédure est rigoureusement décrite par Grégoire. Les accusations portées par les deux diacres contre Hadrien sont de deux ordres : pécuniaire et criminel. L. GIORDANO, *Giustizia e potere*, p. 84, montre que, selon la *Novelle* CXXIII, 21, *in pecuniariis*, le juge civil pouvait approuver ou annuler le verdict de l'évêque et que, *in criminalibus,* il pouvait en première instance se saisir de l'affaire. L'empereur a donc ici renvoyé les affaires pécuniaires à l'évêque de Larissa, mais s'est réservé le procès criminel.

condamné au mépris des lois et des canons sur certains chefs d'accusation par Ta Fraternité et par Jean, évêque de Prima Justiniana. Et comme pendant un temps prolongé nous n'avons vu venir ici aucune personne de la partie adverse qui eût dû répondre à ses réclamations, nous avons été dans la nécessité de soumettre à relecture, dans l'intention de connaître la vérité, ce qui a été fait chez vous. Par là, nous avons appris que les diacres Jean et Côme, qui ont été démis de leur fonction respective l'un pour faute charnelle, l'autre pour fraudes sur les biens ecclésiastiques, ont porté contre lui des accusations en matière pécuniaire et criminelle devant nos très pieux empereurs. Ceux-ci ont voulu par leurs ordres que tu en connusses, en observant la rigueur du droit et des canons, de sorte qu'en matière pécuniaire tu portes, certes, une sentence ferme fondée en droit, mais qu'en matière criminelle tu en réfères à Leur Clémence après une enquête menée plus minutieusement[1]. Si Ta Fraternité avait reçu des ordres si équitables avec un esprit tout aussi équitable, jamais elle n'aurait admis des hommes relevés de leur office pour leurs fautes et faisant preuve déjà de malveillance à accuser leur évêque inconsidérément, alors surtout que leur fourberie se trouvait démasquée par la requête qu'ils présentaient aux très pieux seigneurs, puisqu'ils ont déclaré que c'était avec le consentement de tous les clercs qu'ils avaient présenté une requête contre leur pontife.

Après cela cependant, pour ne faire que parcourir brièvement et succinctement ce qui a été fait chez toi, le premier chef d'accusation évoqué devant Ta Fraternité concernait Étienne, diacre de Thèbes, que l'évêque Hadrien, tout en connaissant sa vie très scandaleuse, n'avait pas privé de l'honneur de son rang. Or aucun des témoins cités ne dit que cette accusation soit parvenue à la connaissance de l'évêque Hadrien, sauf que seul Étienne confessa, dit-on,

suaque professione damnabilis dicitur esse confessus. Secundum capitulum aduersus eum uidetur esse propositum de infantibus eius iussu a sacri baptismatis susceptione
35 prohibitis atque ita inabluta sorde peccati defunctis in tenebris. Sed nullus aduersus eum deductorum testium professus est nosse se tale aliquid ad Hadriani episcopi peruenisse notitiam. Sed a matribus infantum, quarum uiri remoti pro culpis ut dicitur ab ecclesia fuerant, se cognouisse
40 dixerunt. Sed nec inbaptizatos eos mortis tempus professi sunt occupasse, sicut accusatorum continebat inuidiosa suggestio, cum in Demetriade ciuitate baptizatos eos esse constiterit. Et haec quidem de criminalibus causis.

De pecuniariis uero qualiter a te fuerit iudicatum,
45 inquisitio deputatorum a principe uirorum <et> piissima iussio serenissimi principis attestatur. Nam cum tuam saepefatus Hadrianus suspendisset appellatione sententiam, quantum ex quattuor testium depositionibus apud Iohannem Primae Iustinianae episcopum prolatis agnouimus, artissima
50 detrusus custodia libellum, in quo obiecta sibi confiteretur capitula, tua coactus est fraternitate porrigere. Qui quidem in porrecto a se libello de pecuniariis inuenitur tuae consensisse sententiae. Criminalia uero medio quodam dubioque uerborum calle transcurrit, ut et tua subiectis quibusdam
55 nebulis frustraretur intentio, et ipse porro nimis a confessione in perplexae locutionis obscuritate refugeret. Cumque porrecta appellatio per homines eius ceteraque quae penes

2. Sur le sort des petits enfants morts sans baptême, Grégoire adopte ici une position inspirée d'Augustin. Cependant ce dernier se montre moins rigoureux : là où Grégoire parle de *tenebrae*, AUGUSTIN, *De peccatorum meritis et remissione* I, 21 envisage une « damnation la plus douce de toutes ». Voir l'analyse du problème dans S. LANCEL, *Saint Augustin,* Paris 1999, p. 462-463 et p. 627-629, qui conclut qu'Augustin derrière la rigueur de sa thèse « laisse grandes ouvertes ses voies à la miséricorde divine ». Il faut dire aussi que Grégoire, dans cette lettre, traite d'une affaire judiciaire et reproduit les accusations portées contre Hadrien. Mais on trouve la même position dans le développement théologique de la lettre IX, 148 (*CCL* 140 A, p. 703-704).

qu'il menait une vie scandaleuse et indigne de son état. Le second chef d'accusation porté contre lui semble avoir concerné des petits enfants écartés sur son ordre de la réception du saint baptême et ainsi morts dans les ténèbres, la souillure du péché n'ayant pas été lavée[2]. Mais aucun des témoins cités contre lui n'a reconnu savoir qu'un tel fait était parvenu à la connaissance de l'évêque Hadrien. Mais ils dirent l'avoir appris de mères d'enfants dont les maris, à ce qu'on dit, avaient été écartés de l'Église pour leurs fautes. Mais ils n'ont pas reconnu que l'heure de la mort les avait saisis avant d'être baptisés, comme le comportait la déclaration haineuse des accusateurs, alors qu'il a été rendu patent qu'ils ont été baptisés dans la ville de Démétriade[3]. Et voilà pour les affaires criminelles.

Pour les affaires pécuniaires, l'enquête des hommes délégués par le prince et l'ordre très pieux du sérénissime prince témoignent de la manière dont le jugement a été rendu par toi. En effet, comme Hadrien, souvent mentionné, avait fait suspendre ta sentence par un appel, pour autant que nous le sachions par les dépositions de quatre témoins présentées devant Jean, évêque de Prima Justiniana, il fut jeté dans une captivité très sévère et contraint par Ta Fraternité à produire un texte dans lequel il avouait les chefs d'accusation qui lui étaient reprochés. Du moins, dans le texte produit par lui, il se trouve d'accord avec ta sentence concernant les affaires pécuniaires. Mais les affaires criminelles, il les parcourt sur un sentier de paroles indéterminé et incertain pour que ton attention soit égarée par les brumes placées devant elle et que lui-même plus tard trouve une échappatoire bien loin de l'aveu, grâce à l'obscurité d'un style embrouillé. Et comme l'appel présenté par ses gens et tous les actes accomplis auprès de toi avaient été

3. Ville de Thessalie.

te gesta sunt piissimis fuissent deportata principibus, deputatis ut diximus Honorato, diacono <nostrae> sedis, et Sebastiano gloriosae memoriae antegrafeo, cunctisque examinatis subtiliter, serenissimis est ab omnibus iussionibus absolutus. Sed nescio quibus machinationibus exquisitis, alia rursus est iussio principalis elicita, ut de cunctis antefatis capitulis Iohannes Primae Iustinianae episcopus requirens subtiliter iudicaret. In cuius iudicio omnes clerici Hadriani episcopi et Demetrius diaconus inter tormenta professus est omnem hanc contra Hadrianum episcopum calumniam fraternitatis tuae machinatione confectam. Nec aliqua de capitulis ipsis, quae in tua audientia criminaliter obiecta fuerant Hadriano episcopo, sunt probata. Sed prouenit alia contra canones ac leges in Demetrio diacono eius aliisque personis crudelis atque dolosa discussio, in qua nihil penitus repertum est, ex quo saepe memoratus Hadrianus damnari legitime debuisset, sed magis ex quo potuisset absolui. Sed de Iohanne Primae Iustinianae urbis antistite ac de nequissimo eius damnandoque iudicio alias sumus, iuuante Domino, tractaturi. Hadrianum uero episcopum repperimus et tuo contra sacerdotales mores odio laborasse, et nullo iure pecuniariis in causis cum fraternitatis tuae condemnatum fuisse sententia.

Quia igitur et ab antefato Iohanne Primae Iustinianae episcopo contra ius canonesque depositus honoris sui gradu carere non potuit, in sua eum reformari ecclesia atque in propriae dignitatis ordine decreuimus reuocari. Et cum oportuisset te ex eo dominici corporis communione priuari, quod post admonitionem sanctae memoriae decessoris mei, per quam eum ecclesiamque eius de tuae iurisdictione

4. Sur le sens d'*antegrafeus*, voir *SC* 370, p. 164, n. 2. Le *TLL* 2, c. 69, « *antigraphus* », renvoie à ces lettres de Grégoire avec le sens de *cancellarius*. ~ Pour l'interprétation de l'abréviation *gl m*, voir D. NORBERG, *Studia critica*, t. 1, p. 68-71. Ewald – Hartmann (*MGH, Epist* 1, p. 167, li. 12) donnent *glorioso milite*.

apportés aux très pieux princes, grâce à une mission, comme nous l'avons dit, d'Honorat, diacre de notre Siège et de Sébastien le traducteur, de glorieuse mémoire[4], toutes choses étant examinées minutieusement, il fut acquitté par toutes les très sérénissimes ordonnances. Mais par je ne sais quelles machinations raffinées on a fait sortir de nouveau une autre ordonnance impériale selon laquelle Jean, évêque de Prima Justiniana, après enquête minutieuse, prononcerait sur tous les chefs précités. Dans le jugement de celui-ci, tous les clercs de l'évêque Hadrien ont déclaré, et le diacre Démétrius l'a fait sous la torture, que toute cette accusation calomnieuse contre l'évêque Hadrien avait été forgée par une machination de Ta Fraternité. Pas le moindre des chefs d'accusation eux-mêmes qui, devant ton tribunal, avaient été opposés au criminel à l'évêque Hadrien n'a été prouvé. Mais il est survenu une autre enquête cruelle et déloyale, menée contre les canons et les lois, au sujet de Démétrius son diacre et d'autres personnes au cours de laquelle absolument rien n'a été trouvé qui eût dû faire légalement condamner Hadrien déjà mentionné, mais plutôt eût pu le faire acquitter. Mais de Jean, évêque de la ville de Prima Justiniana, et de son exécrable et condamnable jugement, nous traiterons ailleurs avec l'aide du Seigneur. Quant à l'évêque Hadrien, nous avons trouvé qu'il avait pâti de ta haine contraire aux mœurs sacerdotales et qu'il avait été condamné au mépris du droit, dans les procès d'ordre pécuniaire, par une sentence de Ta Fraternité.

Puisque donc, il n'a pu, étant déposé par le susdit Jean, évêque de Prima Justiniana, contrairement au droit et aux canons, perdre les honneurs de son rang, nous avons décidé de le rétablir dans son Église et de le rappeler dans le rang de sa dignité. Et bien qu'il eût fallu que tu fusses privé de la communion du corps du Seigneur pour, après l'admonition de mon prédécesseur de sainte mémoire par laquelle il le soustrayait, lui et son Église, à la juridiction de ton

potestatis exemit, rursus in eis aliquid tibi iurisdictionis seruare praesumpseris, tamen nos humanius decernentes
90 communionisque tibi sacramentum interim conseruantes, decernimus ut fraternitas tua ab eo ecclesiaque eius omnem ante habitae suae potestatem iurisdictionis abstineat, sed secundum scripta decessoris nostri, si qua causa uel fidei uel criminis uel pecuniaria aduersus praefatum Hadrianum
95 consacerdotem nostrum potuerit euenire, uel per eos qui nostri sunt uel fuerint in urbe regia responsales si mediocris est quaestio cognoscatur, uel huc ad apostolicam sedem si est ardua deducatur, quatenus nostrae audientiae sententia decidatur. Quod si contra haec quae statuimus quolibet
100 tempore qualibet occasione uel subreptione uenire temptaueris, sacra te communione priuatum, nec eam te, excepto ultimo uitae tuae tempore, nisi cum concessa Romani pontificis decernimus iussione recipere. Haec enim consona sanctis patribus definitione sancimus ut, qui sacris nescit
105 oboedire canonibus, nec sacris administrare uel communionem capere sit dignus altaribus. Res autem siue sacras siue alias mobiles immobilesque eius ecclesiae, quas hactenus dicitur retinere, quarum notitiam nobis oblatam praesentibus annectimus litteris, sine aliqua ei fraternitas tua
110 dilatione restituat. De quibus si qua inter uos quaestio uertitur, uolumus ut apud responsalem nostrum in urbe regia uentiletur.

5. Constantinople. Cette phrase montre à quel point Grégoire se méfie d'une mainmise du pouvoir impérial sur une Église géographiquement plus proche de l'Orient que de Rome. L. GIORDANO, *Giustizia e potere*, p. 36-37, souligne la manière dont le pape tempère la rigueur du droit par l'humanité, *nos humanius decernentes*. Même cas en III, 42 ; 53.

pouvoir, avoir osé te réserver de nouveau sur eux une part de juridiction, nous cependant, prenant une décision plus humaine et te conservant pendant ce temps le sacrement de la communion, nous décidons que Ta Fraternité s'abstienne de tout exercice de la juridiction qu'elle détenait auparavant sur lui et sur son Église, mais que, selon les écrits de notre prédécesseur, si quelque affaire de foi, de crime ou d'argent peut survenir contre ledit Hadrien, notre collègue dans le sacerdoce, l'instruction, si elle est légère, soit conduite par ceux qui sont ou auront été nos représentants dans la ville royale[5], ou si elle est difficile, qu'elle soit portée ici devant le Siège apostolique afin d'être tranchée par la sentence de notre cour. Que si tu tentes d'aller contre ce que nous décidons en quelque circonstance, occasion, ou par quelque subreption que ce soit, nous décidons que tu sois privé de la sainte communion et que tu ne la reçoives, excepté à l'ultime moment de ta vie, que sur ordre exprès du pontife romain. Et cela nous le prescrivons par un règlement conforme aux saints Pères : celui qui ne sait pas obéir aux saints canons ne doit pas être digne d'administrer ni de recevoir la communion aux saints autels. Quant aux objets sacrés ou autres biens mobiliers ou immobiliers de cette Église que Ta Fraternité détient jusqu'à ce jour, à ce qu'on dit – nous joignons à la présente lettre l'inventaire qui nous en a été fourni –, qu'elle les lui restitue sans le moindre délai. À ce sujet, si entre vous s'élève quelque différend, nous voulons qu'il soit examiné devant notre représentant dans la ville royale.

156

III, 8

GREGORIVS NATALI ARCHIEPISCOPO SALONITANO VT NON DEPONATVR EPISCOPVS

Dum cuncta negotia indagandae sollicitudine ueritatis indigeant, tum quae ad deiectionem sacerdotalium graduum sunt districtius trutinanda, in quibus non tam de humilibus constitutis, quam de diuinae quodammodo benedictionis 5 refragatione tractatur. Quae res quoque nos in Florentii episcopi persona ad exhortationem uestrae fraternitatis admonuit. Nuntiatum siquidem nobis est a quibusdam fuisse in causis criminalibus accusatum et, nullis canonicis probationibus exquisitis, nec sacerdotalis concilii proueniente 10 iudicio, a sui eum honoris officio non iure sed auctoritate depositum. Quia ergo non potest quemquam episcopatus gradu nisi iustis ex causis concors sacerdotum submouere sententia, hortamur fraternitatem uestram ut praefatum uirum ex eodem in quo detrusus est eici faciatis exsilio,

1. Cette lettre rouvre le dossier du conflit entre Rome et Natalis, évêque de Salone. Ce prélat est décrit par Grégoire comme un esprit querelleur (I, 19 ; *SC* 370, p. 114, li. 9), arrogant (II, 38 ; *ibid.* p. 394, li. 75), amateur de bonne chère (II, 17, *ibid.* p. 338, li. 2 et II, 44, *ibid.* p. 416, li. 6 s.) Il avait, dès le temps de Pélage II (II, 19, *ibid.* p. 346, li. 2), fait l'objet de plaintes de son archidiacre Honorat, voir *infra* III, 32, note 1. Ici nous avons un autre abus de pouvoir de Natalis contre un de ses suffragants. Il faut dire que la personne de Natalis n'était pas seule en cause dans l'opposition entre Rome et Salone, car la disparition de ce confrère turbulent ne mit pas fin aux soucis de Grégoire touchant cette Église. Sur les relations de Grégoire avec l'Illyricum, voir L. PIETRI, *HC* 3, p. 863 et C. PIETRI, « L'Illyricum ecclésiastique », p. 54-59.

2. Florentius, évêque d'Épidaure, comme nous l'apprend la lettre suivante. Ville de la côte dalmate, à l'emplacement de l'actuelle Zaptat ou Ragusa Vecchia, selon R. AUBERT, art. « Épidaure » dans *DHGE*, t. 15, col. 601-602. La ville fut ruinée en 640 par les invasions et l'évêque s'installa alors à Raguse (Dubrovnik). V. Recchia (éd. *Lettere*, t. 1, p. 391) identifie Épidaure avec Scutari (Shkodër). D'après la lettre VIII, 11 de décembre 597, Florentius n'avait toujours pas retrouvé son siège.

3. On peut hésiter sur le sens de l'expression *in exsilio detrusus* qui revient plusieurs fois dans la correspondance. Il s'agit toujours d'une peine prononcée

III, 8

PL et *MGH* : III, 8 – Octobre 592

Il exhorte Natalis, archevêque de Salone, à faire sortir de prison Florentius, évêque d'Épidaure, injustement déposé, et à examiner sa cause après convocation d'un synode épiscopal. Il confie l'exécution de cette affaire au sous-diacre Antonin, recteur du patrimoine de Dalmatie.

GRÉGOIRE À NATALIS, ARCHEVÊQUE DE SALONE, POUR QU'UN ÉVÊQUE NE SOIT PAS DÉPOSÉ[1]

Si toutes les affaires requièrent le souci de la recherche de la vérité, celles qui concernent la destitution des ordres sacerdotaux doivent être pesées avec plus de rigueur encore : il ne s'y agit pas tant de gens d'humble condition que d'aller, pour ainsi dire, contre une bénédiction divine. C'est ce qui nous a invité à exhorter Votre Fraternité dans le cas de la personne de l'évêque Florentius[2]. Il nous a en effet été rapporté qu'il a été accusé par certains en matière criminelle et que, sans qu'aucune preuve canonique ait été recherchée ni que soit intervenu le jugement d'un concile d'évêques, il a été déposé de l'office de son rang non selon le droit mais par acte d'autorité. Puisque donc une sentence unanime des évêques ne peut écarter qui que ce soit du rang de l'épiscopat, si ce n'est pour de justes causes, nous exhortons Votre Fraternité à faire sortir l'homme susdit de la prison[3] dans laquelle il a été jeté, et à faire examiner sa

par l'autorité ecclésiastique. Or une condamnation à l'exil relevait normalement du pouvoir civil. NIERMEYER, *Lexicon, s.u.* « *exilium* », p. 394, donne le sens de « prison » chez GRÉG. T., *Hist. Franc.* IX, 38 : *in exsilium retruduntur*, et FRÉDÉGAIRE, *Chronica* 4, 51 qui ne laisse aucun doute : *Eam in unam turrem exilio trudit.* On relèvera que dans les deux exemples on a le même verbe *trudo* ou un composé, comme ici et en III, 9. Il peut s'agir d'un internement dans un monastère. Voir III, 7 : *artissima detrusus custodia* ; III, 9 : *de eodem eici faciat quo nunc dicitur detrusus exsilio* ; III, 27 et III, 42 : *in monasterio retrudatur* ; IV, 9 : *in monasterio detrudatur.*

15 causamque eius episcopali disceptatione perquiri. Et si in his in quibus accusatus est canonica fuerit probatione conuictus, canonica proculdubio est ultione plectendus. Quod si alias, quam de eo aestimatum est, synodali fuerit inquisitione compertum, necesse est ut et criminatores iusti 20 districtionem iuris exhorreant, et incriminatis innocentiae suae seruentur illibata suffragia. Exsecutionem uero antefati negotii Antonino subdiacono nostro ex nostra praeceptione mandauimus, quatenus eius instantia et quae sunt legibus canonibusque placita decernantur, et decreta iuuante 25 Domino mancipentur effectui.

157

III, 9

GREGORIVS ANTONINO SVBDIACONO

Peruenit ad nos Florentium Epitauritanae ciuitatis episcopum, praereptis prius rebus eius, pro quibusdam non approbatis criminibus sine sacerdotali concilio fuisse damnatum. Et quia non debet is poenam sustinere canonicam 5 in cuius damnatione non est canonice prolata sententia, praecipimus experientiae tuae ut Natali fratri et coepiscopo nostro debeas imminere, quatenus supradictum uirum de eodem eici faciat quo nunc dicitur detrusus exsilio. Conuocatoque episcoporum concilio, si haec in quibus accusatus 10 est, ei canonice fuerint approbata, praefati Natalis fratris et coepiscopi nostri uolumus in eum proprium robur obtinere

4. Antonin, sous-diacre de Rome : voir *PCBE* 2, « Antoninus 6 », p. 157-159. Nommé par Grégoire recteur du patrimoine de Dalmatie – voir JEAN DIACRE, *Vita Greg.* II, 53 (*PL* 75, 110) qui l'appelle Antonius –, Antonin fut chargé, en mars 592, de régler le conflit entre Natalis et l'archidiacre Honorat (II, 19 [*SC* 371, p. 346] et III, 32 d'avril 593) ; puis, ici, l'affaire de Florentius. Enfin, en mars 593 il eut à organiser l'élection du successeur de Natalis (III, 22). Honorat fut élu, mais rencontra l'opposition de certains (III, 46 de juillet 593) qui firent consacrer à sa place Maxime. Antonin ne réussit pas à imposer Honorat et s'enfuit devant une émeute (V, 6 de septembre/octobre 594).

cause dans un débat épiscopal. Et s'il est convaincu par preuve canonique de ce dont il a été accusé, il doit indubitablement être frappé d'une peine canonique. Que si l'on découvre par une enquête synodale qu'il en est autrement qu'on avait pensé à son sujet, il est nécessaire que les calomniateurs d'un juste redoutent la sévérité du droit et que les accusés trouvent des appuis intègres de leur innocence. Nous avons confié par notre mandement l'exécution de la susdite affaire à notre sous-diacre Antonin[4], afin que par son instance soit décidé ce qui est conforme aux lois et aux canons, et que les décisions, avec l'aide de Dieu, prennent effet.

III, 9

PL et *MGH* : III, 9 – Octobre 592

À Antonin, recteur du patrimoine de Dalmatie, il prescrit de faire restituer ses biens à Florentius, évêque d'Épidaure, après l'avoir tiré de prison, s'il est acquitté par le concile des évêques.

Grégoire au sous-diacre Antonin

Il est parvenu à notre connaissance que Florentius, évêque de la cité d'Épidaure, après avoir été dessaisi de ses biens, avait été condamné sans la réunion d'un concile d'évêques sur certaines accusations non prouvées. Et comme celui qui a été condamné sans qu'une sentence canonique ait été prononcée ne doit pas supporter une peine canonique, nous prescrivons à Ton Expérience de se faire un devoir de presser Natalis, notre frère et collègue dans l'épiscopat, de faire sortir l'homme précité de la prison où l'on dit qu'il a été jeté maintenant. Après convocation d'un concile des évêques, si ces chefs d'accusation y sont retenus canoniquement contre lui, nous voulons que la sentence portée contre lui par le susdit Natalis, notre frère et collègue dans l'épiscopat, obtienne pleine vigueur. Mais s'il est absous par

sententiam. Sin autem generali iudicio fuerit absolutus, nec eum deinceps cuiuslibet praeiudicio subiacere permittas, et praefatae res districta tuae sollicitudinis restituantur instantia. 15 Necesse est ergo ut, quanto grauiora talium negotiorum perpendis pondera, tanto ea maturiori uigilantiorique studeas exsecutione complere.

III, 10

GREGORIVS SABINO SVBDIACONO NOSTRO

Exeuntes maligni homines turbauerunt animos uestros, *non intellegentes neque quae loquuntur, neque de quibus affirmant*[a], astruentes quod aliquid de sancta Chalcedonensi 158 synodo piae memoriae Iustiniani temporibus sit imminutum, 5 quam omni fide omnique deuotione ueneramur. Et sic quattuor synodos sanctae uniuersalis ecclesiae sicut quattuor libros sacri Euangelii recipimus. De personis uero, de quibus post terminum synodi aliquid actum fuerat, eiusdem piae

10. a. 1 Tm 1, 7

1. Sabinus, sous-diacre de l'Église romaine : voir *PCBE* 2, « *Sabinus* 9 », p. 1977-1979. À partir de 599, il fut nommé recteur du patrimoine du Bruttium.

2. Grégoire résume ici en termes voilés la thèse des partisans du schisme des Trois Chapitres. Selon eux, le cinquième concile œcuménique réuni par Justinien à Constantinople en 553, en condamnant les Trois Chapitres, contredisait les décisions du concile de Chalcédoine. Dans les lettres IV, 3 à Constance et IV, 4 à Théodelinde, on retrouve le même jugement très dur sur ces schismatiques avec la même citation de 1 Tm 1, 7. Pour l'ensemble de l'affaire, voir C. SOTINEL, *HC* 3, p. 427-455. On remarquera la prudence du pape qui cherche manifestement à étouffer la querelle en ne parlant même pas du cinquième concile, mais de ce qui est arrivé « au temps de Justinien ».

3. On trouve la même comparaison entre les quatre conciles (Nicée, Constantinople I, Éphèse et Chalcédoine) et « les quatre livres du saint Évangile » dans la lettre synodale I, 24 de février 591 (*SC* 370, p. 154). Mais dans cette lettre adressée aux quatre patriarches orientaux, Grégoire ajoute

un jugement unanime, ne permets pas qu'il ait, dans la suite, à subir de préjudice de qui que ce soit et que les biens susmentionnés soient restitués sur les instances rigoureuses de Ta Sollicitude. Il est donc nécessaire que, plus tu juges lourde l'importance de telles affaires, plus tu veilles à les conclure par un suivi mûri et vigilant.

III, 10

PL et *MGH* : III, 10 – Octobre 592

Il montre au sous-diacre Sabinus que les statuts du synode de Chalcédoine n'ont pas subi d'atteinte au temps de l'empereur Justinien. Il le rappelle dans l'Église catholique.

GRÉGOIRE À SABINUS NOTRE SOUS-DIACRE[1]

Révélant leur malignité, des personnes ont troublé vos esprits *sans comprendre ni ce qu'ils disent, ni ce qu'ils proclament*[a], en prétendant qu'au temps de Justinien de pieuse mémoire un amoindrissement avait été apporté au saint synode de Chalcédoine que nous vénérons de toute notre foi et de toute notre dévotion[2]. Et ainsi, nous reconnaissons quatre synodes de la sainte Église universelle, comme nous reconnaissons quatre livres du saint Évangile[3]. Quant aux personnes à propos desquelles une décision avait été prise après la clôture du synode[4], un débat a eu lieu à l'époque

qu'il « vénère aussi pareillement le cinquième concile » (Constantinople II de 553), en précisant bien qu'il approuve la condamnation d'Ibas, de Théodore et de Théodoret. Ici, on sent la volonté de ne pas heurter son interlocuteur : il se contente de faire allusion au cinquième concile et de souligner qu'il ne contredit pas Chalcédoine.

4. Ces personnes sont Ibas d'Édesse, Théodoret de Cyr et Théodore de Mopsueste. La séance solennelle de clôture du concile en présence de Marcien eut lieu le 25 octobre 451. C'est ensuite le 26 octobre que fut examiné le cas de Théodoret qui fut rétabli sur le siège de Tyr après qu'il eut proclamé son adhésion à la foi orthodoxe. Le lendemain fut annulée la déposition d'Ibas d'Édesse. Voir P. MARAVAL, *HC* 3, p. 94-99.

memoriae Iustiniani temporibus est uentilatum, ita tamen
10 ut nec fides in aliquo uiolaretur, nec de eisdem personis
aliquid aliud ageretur, quam apud eandem sanctam Chalcedonensem synodum fuerat constitutum. Anathematizamus
autem, si quis ex definitione fidei, quae in eadem synodo
prolata est, aliquid imminuere praesumit uel quasi corri-
15 gendo eius sensum mutare. Sed sicut illic prolata est per
omnia custodimus.

Te ergo, fili carissime, decet ad unitatem sanctae ecclesiae
remeare, ut finem tuum ualeas in pace concludere, ne
malignus spiritus, qui contra te per alia opera praeualere
20 non potest, ex hac causa inueniat, unde tibi in die exitus
tui in aditum regni caelestis obsistat.

III, 11

Gregorivs clero ordini et plebi consistenti Albano

Probabilibus desideriis nihil attulimus tarditatis. Fratrem
iam et coepiscopum nostrum Hominembonum uobis
ordinauimus sacerdotem.

5. En réalité, le concile de 553 condamna bien Théodore, Théodoret et Ibas, voir P. Maraval, *HC* 3, p. 420-421.

1. Ici et plus loin en III, 14 et IV, 39, *ordo* désigne le sénat local formé de décurions, l'*ordo decurionum*.

du même Justinien de pieuse mémoire sans attenter en rien à la foi ni décider au sujet des mêmes personnes autre chose que ce qui avait été établi lors du même saint synode de Chalcédoine[5]. Or nous jetons l'anathème sur qui ose amoindrir en quelque chose la définition de la foi qui a été promulguée dans le même synode ou en changer le sens sous prétexte de l'améliorer. Mais nous la conservons en tous points telle qu'elle a été promulguée là-bas.

Il te convient donc, fils très cher, de revenir à l'unité de la sainte Église, afin de pouvoir finir tes jours en paix, de peur que l'esprit mauvais, qui ne peut prévaloir contre toi par d'autres moyens, ne tire de cette affaire le moyen de s'opposer, le jour de ta mort, à ton entrée dans le royaume céleste.

III, 11

PL et *MGH* : III, 11 – Octobre 592

Il annonce aux habitants d'Albano qu'il a ordonné Homobonus comme leur évêque.

GRÉGOIRE AU CLERGÉ, AUX NOTABLES[1] ET AU PEUPLE RÉSIDANT À ALBANO

À vos désirs louables nous n'avons apporté aucun retard. Nous avons ordonné pour vous comme évêque Homobonus, désormais notre frère et collègue dans l'épiscopat.

159 MENSE NOVEMBRIO INDICTIONE XI

III, 12

GREGORIVS MAXIMIANO EPISCOPO SYRACVSANO

Pridem quidem fraternitati uestrae scripseram ut eos, qui aduersus Gregorium episcopum Agrigentinae ciuitatis aliqua dixerant, ad Romanam ciuitatem transmittere deberetis. Quod et nunc ut instantius fieri debeat praesentibus 5 adhortamur epistulis. Vnde personas ipsas ceteraque documenta, id est gesta et petitiones quae data sunt, festinate cum celeritate transmittere. Nec moram aliquam excusationemque perquiri penitus permittimus, quatenus, eis in Romana sicut diximus ciuitate sub celeritate transmissis, 10 sciamus quid, auxiliante Domino, de persona eius salubrius disponere debeamus.

1. Maximien, évêque de Syracuse : voir *PCBE* 2, « *Maximianus* 5 », p. 1453-1457. D'abord moine, puis abbé du monastère Saint-André du *Cliuus Scauri*, pendant que Grégoire était nonce à Constantinople (*Dial.* III, 36, 1 ; *SC* 260, p. 408), il devint évêque de Syracuse en 591. En octobre 591, par la lettre II, 5 (*SC* 371, p. 317), il fut nommé vicaire apostolique avec autorité sur toutes les Églises de Sicile, prenant la relève du sous-diacre Pierre qui s'était vu attribuer les mêmes fonctions en septembre 590 (I, 1). L. PIETRI, *HC* 3, p. 857, souligne le caractère personnel des pouvoirs ainsi confiés à Maximien. Il mourut en novembre 594 (V, 20). Cet ami personnel de Grégoire est cité plusieurs fois dans les *Dialogues*. En GRÉG., *Dial.* I, 7 (*SC* 260, p. 64), il est mentionné comme l'ami de Nonnosus, voir *infra* III, 50. En *Dial.* III, 36 (*SC* 260, p. 408-410), Grégoire raconte que Maximien était allé, avec des frères, lui rendre visite par affection à Constantinople et qu'au retour ils furent sauvés miraculeusement d'un naufrage. En *Dial.* IV, 33 (*SC* 265, p. 108-110), Maximien raconte le châtiment divin qui s'abat sur un curiale qui avait violé sa propre filleule. Dans tous ces textes, Maximien est qualifié de *uenerabilis*.

2. Grégoire, évêque d'Agrigente (591-603) : voir *PCBE* 2, « *Gregorius* 11 », p. 950-951 et I, 70 (*SC* 370, p. 276, n. 5). Il avait succédé à Eusanius déposé sous Pélage II, voir IV, 36. Victime d'accusations, comme on le voit par cette lettre, Grégoire d'Agrigente fut suspendu de ses fonctions, car, dans la lettre V, 12 de novembre 594, nous voyons que Pierre

NOVEMBRE 592. INDICTION XI

III, 12

PL et *MGH* : III, 12 – Novembre 592

Il donne ordre une deuxième fois à Maximien, évêque de Syracuse, de faire venir à Rome les accusateurs de Grégoire, évêque d'Agrigente.

GRÉGOIRE À MAXIMIEN, ÉVÊQUE DE SYRACUSE[1]

Il y a quelque temps j'avais écrit à Votre Fraternité de se faire un devoir d'envoyer dans la ville de Rome ceux qui avaient parlé contre Grégoire, évêque de la ville d'Agrigente[2]. C'est à devoir faire cela de façon plus urgente que maintenant encore nous vous exhortons par les présentes lettres. Hâtez-vous donc de faire venir au plus vite les personnes elles-mêmes et tout le dossier, c'est-à-dire les actes et les réclamations qui y ont été versés. Et nous ne permettons absolument pas qu'on aille chercher quelque délai ou excuse, de manière que, une fois qu'on les aura, comme nous l'avons dit, fait venir au plus vite dans la ville de Rome, nous sachions ce que nous devons décider de plus salutaire au sujet de sa personne, avec l'aide du Seigneur.

de Triocala (Caltabellotta) a été nommé visiteur de l'Église d'Agrigente. Cependant la lettre XIII, 20 de janvier 603 mentionne dans l'en-tête un Grégoire parmi des évêques de Sicile. On peut donc considérer que c'est le même Grégoire qui avait recouvré son siège. Au VIIe siècle, Léonce, abbé de Saint-Saba de Rome, composa une *Vita Gregorii* (*PG* 98, 549-716). L. CRACCO RUGGINI, « Grégoire le Grand et le monde byzantin », dans *Grégoire le Grand, Colloque de Chantilly*, p. 86, s'appuyant sur cette *Vita Gregorii*, considère qu'il appartenait à une famille d'immigrés byzantins et que ses déboires venaient d'avoir été élu par le peuple contre l'avis du clergé latin. En tout cas, le commentaire de l'*Ecclésiaste* qui figure dans *PG* sous le nom de Grégoire à la suite de la *Vita* est à attribuer à un autre Grégoire, voir A. RAYEZ, art. « Grégoire d'Agrigente », dans *DSp* 6, col. 919-920.

III, 13

Gregorivs Agnello episcopo de Fvndis, qvi nvnc incardinatvs est Terracina

Relatio cleri simul et populi Terracinae degentis nos ualde laetificat ob hoc, quod de tua fraternitate bona testatur. Et quia, defuncto Petro pontifice suo, <te> sibi cardinalem postulant constitui sacerdotem, eorum <petita> necessario complenda praeuidimus, quatenus et illi se gaudeant impetrasse quod postulant, et nos concessisse quod expedit uideamur. Quia igitur ob cladem hostilitatis nec in ciuitate nec in ecclesia tua est cuiquam habitandi licentia, ideoque hac te auctoritate Terracinensi ecclesiae cardinalem constituimus sacerdotem, admonentes ut ita de animabus populorum illic consistentium, Deo protegente, debeas esse sollicitus, quatenus callidi peruersique hostis insidiae commisso tibi gregi qualibet arte nocere non ualeant, sed sollicitudinis tuae grex circumsaeptus custodia digni se pastoris gaudeat meruisse tutamina. In tuis actibus plebi exempla bene uiuendi consistant, auaritia in te uires non habeat. Tua praedicatione qui litteras nesciunt, quid diuinitus praecipiatur, agnoscant. In Dei timore populum, quemadmodum uiuere

1. Agnellus, évêque de Fondi, puis de Terracine, entre 591 et 598 : voir *PCBE* 2, « *Agnellus* 11 », p. 67-69. À l'automne 592, le duc de Bénévent Arichi a mené ses troupes jusqu'à Fondi, s'assurant le contrôle de la via Appia.

2. Pierre, évêque de Terracine : voir *PCBE* 2, « *Petrus* 73 », p. 1772. ~ *Cardinalem sacerdotem* : voir I, 77 (*SC* 370, p. 296, n. 3).

3. *Hostilitas* est à prendre au sens concret. Même emploi dans Grég. T., *Hist. Franc.* VI, 39 et X, 31, 10 que R. Latouche, dans sa traduction des *Classiques de l'histoire de France au Moyen Âge*, t. 2, traduit respectivement par « attaque ennemie » et par « ennemis ».

4. Bien que le verbe *gaudere* demande plutôt la proposition infinitive qu'un infinitif seul, il semble préférable, vu l'ordre des mots, de faire de *se* un ablatif complément de *digni*, plutôt qu'un accusatif sujet de *meruisse*. D. Norberg, *Syntaktische Forschungen*, p. 49-50, montre que l'infinitif seul est courant dès l'époque classique. ~ Pour le sens, le rapprochement de *digni* et de *se* est conforme à la thèse soutenue par exemple dans les

III, 13

PL et *MGH* : III, 13 – Novembre 592

À Agnellus, évêque de Fundi, il remet en plus le gouvernement de l'Église de Terracine.

GRÉGOIRE À AGNELLUS, ÉVÊQUE DE FONDI, QUI MAINTENANT A ÉTÉ INSTALLÉ À TERRACINE [1]

Le rapport du clergé en même temps que du peuple habitant à Terracine nous réjouit vivement pour ce qu'il témoigne de bon sur Ta Fraternité. Et puisque, leur pontife, Pierre, étant mort, ils demandent que tu sois établi comme leur évêque titulaire [2], nous avons veillé à ce que leur requête reçût la satisfaction qui s'impose, afin qu'ils se réjouissent d'avoir obtenu ce qu'ils demandent et que l'on vît que nous avions accordé ce qui convient. Comme donc à cause des malheurs de l'invasion [3], il n'est possible à personne d'habiter ni dans ta cité, ni dans ton Église, pour ce motif nous t'instituons par cette instruction évêque titulaire de l'Église de Terracine, t'avertissant d'avoir ainsi, sous la protection de Dieu, à prendre soin des âmes des populations qui résident là-bas, de telle sorte que les pièges de l'ennemi rusé et pervers ne puissent nuire par quelque moyen que ce soit au troupeau qui t'est confié, mais que le troupeau, environné de la protection de ta vigilance, se réjouisse d'avoir mérité le secours d'un pasteur digne de lui [4]. Que dans tes actions le peuple trouve des exemples d'une vie vertueuse ; que la cupidité n'ait pas prise sur toi. Que ceux qui ignorent les lettres apprennent par ta prédication les prescriptions divines. Que tes mœurs forment le peuple à la manière de vivre dans la crainte de Dieu. Pratique dans tes œuvres ce

Moralia 25, 16 (*PL* 76, 344) : *Sic ergo secundum merita subditorum tribuuntur personae regentium*. Grégoire développe surtout cette idée, à la suite d'Augustin, pour justifier l'existence de mauvais rois envoyés par Dieu pour punir leurs sujets pécheurs. Mais le principe vaut aussi dans l'autre sens. Voir M. REYDELLET, *La royauté*, p. 485-490.

possit, tui mores instituant. Operibus exerce quod subiectos
20 doces et praedicas. Actus tui in aliorum correctione proficiant, in adiutorium sibi uitae tuae imitationem assumant. Sicque te in cunctis operibus exhibere festina, ut scripturam constrictionemque te habeant, quicumque aut neglegit aut non potest lectione formari. Tota igitur mentis intentione
25 ita lucrum animarum Deo nostro facere[a] festinato, ut digna te merces ante eius conspectum in die retributionis inueniat.

Quicquid uero de praedictae rebus ecclesiae uel eius patrimonio seu cleri ordinatione promotioneue et omnibus
30 generaliter ad eam pertinentibus sollerter atque canonice ordinare facereque prouideris, liberam habebis quippe ut sacerdos proprius modis omnibus facultatem.

Illud quoque fraternitatem tuam scire necesse est quoniam sic te praedictae Terracinensi ecclesiae cardinalem esse
35 constituimus sacerdotem, ut et Fundensis ecclesiae pontifex esse non desinas, nec curam gubernationemque eius praetereas, quia ita fraternitatem tuam saepe dictae Terracinensi ecclesiae, sicut praefati sumus, praeesse praecipimus, ut ante dictae Fundensis ecclesiae tibi iura potestatemue nullomodo
40 subtrahamus.

III, 14

161

GREGORIVS CLERO ORDINI ET PLEBI CONSISTENTI TERRACINA

Dilectionis uestrae desideria insinuata nobis quam optulistis petitio reserauit, electionemque uestram ualde

14. a. cf. 1 Co 9, 20 ; Mt 18, 15

5. La nécessité pour l'évêque de conformer sa vie à ses paroles est développée dans GRÉG., *Reg. past.* I, 2 (*SC* 381, p. 134).

6. Hartmann interprète : « *quasi scripturam uel scripturae summam* ». *Constrictio* équivaut à *constricta scriptura.*

que tu enseignes et prêches à ceux qui te sont soumis. Que tes actions servent aux autres à se corriger ; qu'ils trouvent pour eux-mêmes une aide dans l'imitation de ta vie[5]. Hâte-toi de te montrer tel dans toutes tes œuvres, que quiconque néglige ou est incapable de se former par la lecture trouve en toi une Écriture et un abrégé[6]. Hâte-toi donc avec toute la force de ton esprit de gagner les âmes à notre Dieu[a7] afin qu'une récompense méritée t'échoie en sa présence au jour de la rétribution.

Tout ce que tu jugeras bon d'ordonner et de faire sagement et canoniquement au sujet des biens de ladite Église, au sujet de son patrimoine, de l'ordination ou de la promotion du clergé, et en général au sujet de tout ce qui la concerne, tu en auras la pleine faculté avec tous les moyens en tant que son évêque propre.

Il faut aussi que Ta Fraternité sache que nous t'avons constitué évêque titulaire de la susdite Église de Terracine sans que tu cesses d'être aussi le pontife de l'Église de Fondi, ni que tu en délaisses le soin et le gouvernement, car nous prescrivons à Ta Fraternité de présider à l'Église susdite de Terracine, comme nous l'avons dit plus haut, sans te retirer en aucune façon les droits et les pouvoirs sur ladite Église de Fondi.

III, 14

PL et *MGH* : III,14 – Novembre 592

Il annonce aux gens de Terracine qu'il a installé comme évêque titulaire de Terracine choisi par eux Agnellus, évêque de Fondi.

GRÉGOIRE AU CLERGÉ, AUX NOTABLES ET AU PEUPLE RÉSIDANT À TERRACINE

La requête que vous avez présentée a révélé les désirs de Votre Dilection à nous adressés et nous avons grandement

7. Emploi métaphorique de *lucrari* avec un complément de personne : cf. Mt 18, 15 (*lucratus eris fratrem*) ; 1 Co 9, 20 (*ut Iudaeos lucrarer*).

laudauimus, quia Agnellum, fratrem et coepiscopum nostrum probatum iam meritis, cardinalem uobis constitui
5 deprecamini sacerdotem. Et quoniam gratae laudandaeque petitioni nec effectum negari, nec moram oportebat innecti, secundum desideria postulationemque uestram suprascriptum Agnellum directa praeceptione ecclesiae uestrae cardinalem esse statuimus sacerdotem. Pro qua re dilectionem uestram
10 paterna adhortatione commoneo ut ei oboedientiam praebere in omnibus debeatis, quatenus caritatis uestrae solacio roboratus curam gubernationemque ecclesiae quam uobis probatur petentibus suscepisse, adiuuante Domino, salubriter ualeat adimplere.

162 MENSE DECEMBRIO INDICTIONE XI

III, 15

GREGORIVS SCOLASTICO IVDICI CAMPANIAE

Dum de Neapolitanae ciuitatis cura destitutae sacerdotis solacio uehementius angeremur, superuenientes praesentium latores cum decreto in Florentium subdiaconum nostrum confecto aliquid nobis in tanto cogitationum pondere
5 releuationis innuerant. Sed dum praefatus subdiaconus noster refugiens ciuitatem ipsam ordinationem suam lacrimabiliter euitasset, quasi ex maiori quadam desperatione nostram cognoscite creuisse tristitiam. Atque ideo salutantes hortamur magnitudinem uestram ut, conuocantes priores uel populum

1. Sur Scolastique, voir *supra* III, 1, note 4. ~ Le siège de Naples était vacant depuis la déposition de Démétrius (II, 3 ; *SC* 371, p. 312), qualifié de *nefandissimus hominum*, sans qu'on sache ce qu'on lui reprochait précisément.

2. Florentius, sous-diacre romain : voir *PCBE* 2, « *Florentius* 16 », p. 843. Son grand-père était un ennemi de saint Benoît, voir GRÉG., *Dial.* II, 8, 1-7 ; il tenta même de l'empoisonner et le contraignit à changer de résidence. Mais finalement il mourut écrasé par l'écroulement d'une terrasse.

loué votre choix, car vous suppliez que soit installé comme votre évêque titulaire Agnellus, notre frère et collègue dans l'épiscopat, dont les mérites sont déjà éprouvés. Et puisqu'à une requête agréable et digne de louange, il ne fallait ni refuser satisfaction ni apporter retard, selon vos désirs et votre demande, par le mandement que nous envoyons nous décidons que le susdit Agnellus soit évêque titulaire de votre Église. Ce pour quoi, par une paternelle exhortation, j'avertis Votre Dilection de se faire un devoir de lui prêter obéissance en toutes choses, pour que, fortifié par le soutien de votre charité, il puisse, avec l'aide du Seigneur, s'acquitter salutairement du soin et du gouvernement de l'Église qu'il a assumés sur votre demande manifeste.

DÉCEMBRE 592. INDICTION XI

III, 15

PL et *MGH* : III, 15 – Décembre 592

Le sous-diacre Florentius élu évêque par les Napolitains ayant refusé, en s'enfuyant, d'être ordonné, il exhorte Scolastique, gouverneur de Campanie, à faire élire quelqu'un d'autre ou d'envoyer des personnes pour élire un évêque à Rome.

GRÉGOIRE À SCOLASTIQUE, GOUVERNEUR DE CAMPANIE[1]

Comme nous étions fort tourmenté du souci de la ville de Naples qui est privée du soutien d'un évêque, les porteurs des présentes survenant avec la décision prise en faveur de notre sous-diacre Florentius[2] nous avaient inspiré un peu de tranquillité au milieu d'un tel fardeau de soucis. Mais comme notre susdit sous-diacre, en s'enfuyant de la ville, avait décliné, à notre grand regret, son ordination elle-même, notre tristesse s'est accrue, sachez-le, d'un désespoir bien plus grand. C'est pourquoi, avec nos salutations, nous exhortons Votre Grandeur à convoquer les notables et le

10 ciuitatis, de electione alterius cogitetis, qui dignus possit cum Christi solacio ad sacerdotium promoueri. In quo decreto sollemniter facto atque ad hanc urbem transmisso ordinatio illic tandem, Christo auxiliante, proueniat. Sin autem aptam non inuenitis in qua possitis consentire
15 personam, saltim tres uiros rectos ac sapientes eligite, quos ad hanc urbem generalitatis uice mittatis, quorum et iudicio plebs tota consentiat. Forsitan hic uenientes, praestante Dei misericordia, talem repperiunt qui uobis antistes irreprehensibiliter ordinetur, quatenus destitutae ciuitati uestrae
20 nec intrinsecus actorum suorum desit inspector, nec extrinsecus, adhibita sollicitudine sacerdotis, hostilibus aditus praestetur insidiis.

163

III, 16

GREGORIVS PETRO EPISCOPO BARICIS

Licet fraternitatem tuam piis se causis sponte non dubitemus impendere, uerumtamen quia proniorem eam nostra fieri arbitramur epistula, idcirco praesentibus tibi indicamus apicibus harum latorem Valerianum presbyterum
5 pro redemptione captiuorum in illis partibus aduenisse. Cui tanto enixius in omnibus debetis ferre solacium, quanto eum mercedis intentione longinqui itineris laborem adsumpsisse cognoscis. Sic enim et hic quod intendit, te

3. C'est l'étymologie d'ἐπίσκοπος.

4. Il s'agit, comme le croit Hartmann (*MGH, Epist* 1, p. 174, n. 3), des incursions des Lombards. En jouant, comme il aime à le faire, sur *intrinsecus* / *extrinsecus* (voir *supra* III, 4, note 2), Grégoire souligne le double rôle spirituel et temporel de l'évêque. Il vient lui-même de négocier la retraite d'Authari.

1. Barca, ville de Cyrénaïque (Medinet-el-Merdj), qui perdit beaucoup de son importance avec la construction du port tout proche de Ptolémaïs. Mais elle avait conservé un évêque indépendant de celui de Ptolémaïs. Voir R. JANIN, dans *DHGE*, t. 6, col. 669-670.

peuple de la ville et à songer à l'élection d'une autre personne qui soit digne d'être promue à l'épiscopat avec l'aide du Christ. Le décret la concernant une fois pris solennellement et transmis à notre Ville, l'ordination doit enfin avoir lieu là-bas avec l'assistance du Christ. Mais si vous ne trouvez pas une personne capable de faire l'unanimité, élisez au moins trois hommes droits et sages à envoyer dans notre Ville au nom de tous et sur le jugement desquels tout le peuple soit unanime. Il se peut qu'en venant ici, ils trouvent, avec le soutien de la miséricorde de Dieu, un homme tel qu'il soit ordonné pour vous comme évêque de façon irréprochable, de telle manière que votre cité ne soit pas abandonnée et privée à l'intérieur d'un surveillant[3] de ses actes, et qu'à l'extérieur, grâce à la sollicitude apportée par un évêque, un accès ne s'offre pas aux entreprises de l'ennemi[4].

III, 16

PL et *MGH* : III, 16 – Décembre 592

Il recommande à Pierre, évêque de Barca, le prêtre Valérien qui a été envoyé pour racheter des captifs.

Grégoire à Pierre, évêque de Barca[1]

Bien que nous ne doutions pas que Ta Fraternité ne s'emploie volontiers aux causes pieuses, cependant, parce que nous pensons que par notre lettre elle y sera plus portée, nous te faisons savoir par les présentes lettres que le prêtre Valérien, porteur de celles-ci, est venu en ces régions pour le rachat des captifs. Vous devez lui apporter aide en toutes choses avec d'autant plus d'énergie que vous savez qu'il a assumé la peine d'un long voyage dans une intention de miséricorde. De la sorte en effet, il accomplira

adiuuante, perficiet, et fraternitas tua pro impenso solamine
10 magnam apud Deum sicut desiderat retributionem inueniet.

MENSE IANVARIO INDICTIONE XI

III, 17

GREGORIVS GRATIOSO SVBDIACONO

Religiosam uitam eligentibus congrua nos oportet consideratione prospicere, ne cuiusdam necessitatis occasio aut desides faciat, aut robur, quod absit, conuersationis
164 infringat. Idcirco praesenti tibi auctoritate praecipimus
5 quatenus domum positam in hac urbe regione quarta, iuxta locum qui appellatur Gallinas albas, [uel hortum] iuris sanctae Romanae cui Deo auctore praesidemus ecclesiae, in qua Campana quondam patricia mansisse dinoscitur, simul et hortum atque hospitia, quae intra eandem domum ianua
10 concludit, Florae abbatissae tradere debeas proprietatis iure proculdubio possidendam, in qua domo monasterium, ubi cum congregatione sua habitare possit, Christo queat iuuante construere, ut tam ipsa, quam etiam quae in eius honore locoque successerit, praedictam domum et hortum

1. Gratiosus, sous-diacre de la IVe région de Rome (voir note suivante) : voir *PCBE* 2, « *Gratiosus* 3 », p. 939-940. Cette lettre a le même objet que II, 46 (*SC* 371, p. 428) qui est adressée au sous-diacre Sabinus, de la première région.

2. Pour le service de la liturgie et de l'assistance, la Ville était divisée en sept régions. Les premières furent créées au IIIe siècle. Chacune d'elles était confiée à un diacre. La IVe région était au nord-est dans la zone des Thermes de Dioclétien et du quartier des *Gallinae Albae*. Voir C. PIETRI, *Roma christiana*, t. 1, p. 649-659, sur la « géographie régionale » de Rome, et spécialement pour la IVe région et les *Gallinae Albae*, p. 652. Voir aussi la carte (fig. 1 à la fin du t. 2).

3. Campana, *patricia* : voir *PLRE* 3 A, p. 269 et *PCBE* 2, p. 386-387. Propriétaire d'une maison avec jardin à Rome et d'un domaine en Sicile, selon I, 42 (*SC* 370, p. 220, li. 255) où P. Minard traduit à tort par « dame

avec ton aide son projet et Ta Fraternité trouvera près de Dieu, comme elle le désire, une grande récompense pour le soutien apporté.

JANVIER 593. INDICTION XI

III, 17

PL et *MGH* : III, 17 – Janvier 593

Il prescrit au sous-diacre Gratiosus de remettre à l'abbesse Flora pour la construction d'un monastère une maison située à Rome et son jardin, propriété de l'Église romaine.

GRÉGOIRE AU SOUS-DIACRE GRATIOSUS[1]

Il nous faut pourvoir aux besoins de ceux qui choisissent la vie religieuse avec l'attention qui convient de peur que l'occasion née de quelque indigence ne les rende négligents, ou – ce qu'à Dieu ne plaise – ne brise l'ardeur de leur vie religieuse. C'est pourquoi par la présente instruction nous te prescrivons de te faire un devoir de remettre à l'abbesse Flora, pour la posséder sans conteste en tout droit de propriété, la maison située dans cette Ville, quatrième région, près du lieu qu'on appelle Poules blanches[2], propriété de la sainte Église romaine à laquelle nous présidons sous l'autorité de Dieu, dans laquelle on sait qu'a habité Campana, anciennement *patricia*[3], ainsi que le jardin et les logements qu'une porte enclôt à l'intérieur de la même maison. Qu'elle puisse dans cette maison construire, avec l'aide du Christ, un monastère où elle puisse habiter avec sa communauté, afin que tant elle-même que celle qui lui succèdera dans cette charge et ce lieu aient le droit de

de Campanie ». ~ Le titre de *patricia* est le féminin de *patricius* (patrice) et indique l'appartenance à une famille qui a été honorée du *patriciatus*. Il faut donc garder le mot latin, « patrice » n'ayant pas, en français, de féminin. « Patricienne » aurait un autre sens.

15 cum omnibus ad se pertinentibus sicut diximus quieto et inconcusso iure a nobis pietatis consideratione concessa ualeat possidere.

III, 18

GREGORIVS THEODORO CONSILIARIO

Ecclesiasticis utilitatibus desudantes ecclesiastica dignum est remuneratione gaudere, ut, qui se uoluntariis obsequiorum necessitatibus sponte subiciunt, digne nostris prouisionibus consolentur. Quia igitur te Theodorum uirum eloquentis-
5 simum, consiliarium nostrum, mancipiorum cognouimus ministerio destitutum, ideoque puerum nomine Acosimum natione Sicula iuri dominioque tuo dari tradique praecipimus. Quem quoniam traditum ex nostra uoluntate iam possides, huius te necesse fuit pro futuri temporis testimonio ac robore
10 largitatis auctoritate fulciri, quatenus, Domino protegente, secure eum semper et sine ullius retractationis suspicione quippe ut dominus ualeas possidere. Neque enim quemquam fore credimus, qui tam paruam largitatem pro tua tibi de-
165 uotione concessam desideret uel temptet ullomodo reuocare,
15 cum uno eodemque tempore et uerecundum sit a decessoribus bene gesta resoluere, et uerendum sit docere ceteros in sua quandoque resolutoriam proferre largitate sententiam.

1. Théodore, *consiliarius* : voir *PCBE* 2, « *Theodorus* 19 », p. 2174. On ne sait quels étaient les fonctions et le rang d'un *consiliarius*. Les mots *uirum eloquentissimum* dont le pape fait suivre son nom un peu plus loin ne sont pas un éloge de son talent, mais un titre honorifique qui indique un laïc de rang élevé. Il est encore question de lui en IX, 11 et en XI, 4 où il est appelé *uir magnificus*. Voir la note de Hartmann, *MGH, Epist* 1, p. 176.

2. Au risque d'une approximation, j'essaie de rendre la paronomase *uerecundum / uerendum*.

posséder ladite maison et son jardin et toutes les dépendances concédés par nous, comme nous l'avons dit, par considération de piété, en jouissance tranquille et irrévocable.

III, 18

PL et *MGH* : III, 18 – Janvier 593

Au conseiller Théodore il donne en pleine propriété l'esclave sicilien Acosimus.

GRÉGOIRE AU CONSEILLER THÉODORE[1]

Il est juste que ceux qui se dépensent pour les intérêts de l'Église jouissent d'une rémunération ecclésiastique, afin que ceux qui se sacrifient sans rechigner aux obligations volontaires de leurs devoirs reçoivent de notre sollicitude une digne compensation. Puisque donc nous avons appris que toi, le très éloquent Théodore, notre conseiller, tu es démuni du service d'esclaves, nous prescrivons que te soit donné et remis en droit et possession un serviteur du nom d'Acosimus, Sicilien de naissance. Puisque tu es déjà en possession de celui-ci, qui t'a été remis par notre volonté, il était nécessaire que tu fusses garanti par un ordre en témoignage pour l'avenir et en confirmation de la largesse, afin que, avec la protection du Seigneur, tu puisses le posséder en qualité de maître en toute garantie, toujours et sans crainte d'aucune rétractation. De fait, nous ne croyons pas qu'il se trouvera quelqu'un pour avoir le désir ou l'envie de faire annuler de quelque manière une si faible largesse accordée pour ton dévouement, étant donné que, dans un seul et même temps, il serait délicat d'annuler une affaire bien réglée par des prédécesseurs et détestable[2] d'apprendre à d'autres à rendre un jour une sentence abrogatoire d'une largesse.

III, 19

GREGORIVS PETRO SVBDIACONO CAMPANIAE

Cor nostrum pia diuinitatis inspiratione conpungitur loca quondam exsecrandis erroribus deputata in catholicae religionis reuerentia dedicare. Quia ergo ecclesiam positam iuxta domum Merulanam regione tertia, quam superstitio
5 diu arriana detinuit, in honore sancti Seuerini cupimus consecrare, experientia tua reliquias beati Seuerini summopere debita cum ueneratione transmittat, quatenus quae nostris animis perficienda decreuimus implere, omnipotentis gratia suffragante, possimus.

III, 20

GREGORIVS GRATIOSO EPISCOPO NOMENTANO

Postquam hostilis impietas diuersarum ciuitatum ita, peccatis facientibus, desolauit ecclesias, ut reparandi eas spes nulla, populo deficiente, remanserit, maiori ualde cura
166 constringimur, ne, defunctis earum sacerdotibus, reliquiae
5 plebis, nullo pastoris moderamine gubernatae, per inuia fidei

1. Cette église dédiée à saint Séverin se trouvait sur l'Esquilin. On est manifestement en face d'un plan d'éradication de l'arianisme dont on s'étonne qu'il ait dû attendre cinquante ans après la capitulation de Vitigès. Voir aussi le cas de Sainte-Agathe des Gots en IV, 19, voir note 2 *ad loc.*

1. Gratiosus, évêque de Nomentum : voir *PCBE* 2, « *Gratiosus* 2 », p. 939 qui renvoie à III, 20 et à JEAN DIACRE, *Vita Greg.* III, 15 (*PL* 75, 140).

2. *Peccatis facientibus* : bien qu'il n'y ait pas d'adjectif possessif, il est probable qu'on a ici l'emploi d'une formule fréquente chez Grégoire, selon laquelle les maux qui assaillent l'humanité sont le châtiment des péchés de celle-ci, plutôt qu'une allusion aux Lombards. Cela n'empêche pas qu'*impietas*, qui vise l'arianisme de ceux-ci, fasse d'eux de véritables persécuteurs ; sur les « martyrs italiens », voir GRÉG., *Dial.* III, 28.

III, 19

PL et *MGH* : III, 19 – Janvier 593

À Pierre, recteur du patrimoine de Campanie, il donne ordre d'envoyer des reliques de saint Séverin, pour qu'il consacre en son honneur l'église que les Ariens ont détenue à Rome.

GRÉGOIRE À PIERRE SOUS-DIACRE DE CAMPANIE

Notre cœur, par une pieuse inspiration de la divinité, est poussé à consacrer au respect de la religion catholique les lieux autrefois affectés à des erreurs détestables. Puisque donc nous désirons vouer à la gloire de saint Séverin l'église située près de la *domus Merulana*, dans la troisième région, que la superstition arienne a longtemps occupée[1], que Ton Expérience fasse venir des reliques du bienheureux Séverin avec toute la vénération qui leur est due, afin que nous puissions accomplir avec l'aide de la grâce du Tout-Puissant, ce que nous avons décidé dans notre cœur de mener à bien.

III, 20

PL et *MGH* : III, 20 – Janvier 593

À Gratiosus, évêque de Nomentum, il remet le soin de l'Église de Cures en Sabine dont il ordonne la réunion avec l'Église de Nomentum.

GRÉGOIRE À GRATIOSUS ÉVÊQUE DE NOMENTUM[1]

Depuis que l'impiété des ennemis a ravagé les églises de diverses villes, nos péchés aidant[2], au point qu'aucun espoir de restauration, faute d'habitants, ne demeure, nous nous attachons avec un soin bien plus grand à éviter que, leurs évêques étant morts, ce qui reste du peuple, n'étant plus gouverné sous la conduite d'un pasteur, ne soit entraîné – ce qu'à Dieu ne plaise – dans les traverses de la foi par les

hostis callidi rapiantur, quod absit, insidiis. Huius ergo rei sollicitudine saepe commoniti, hoc nostro sedit cordi consilium, ut uicinis eas mandaremus pontificibus gubernandas. Ideoque fraternitati tuae curam gubernationemque sancti
10 Anthemi ecclesiae, Curium Sabinorum territorio constitutae, praeuidimus committendam, quam tuae ecclesiae aggregari unirique necesse est, quatenus utrarumque ecclesiarum sacerdos recte, Christo adiuuante, possis exsistere. Et quaeque tibi de eius patrimonio uel de cleri ordinatione
15 seu promotione uigilanti ac canonica uisa fuerint cura disponere, quippe ut pontifex proprius, liberam habebis ex praesenti nostra permissione licentiam. Quapropter, fratrum carissime, dominicorum reminiscens salubriter mandatorum, ita in commissae plebis regimine lucrandisque
20 animabus inuigila, ut ante tribunal aeterni iudicis constitutus fructum bonae operationis, qui ad mercedem tuam pertineat, eidem redemptori nostro, in quo laetari possit, exhibeas[a].

20. a. cf. Mt 25, 13-23

---

3. Depuis Gn 3, 1 : *serpens erat callidior cunctis animantibus terrae*, l'adjectif *callidus* est attaché au tentateur. Ep 6, 11 parle des *insidias diaboli*. Il y a donc ici un réseau de vocabulaire qui indique que Grégoire désigne maintenant Satan dont les Lombards favorisent l'action. Excellente analyse de ce glissement du plan matériel de la présence lombarde au plan spirituel de la présence de Satan par S. GASPARRI, « Gregorio Magno e l'Italia meridionale », p. 80, à propos de II, 45 et III, 13.

4. Cures en Sabine. *PCBE* 2, p. 939, précise : « près Fara in Sabina ; Rieti ». Le *Kleine Pauly* : « Ruinen bei agli arci nahe Correse ». E. FORCELLINI, *Totius Latinitatis Lexicon* : « *hodie Arci apud Correse* ».

pièges de l'ennemi rusé[3]. Donc, étant souvent alerté par le souci de cette situation, dans notre cœur nous avons formé le projet de les confier au gouvernement des pontifes voisins. C'est pourquoi nous avons veillé à confier à Ta Fraternité le soin et le gouvernement de l'Église de saint Anthème, située sur le territoire de Cures en Sabine[4]. Il est nécessaire que celle-ci soit associée et unie à ton Église, de sorte que tu puisses être, avec l'aide du Christ, évêque de droit de l'une et l'autre Église. Et tout ce qu'il te semblera bon de régler avec un soin vigilant et canonique au sujet de son patrimoine et de l'ordination ou promotion du clergé, tu en auras en vertu de notre présente permission libre licence, en tant que pontife propre. C'est pourquoi, toi le plus cher des frères, te souvenant salutairement des commandements du Seigneur, veille à gouverner le peuple qui t'est confié et à gagner les âmes de sorte que, lorsque tu paraîtras devant le tribunal du Juge éternel, tu présentes à Celui qui est aussi notre Rédempteur le fruit d'un bon travail qui t'obtienne la récompense et dont il puisse se réjouir[a 5].

5. Par une succession d'allusions, Grégoire applique à la fonction épiscopale les *dominica mandata* de Mt 25, 13-23. Le conseil de « veiller » rappelle le précepte qui conclut la parabole des dix vierges : *Vigilate quia nescitis diem*... L'idée de veiller, annoncée dans la phrase précédente par *uigilanti cura*, s'agissant d'un évêque, suscite celle du *lucrum animarum* (cf. III, 13). Or l'idée du gain est au centre de la parabole des talents qui s'enchaîne directement à la parabole des dix vierges et qui se clôt sur la récompense promise au bon serviteur : *intra in gaudium domini tui* (Mt 25, 23), thème repris ici par *in quo laetari possit.*

MENSE FEBRVARIO INDICTIONE XI

III, 21

Gregorivs Paschali Domitiano atqve Castorio filiis Vrbici defensoris de Tibvr

Officii nostri est orbatis ita parentibus ferre consultum, quatenus aliquid de his, quae iuste debentur ecclesiae, relaxantes, eorum possimus subuenire miseriis. Quia igitur, facta subtilius ratione, patrem uestrum Vrbicum, quondam
167 5 defensorem de patrimonio Sabinensi atque Cartiolano, quod eius fuerat curae commissum, constat in non modicam summam debitorem fuisse defunctum, et quamuis tota eius substantia pro hoc sit ecclesiae obligata, nec tamen ad satisfactionem eorum quae consumpserat possit sufficere,
10 nos tamen pietatis intuitu eiusdem patris uestri substantiam uos habere ac possidere permittimus atque concedimus uestris proculdubio utilitatibus profuturam, securi quod nullus uos denuo de his, quae uobis relaxantes concessimus, aliqua ratione concutiat.

1. Cet Urbicus (voir *PCBE* 2, « *Vrbicus* 7 », p. 2351), défenseur de Tibur, est différent d'« *Vrbicus* 5 », *PCBE* 2, p. 2349, et « *Vrbicus* 2 », *PLRE* III B, p. 1394, dont la veuve, Palatina, *illustris femina*, reçoit des subsides du pape, voir I, 37 et 57 (*SC* 370, p. 186 et 252).

FÉVRIER 593. INDICTION XI

III, 21

PL et *MGH* : III, 21 – Février 593

À Pascal, Domitien et Castorius, les fils d'Urbicus qui avait administré le patrimoine de Sabine et de Cartiolanum, il fait remise d'une somme due à l'Église.

Grégoire à Pascal, Domitien et Castorius, fils d'Urbicus défenseur de Tibur [1]

Il appartient à notre charge de venir en aide à ceux qui ont perdu leurs parents de sorte qu'en rabattant une partie de ce qui est légitimement dû à l'Église nous puissions soulager leur misère. Puisque donc, les comptes plus minutieusement faits, il appert qu'Urbicus votre père, ancien défenseur du patrimoine de Sabine et de Cartiolanum, qui avait été confié à ses soins, était à son décès débiteur d'une somme non négligeable, et quoique toute sa fortune ait été, de ce fait, hypothéquée en faveur de l'Église sans toutefois qu'elle pût suffire à rembourser ce qu'il devait, nous vous permettons toutefois, dans un souci de bonté, de détenir et posséder la fortune de ce même père et nous la concédons pour servir sans contestation à vos besoins, avec l'assurance que personne ne vous inquiétera encore pour quelque raison au sujet de ce que nous avons accordé en vous faisant remise.

MENSE MARTIO INDICTIONE XI

III, 22

GREGORIVS ANTONINO SVBDIACONO RECTORI PATRIMONII IN DALMATIA

Natalem, Salonitanae ecclesiae fratrem et coepiscopum nostrum, obisse discurrens in partibus istis fama uulgauit. Quod si uerum est, experientia tua omni instantia omnique sollicitudine clerum et populum eiusdem ciuitatis admonere 5 festinet quatenus uno consensu ordinandum sibi debeant eligere sacerdotem. Factoque in persona quae fuerit electa decreto, ad nos transmittere studebis, ut cum nostro consensu, sicut priscis fuit temporibus, ordinetur. Illud quidem prae omnibus curae tibi sit ut in hac electione nec 10 datio quibusque modis interueniat praemiorum, nec quarumlibet personarum patrocinia conualescant. Nam si quorundam patrocinio fuerit quisquam electus, uoluntatibus eorum cum fuerit ordinatus oboedire, reuerentia exigente, compellitur, sicque fit ut res illius minuantur ecclesiae, et 168 15 ordo ecclesiasticus non seruetur. Talem ergo, te imminente, debent personam eligere, quae nullius incongruae uoluntati deseruiat, sed uita et moribus decorata tanto ordini digna

1. Voir *supra* III, 8, note 4.

2. La nouvelle de la mort de Natalis est confirmée en III, 32. ~ Sur Natalis et ses démêlés avec son archidiacre Honorat, voir *infra* III, 32, n. 1.

3. Sur le *patrocinium* et ses abus à la fin de l'Antiquité, voir E. STEIN, *Histoire du Bas-Empire*, t. 1, p. 234 et T.S. BROWN, *Gentlemen and Officers,* p. 205 s. On voit que Grégoire était bien renseigné sur les intrigues de l'aristocratie locale et des autorités impériales pour faire élire Maxime. En V, 6, il accuse formellement les « hommes du patrice Romanus » de s'être laissé acheter.

MARS 593. INDICTION XI

III, 22

PL et *MGH* : III, 22 – Mars 593

Il donne ordre à Antonin, recteur du patrimoine de Dalmatie, de veiller à ce que, si l'évêque Natalis est mort, un successeur soit élu par le clergé et le peuple et, l'évêque une fois élu, de l'envoyer à Rome pour être sacré. Il interdit que l'évêque Malchus participe à l'élection, car il doit venir de Sicile pour rendre les comptes du patrimoine.

GRÉGOIRE AU SOUS DIACRE ANTONIN, RECTEUR DU PATRIMOINE DE DALMATIE[1]

Une rumeur qui s'est propagée dans vos régions a répandu la nouvelle du décès de Natalis, notre frère et collègue dans l'épiscopat en l'Église de Salone[2]. Si cela est vrai, que Ton Expérience, avec tout son soin et avec toute sa sollicitude, se hâte d'avertir le clergé et le peuple de cette ville de se faire un devoir d'élire un évêque d'un consentement unanime pour qu'il soit ordonné. Et après avoir rendu un décret sur la personne qui aura été élue, tu t'emploieras à nous le transmettre, afin qu'avec notre consentement, comme cela s'est fait dans les temps antérieurs, son ordination ait lieu. Cependant, préoccupe-toi de ceci avant toutes choses : que dans cette élection n'intervienne aucune distribution de cadeaux sous aucune forme, et que ne s'exerce le patronage de quelque personne que ce soit. En effet, si quelqu'un est élu sous le patronage de certains, il est obligé, lorsqu'il aura été ordonné, de se plier à leurs volontés, par une exigence de déférence, et il s'ensuit ainsi que les intérêts de cette Église en sont lésés, et les règles ecclésiastiques ne sont pas respectées[3]. Ils doivent donc, sous ta pression, élire une personne telle qu'elle ne se soumette à la volonté indue de personne, mais que, distinguée par sa vie et ses mœurs,

ualeat inueniri. De rebus uero uel ornamento eiusdem ecclesiae fideliter rerum inuentarium facito te praesente
20 conscribi. Et ne de rebus ipsis possit aliquid deperire, Respectum diaconem atque Stephanum primicerium notariorum ut ipsarum rerum omnino gerant custodiam admoneto, interminans eis de propria eos satisfacturos esse substantia, si quicquam exinde eorum neglegentia fuerit
25 imminutum.

Malchum autem fratrem et coepiscopum nostrum contestari te uolumus ut se penitus in hac causa non misceat. Nam si per eum aliquid contra uoluntatem nostram factum uel temptatum potuerimus addiscere, non modicam
30 ad se culpam et periculum pertinere cognoscat. Sed et hoc eum admonere curato ut ad ponendas explendasque rationes patrimonii nostri quod gessit debeat esse sollicitus, pro quibus etiam faciendis ex Siciliae partibus ad nos, postposita excusatione, uenire festinet. In rebus igitur Salonitanae
35 ecclesiae nullomodo se miscere praesumat, ne amplius ei aut obnoxius aut possit esse culpabilis. Nam multa habere de rebus praedictae fertur ecclesiae, eumque opinio paene auctorem exstitisse in uenditione rerum eius uel aliis illicitis asseuerat. Quod si ita esse sicut dicitur manifesta ueritate
40 patuerit, certus sit inultum hoc nullatenus remanere.

Expensa uero quae necessaria fuerit per oeconomum, qui tempore mortis praedicti episcopi inuentus est, erogetur, quatenus rationes suas futuro episcopo ipse ut nouit exponat.

4. Étienne, chef de la *schola notariorum*, haut fonctionnaire de la préfecture du prétoire d'Illyricum.

5. Sur Malchus, voir I, 36 (*SC* 370, p. 184). Sur sa mort, voir V, 6 et sur l'accusation d'assassinat qu'on fit peser sur Grégoire à Constantinople, O. BERTOLINI, *Roma di fronte a Bisanzio,* p. 252.

6. Malchus avait administré le patrimoine de Dalmatie avant Antonin.

elle soit trouvée digne d'un tel ordre. Fais faire en ta présence, par écrit, un inventaire fidèle des biens et du mobilier de cette même Église. Et pour qu'aucun de ces biens ne puisse se perdre, avertis le diacre Respectus et Étienne, primicier des notaires[4], d'en prendre entièrement la garde, sous la menace d'avoir à répondre sur leurs propres biens si, dans la suite, quelque chose disparaissait par leur négligence.

Nous voulons également que tu adjures Malchus, notre frère et collègue dans l'épiscopat[5], de ne se mêler en rien de cette affaire. En effet, si nous devions apprendre que par lui quelque chose ait été fait ou tenté d'être fait contre notre volonté, qu'il sache que pèsent sur lui une culpabilité et un péril non négligeables. Prends soin également de l'avertir qu'il doit se soucier d'établir et de solder les comptes de notre patrimoine, dont il a été chargé[6], et pour ce faire qu'il se hâte de venir à nous des contrées de Sicile, toute excuse cessante. Qu'il ne prétende donc se mêler en rien des affaires de l'Église de Salone, pour ne pas risquer d'être plus encore en faute ou coupable à son égard. Car on dit qu'il détient beaucoup d'objets de l'Église en question, et l'opinion affirme qu'il s'est présenté presque comme vendeur dans la vente des biens de celle-ci et en d'autres affaires illicites. S'il se révèle de vérité évidente qu'il en est comme on le dit, qu'il soit certain que cela ne restera en aucune manière impuni.

Que la dépense qui sera nécessaire soit acquittée par l'économe qui se trouvait là au moment du décès dudit évêque, de telle manière qu'il rende ses comptes au futur évêque tels qu'il les connaît.

45 Cuncta siquidem quae tibi agenda mandauimus cum consilio magnifici atque eloquentissimi Marcelli filii nostri te agere profecto necesse est, quatenus ita omnia quae huius praecepti pagina continet sollicite strenueque possis implere, ut nulla te neglectus culpa respiciat.

169

III, 23

GREGORIVS PETRO SVBDIACONO CAMPANIAE

Quamuis horrenda exsecrandaque nimis Secundinum ad aures nostras peruenerit crimina commisisse, hoc tamen solum ad eius damnationem potest sufficere, quod etiam ipse de se dicitur fuisse confessus. Cognouimus autem ab 5 eo dictum eo quod, dum tertius a loco esset abbatis, statu habitus sui lapsu corporis cecidisset. Et licet ad abbatis ordinem tanto coinquinatus facinore nulla debuerit ratione proficere, tamen quia temerario post ausu ac tanta pollutione detentus hoc indignus arripuit, experientiae tuae huius 10 auctoritatis tenore praecipimus ut, suprascripto Secundino remoto abbatis officio, Theodosiium, quem congregatio ipsa sibi petiit ordinari, in monasterio sancti Martini abbatem sollemniter per eum cuius interest facias ordinari, quatenus in cura congregationis subiectae, adiuuante Deo, cauta

7. Selon Hartmann (*MGH, Epist* 1, p. 181, n. 7) et *PLRE* III B, « *Marcellinus* 3 », p. 812-813, celui que Grégoire appelle Marcellus en III, 22, IV, 38 et VIII, 24 est le même qu'il nomme Marcellinus en IX, 159 et IX, 237. Il est mentionné sous le nom de Marcellinus sur une inscription, *CIL* III, n° 9527. D'abord *scholasticus* en Dalmatie en 593-594, d'où le titre d'*eloquentissimus*, il fut proconsul de Dalmatie en 598-599. D. Norberg (*CCL* 140 A, *Index nominum*, p. 1150), distingue Marcellinus proconsul de Dalmatie et Marcellus scolastique.

1. Secundinus : voir *PCBE* 2, « *Secundinus* 7 », p. 2014.

2. *PCBE* 2, « *Secundinus* 7 », p. 2014, comprend : « le troisième à exercer cette charge » d'abbé du monastère Saint-Martin. *PCBE* 2, « *Theodosius* 4 », p. 2182, parle de « la déposition du troisième abbé Secundinus ».

Tout ce que nous t'avons chargé de faire, il faut certes que tu le fasses en suivant les avis de notre fils le magnifique et très éloquent Marcel[7], de manière que, tout ce qui est porté sur ce présent ordre écrit, tu puisses l'accomplir avec empressement et diligence, pour qu'aucune faute de négligence ne se retourne contre toi.

III, 23

PL et *MGH* : III, 23 – Mars 593

À Pierre, recteur du patrimoine de Campanie, il prescrit de faire ordonner Théodose abbé du monastère de Saint-Martin, Secundinus une fois révoqué.

GRÉGOIRE À PIERRE SOUS-DIACRE DE CAMPANIE

Bien qu'il soit parvenu à nos oreilles que Secundinus[1] avait commis des crimes horribles et exécrables, cependant, pour sa condamnation, cela même dont on dit qu'il s'est accusé peut suffire. Or nous avons appris que, selon ses dires, alors qu'il tenait le troisième rang après l'abbé[2], il était tombé de l'état de sa profession par une faute charnelle. Et bien que sali par un tel forfait il n'eût dû pour aucune raison être promu au rang d'abbé, puisqu'après, cependant, par une téméraire audace, et empêché par une telle souillure, il s'en est emparé tout indigne qu'il en était, nous prescrivons à Ton Expérience, par la teneur de cet ordre, une fois le susdit Secundinus écarté de la charge d'abbé, de faire ordonner solennellement par qui de droit, comme abbé dans le monastère de Saint-Martin, Théodose[3] que la communauté elle-même a désiré voir ordonner pour elle, afin qu'il puisse veiller avec une prudente sollicitude au soin de la communauté qui lui est confiée avec l'aide

3. Monastère de Saint-Martin, près de Naples : voir *PCBE* 2, « *Marinus* 5 », p. 1410. IX, 163 et 165 nous apprennent qu'il fut fondé par le patrice Libère. ~ Théodose : voir *PCBE* 2, « *Theodosius* 4 », p. 2182-2183.

15 possit sollicitudine uigilare. Possessiones uero uel hortos eiusdem monasterii ecclesiastica, in quantum ratio patitur, tuitione defende.

III, 24

GREGORIVS LEONTIO EPISCOPO

Castorium fratrem et coepiscopum nostrum hic pro corporis sui molestia retinemus. Et quia nunc ad suam non
170 ualet ecclesiam remeare, propterea, eo absente, ecclesiae ipsius fraternitati tuae uisitationis operam peruidimus dele-
5 gandam, admonentes caritatem tuam ut ita efficaciter in omnes eius utilitates exerceat, quatenus tui praesentia proprium se absentem habere non sentiat sacerdotem. Quicquid autem tibi pro utilitatibus eiusdem ecclesiae uisum fuerit ordinare, habebis modis omnibus ex nostra permissione
10 licentiam. Reditus uero uel ornamenta ministeriaque ipsius sollicitudinis tuae in tutum cura conseruet. Et praeter ordinationes clericorum cetera omnia in praedicta ecclesia tamquam cardinalem et proprium te uolumus agere sacerdotem.

III, 25

GREGORIVS VNIVERSIS HABITATORIBVS ARIMINO

Si culpam uestram, filii dilectissimi, intentius uelitis attendere, assidua uos apud Deum debetis oratione purgare,

1. Léonce : voir *PCBE* 2, « *Leontius* 17 », p. 1288-1289. Il est signalé encore en V, 48 et VI, 45, mais toujours en qualité de visiteur de l'Église de Rimini, sans indication de son siège propre. JEAN DIACRE, *Vita Greg.* IV, 52 (*PL* 75, 209), le désigne comme évêque d'Urbino.

2. Castorius, évêque de Rimini (590-599) : voir *PCBE* 2, « *Castorius* 4 », p. 413-415. Dans la lettre II, 25 d'avril 592 (*SC* 370, p. 361), Grégoire remercie Jean de Ravenne de l'avoir accueilli chez lui alors qu'il est malade. Il ajoute qu'il l'a ordonné sous la pression de ses partisans, mais qu'il se défiait de ses capacités en raison de sa *simplicitas.*

de Dieu. Quant aux possessions et aux jardins de ce même monastère, place-les sous la protection de l'Église, autant que de raison.

III, 24

PL et *MGH* : III, 24 – Mars 593

Il établit Léonce, évêque d'Urbino, visiteur de l'Église de Rimini, l'évêque Castorius étant retenu à Rome par la maladie.

GRÉGOIRE À L'ÉVÊQUE LÉONCE [1]

Nous retenons ici notre frère et collègue dans l'épiscopat Castorius, en raison de son indisposition physique [2]. Et puisqu'il ne peut actuellement retourner à son Église, pour cette raison, en son absence, nous avons prévu de déléguer à Ta Fraternité le soin de la visite de son Église, en avertissant Ta Charité de servir si efficacement tous ses intérêts que cette Église ne sente pas, grâce à ta présence, que son évêque est absent. Tout ce qu'il te semblera bon de régler pour les intérêts de cette Église, tu en auras licence de toutes façons par notre permission. Quant à ses revenus, son mobilier et ses objets sacrés, que l'application de ta sollicitude les conserve en sécurité. Et excepté les ordinations de clercs, nous voulons que tu fasses tout le reste dans ladite Église comme son évêque titulaire et particulier.

III, 25

PL et *MGH* : III, 25 – Mars 593

Il ordonne aux habitants de Rimini d'obéir au visiteur Léonce, évêque d'Urbino, leur évêque Castorius étant retenu à Rome par la maladie.

GRÉGOIRE À TOUS LES HABITANTS DE RIMINI

Si vous vouliez, fils bien-aimés, songer plus attentivement à votre faute, vous devez, par une prière assidue à Dieu, vous

quod episcopum uestrum non deuota mente nec ut filii suscepistis. Quem inquietudo et tribulatio a uobis illata ad
5 hoc usque perduxit, ut molestiam corporalem incurreret, quamuis in eo nihil de his quae nobis sunt scripta cognouimus, sed solam inesse debilitatem uidimus, pro qua eum hic retinere curauimus. Et quia illic modo ad praesens non ualet remeare, ecclesiae uestrae necessario peruidimus
10 Leontium fratrem et coepiscopum nostrum uisitatorem per omnia deputare. Cui etiam nostris scriptis iniunximus ut omnia quae ad curam utilitatemque ecclesiae pertinent tamquam proprius episcopus debeat ordinare. Vos ergo ita ei in omnibus oboedite, quatenus operam sibi uisitationis
15 iniunctam uestra iutus salubriter in omnibus possit deuotione complere.

171

III, 26

Gregorivs Magno presbytero ecclesiae Mediolanensis

Sicut exigente culpa digne quis a sacramento communionis erigitur, ita insontibus nullomodo talis debet irrogari uindicta. Comperimus siquidem quod Laurentius quondam

1. Magnus, prêtre de l'Église de Milan : voir *PCBE* 2, « *Magnus* 3 », p. 1351. Les raisons de l'excommunication de Magnus par Laurent ne sont pas données par le pape. R.A. Markus, *Gregory the Great and his world*, p. 141, suggère que Laurent aurait pu être irrité par l'attitude de Magnus qui souhaitait le voir adopter une position plus franchement hostile aux adversaires de la condamnation des Trois Chapitres. On voit en tout cas, par cette lettre et par III, 29, que Magnus était un agent de Grégoire pour imposer l'élection de Constance. Magnus fut plus tard administrateur de petites propriétés (*possessiunculae*) et d'autres intérêts de l'Église de Rome, voir XI, 6 de septembre 600.

2. Laurent, évêque de Milan (573-592) : voir *PCBE* 2, « *Laurentius* 52 », p. 1257-1258. D'abord opposé à la condamnation des Trois Chapitres, il se rallia à Rome par un engagement contresigné par plusieurs nobles milanais, voir IV, 2. Les *Lettres Austrasiennes* 46, éd. E. Malaspina, p. 212-214, ont conservé une lettre que Childebert II lui adressa en 589 ou à la fin de 587

faire pardonner de n'avoir pas accueilli votre évêque avec un esprit dévoué, ni comme des fils. Le trouble et le tourment que vous lui avez apportés l'ont amené à ce point qu'il a contracté une indisposition physique, bien que nous n'ayons rien reconnu en lui des choses qui nous ont été écrites, mais nous avons vu chez lui seulement une faiblesse pour laquelle nous avons pris soin de le retenir ici. Et parce qu'il ne peut, pour le moment présent, s'en retourner là-bas, nous avons prévu qu'il était nécessaire d'envoyer à votre Église notre frère et collègue dans l'épiscopat Léonce, comme visiteur avec tous les pouvoirs. Nous lui avons aussi enjoint dans une lettre d'avoir à régler tout ce qui concerne le soin et l'utilité de l'Église comme son évêque propre. Vous donc, obéissez-lui en toutes choses de telle sorte qu'il puisse accomplir le travail de la visite qui lui est enjoint, en étant salutairement secondé en tout par votre dévouement.

III, 26

PL et *MGH* : III, 26 – Mars 593

Il absout Magnus, prêtre de l'Église de Milan, excommunié jadis par l'évêque Laurent. Il lui donne ordre d'exhorter le clergé et le peuple à se choisir un évêque dans l'unanimité.

Grégoire à Magnus prêtre de l'Église de Milan[1]

Si, lorsqu'une faute l'exige, on est à juste titre suspendu du sacrement de la communion, en revanche un tel châtiment ne doit en aucune façon être infligé à des innocents. Or nous avons découvert que notre défunt frère et collègue dans l'épiscopat Laurent[2] t'avait, sans aucune faute

pour lui demander d'avertir l'exarque Smaragde de rassembler des troupes pour s'associer au contingent que le roi enverrait l'année suivante contre les Lombards. Laurent devrait aussi recommander à Smaragde les ambassadeurs que le roi envoyait à Constantinople. On relèvera que Childebert donne à Laurent le titre de patriarche, ce qui est une simple marque de considération.

frater et coepiscopus noster nullis te culpis exstantibus
5 communione priuauerit, ideoque huius praecepti nostri auctoritate munitus officium tuum securus perage, et communionem sine aliqua sume formidine.

Illud te praeterea necessario duximus adhortandum ut ita te in cunctis utilitatibus ecclesiae tuae pure ac diligenter
10 exhibeas, quatenus nec offensa te aliqua de neglecto respiciat, et culpam, si qua in te propter quam dominici corporis et sanguinis communione fueras priuatus uel latens inuenta est, fidei tuae puritate detergas. Admone igitur clerum et populum ut ad eligendum nullatenus dissentiant sacerdotem,
15 sed uno consensu talem sibi eligant consecrandum episcopum, cuius et actus laudabiles et grata Deo et hominibus possit esse persona, ne, si aliter actum fuerit, in diuersis, quod absit, studiis damnum ecclesiasticis rebus eueniat.

172 MENSE APRILI INDICTIONE XI

III, 27

GREGORIVS MARTINIANO ABBATI DE PANORMO ET BENENATO NOTARIO RECTORI PATRIMONII PARTIS PANORMITANAE

Si ea de quibus uehementer Deus offenditur insequi uel ulcisci differimus, ad irascendum utique diuinitatis

3. *Fidei tuae puritate detergas* : thème paulinien de la foi salvatrice. Cette formule fait peut-être allusion à des démêlés théologiques de Magnus avec Laurent à propos des Trois Chapitres, voir *supra* III, 25, note 1.

1. Martinien : voir *PCBE* 2, « *Martinianus* 8 », p. 1417-1418. ~ Benenatus : voir *PCBE* 2, « *Benenatus* 7 », p. 294-295. Par la lettre II, 50 (*SC* 371, p. 438, li. 45) de juillet/août 592, Grégoire rappelle à Rome le sous-diacre Pierre et divise le patrimoine de Sicile en une *pars Syracusana* et une *Panormitana pars* qu'il confie au notaire Benenatus. C'est en cette qualité de recteur du patrimoine de Palerme que Benenatus se voit confier l'examen de la plainte du clarissime Boniface contre son évêque.

manifeste de ta part, privé de la communion. Par conséquent, muni de l'autorité de notre présent décret, accomplis en toute tranquillité ton office et reçois la communion sans aucune crainte.

En outre, nous avons estimé nécessaire de t'exhorter à faire preuve de vertu et de diligence dans tous les intérêts de ton Église de telle sorte qu'aucun manquement ne te soit reproché pour une négligence, et que, si quelque faute, même secrète, a été trouvée en toi pour laquelle tu fus privé de la communion du corps et du sang du Seigneur, tu en sois lavé par la pureté de ta foi[3]. Exhorte donc le clergé et le peuple à n'avoir aucun désaccord pour l'élection d'un évêque, mais à élire en plein accord pour être consacré un évêque tel que ses actes soient dignes de louange et sa personne agréable à Dieu et aux hommes ; de peur que, si l'on agit autrement, la diversité des sentiments – ce qu'à Dieu ne plaise – ne cause un dommage aux affaires de l'Église.

AVRIL 593. INDICTION XI

III, 27

PL et *MGH* : III, 27 – Avril 593

Il donne ordre à Martinien, abbé de Palerme, et à Benenatus, recteur du patrimoine de Palerme, de rechercher si le clarissime Boniface a été justement excommunié par l'évêque Victor.

GRÉGOIRE À MARTINIEN, ABBÉ DE PALERME, ET À BENENATUS, NOTAIRE, RECTEUR DU PATRIMOINE DE LA RÉGION DE PALERME[1]

Si nous tardons à poursuivre et à punir ce qui offense gravement Dieu, nous provoquons de toute façon à la colère

patientiam prouocamus. Multa etenim ad nos mala de quibusdam in Panormitana ciuitate degentibus peruenerunt, 5 quae quoniam maiorem coercitionem exspectant, nec temere credenda nec desidiose quaerenda sunt. Pro qua re Victori fratri et coepiscopo nostro iniunximus ut, si uera essent, ea et insequi et debuisset ulcisci. Nunc itaque ueniens hic praesentium lator Bonifatius, uir clarissimus, frustra se et 10 communione priuatum, et alia se grauia a praedicto episcopo queritur fuisse perpessum. Quia ergo nullus sine cognitione damnandus est, eidem fratri et coepiscopo nostro scripsimus ut, si persona quae de ipso quaedam dicere possit inuenta fuerit, eam ad uestram debeat cognitionem dirigere. 15 Ideoque huius praecepti uos pagina necessario duximus adhortandos quatenus nullius personam attendentes[a], sed Dei timorem habentes prae oculis, cum omni aequitate, si qua de eo apud uos dicta fuerint, memores futuri iudicii subtili debeatis indagatione perquirere. Et si in uestra 20 cognitione cuiusquam eum facinorosi criminis reum esse patuerit, tunc ex nostra auctoritate non solum dominici corporis et sanguinis communione priuatus sit, uerum etiam in monasterio, ubi paenitentiam agere debeat, retrudatur, ut criminis sui maculas conuenienti ualeat apud aeternum 25 iudicem lamentatione purgare. Si uero aut nihil aduersus eum in cognitione uestra dictum fuerit, aut si quid dici 173 contigerit et uerum non esse constiterit nec aliquibus illum indiciis in hoc quod dicitur incidisse potueritis agnoscere, nobis modis omnibus renuntiare curabitis. Praedictum

27. a. cf. Dt 1, 17 ; Dt 10, 17 ; Dt 16, 19 ; Ga 2, 6 ; Lc 20, 21 ; Mt 22, 16

---

2. Victor, évêque de Palerme : voir *PCBE* 2, « *Victor* 16 », p. 2282. ~ La lettre dont Grégoire parle ici n'est pas dans le *Registrum*.

3. Boniface : voir *PLRE* 3 A, « *Bonifatius* 2 », p. 238 et *PCBE* 2, « *Bonifatius* 32 », p. 339-340. Son rang de clarissime empêche de le confondre avec le *Bonifatio quodam* de III, 49 : voir note 7 *ad loc.* et *PCBE* 2, « *Bonifatius* 34 ».

4. *De ipso* désigne Boniface.

la patience divine. Il nous est parvenu en effet sur certains habitants de Palerme beaucoup de mauvais rapports qui, parce qu'ils demandent un assez grand châtiment, ne doivent pas être crus à la légère ni examinés avec négligence. Pour ce motif nous avons enjoint à Victor, notre frère et collègue dans l'épiscopat[2], de se faire un devoir de poursuivre et châtier ces faits, s'ils étaient vrais. C'est ainsi que maintenant, à son arrivée ici, le clarissime Boniface[3], porteur des présentes, se plaint d'avoir été privé à tort de la communion, et d'avoir eu à souffrir d'autres traitements pénibles de la part du susdit évêque. Donc, puisque personne ne doit être condamné sans une enquête, nous avons écrit à ce même frère et collègue dans l'épiscopat que, si l'on trouvait une personne qui pourrait dire quelque chose à son sujet[4], il devait vous l'envoyer pour votre enquête. C'est pourquoi nous avons estimé nécessaire, par le texte de cette ordonnance, de vous exhorter à ne faire acception de personne[a], mais en ayant devant les yeux la crainte de Dieu, à vous faire un devoir, en vous souvenant du jugement futur, d'enquêter en toute équité par une recherche minutieuse[5], si quelque chose vous est dit à son sujet. Et si, au cours de votre enquête, il se révèle qu'il est coupable de quelque action criminelle, qu'alors, en vertu de notre autorité, il soit non seulement privé de la communion du corps et du sang du Seigneur, mais aussi relégué dans un monastère où il devra faire pénitence, afin qu'il puisse, auprès du Juge éternel, effacer les souillures de son crime avec les gémissements qui conviennent. Mais si, au cours de votre enquête, rien n'est dit contre lui, ou si quelque chose se trouve être dit et se révèle n'être pas vrai et si vous ne pouvez reconnaître par quelques preuves qu'il est tombé dans la faute qu'on prétend, vous aurez soin par tous les moyens de nous le faire savoir.

5. L. GIORDANO, *Giustizia e potere*, p. 53, à propos de cette affaire, souligne l'importance que le pape attache à l'enquête, conformément aux directives du *Code Justinien*, voir *supra* III, 1, note 8.

enim Bonifatium nullam a quolibet uolumus molestiam sustinere, quoniam, sicut iustum est ut in delinquentibus digna debeat uindicta procedere, ita iniquum est quibusdam afflictionibus quemquam irrationabiliter subiacere.

III, 28

GREGORIVS <GREGORIO> PRAEFECTO PRAETORIO PER ITALIAM

Quicquid misericorditer ac respectu pietatis impenditur, et hic auctorem suum adiuuat, et optatum ei praemium in die retributionis apportat. Quod cum ita sit, quia excellentiam uestram ualde diligo, mercedis uobis causas insinuo. Armenius itaque magnificus, filius quondam Aptonii illustrissimi uiri, ex ipsa me egestate compulit, ut pro eo uobis debuissem scribere. Qui quoniam sicut nostis utroque parente orbatus est, eminentiae uestrae tuitionem et continentiam praestolatur. Vnde christianitas uestra piae considerationis ut consueuit intuitu, in quantum utile perspicit, ei locum uel actionem prouideat, ex qua cotidianis stipendiis ualeat contineri, quoniam haec maxima laus et

1. Le nom du préfet du prétoire d'Italie manque dans les manuscrits. Les éditeurs l'ont restitué diversement. Ewald, *MGH, Epist* 1, p. 185, donne *Georgio* et Hartmann, *MGH, Epist* 1, p. 320, n. 2 (V, 36) donne *Gregorio*. Selon la table des préfets du prétoire (*ppo*) d'Italie établie par J.R. MARTINDALE, *PLRE* III B, p. 1475, il y eut un préfet nommé Georges de février 591 à avril 593, date de notre lettre, et un préfet nommé Grégoire en juin 595. C'est Georges qui est donc retenu comme le destinataire de III, 28 : voir *PLRE* III A, « *Georgius* 11 », p. 515. Le pape lui a déjà écrit la lettre I, 22 (*SC* 370, p. 121). Mais *PCBE* 2, « *Gregorius* 12 », p. 951, et « *Georgius* 4 », p. 913, admet que Grégoire ait pu entrer en fonction « dès avril 593 ». ~ Le préfet du prétoire d'Italie résidait à Classis auprès de l'exarque. Sous le règne de Maurice, il avait perdu beaucoup de ses attributions au profit de l'exarque, mais il nommait encore des fonctionnaires chargés des travaux publics ou des finances, voir P. GOUBERT, *Byzance et*

Nous voulons en effet que ledit Boniface n'ait à supporter d'ennuis de la part de qui que ce soit, puisque s'il est juste que le châtiment mérité doive s'abattre sur les délinquants, en revanche il serait injuste de faire subir à certains des peines contre toute raison.

III, 28

PL et *MGH* : III, 28 – Avril 593

À Grégoire, préfet du prétoire d'Italie, il recommande le fils de l'illustrissime Aptonius, pour qu'il lui procure un emploi dans son dénuement.

Grégoire à Grégoire préfet du prétoire d'Italie[1]

Tout ce qui est accompli avec miséricorde et pour un motif de piété vient ici-bas en aide à son auteur, et lui apporte la récompense désirée au jour de la rétribution. Cela étant ainsi, puisque j'aime beaucoup Votre Excellence, je vous suggère des occasions de récompense. Ainsi, le magnifique Armenius, fils de feu l'illustrissime Aptonius[2], a insisté à cause de son indigence pour que je me fasse un devoir de vous écrire en sa faveur. Comme il est orphelin de père et de mère, ainsi que vous le savez, il espère de Votre Éminence appui et subsistance. C'est pourquoi, que Votre Chrétienté, mue comme de coutume par un pieux motif, pour autant qu'il le juge utile, lui procure une place et une occupation par laquelle il puisse subsister par des salaires quotidiens. Il y a, en effet, louange et récompense très

l'Occident, p. 55. C'est probablement une de ces fonctions administratives que Grégoire lui demande d'accorder à Armenius.

2. Armenius : voir *PLRE* III A, *s.u.*, p. 121 et *PCBE* 2, « *Armenius* 4 », p. 191. On n'en sait rien de plus que ce qu'en dit ici Grégoire. Aptonius est mentionné en Grég., *Dial.* II, 26 : il raconte à Grégoire que son père avait un esclave atteint d'éléphantiasis que Benoît guérit.

merces est, si illa orphanis impendantur quae eorum pro suis obsequiis poterant genitoribus exhiberi.

174

III, 29

GREGORIVS PRESBYTERIS DIACONIBVS ET CLERO MEDIOLANENSIS ECCLESIAE

Epistulam dilectionis uestrae suscepimus, cui tamen nullius erat inserta subscriptio, sed fidem Magni presbyteri et Yppoliti clerici portitorum personae faciebant. Qua relecta comperimus omnium uestrum in Constantio filio
5 nostro, ecclesiae uestrae diacone, conuenire consensum, qui dudum mihi bene cognitus fuit. Et cum in urbe regia responsa sedis apostolicae facerem, longo mihi tempore adhaesit, sed nihil in illo umquam, quod reprehendi passim potuisset, inueni. Verumtamen quia antiquae meae

1. Les lettres 29 à 31 constituent un dossier sur l'élection de Constance comme évêque de Milan après la mort de Laurent. Il est clair que Constance était le candidat souhaité par le pape. Mais la division de la population de Milan dont une partie, essentiellement le clergé et l'aristocratie, s'était réfugiée à Gênes sous la conduite de son évêque Honorat, fuyant les Lombards, incite Grégoire à prévenir tout risque de contestation de l'élection. Constance a été élu à Gênes par le clergé qui a informé le pape. Celui-ci répond dans la lettre III, 29 adressée *diaconibus et clero Mediolanensis ecclesiae* sans ajouter *ordini et plebi*, selon la coutume (voir III, 11 ; 14). Le pape souligne que la *relatio* qui lui a été envoyée était dépourvue de souscription, ce qui en diminue la crédibilité. Le pape prend donc toutes les précautions pour souligner que cette *epistula* (début de III, 29), cette *relatio* (III, 30, phrases 2 et 3) a, à ses yeux, le caractère d'une information à laquelle il se garde, par l'adresse même qu'il donne à sa réponse, de reconnaître le caractère d'un texte officiel. C'est pourquoi Grégoire demande confirmation de l'élection de Constance en envoyant le sous-diacre Jean prendre l'avis des Milanais réfugiés à Gênes : *multi Mediolanensium* désigne évidemment les laïcs (III, 30). ~ Il n'est pas nécessaire de supposer avec Hartmann (*MGH, Epist* 1, p. 186, n. 1) que la lettre III, 29 est le regroupement de deux lettres : l'une, jusqu'à *puniuntur*, expédiée à Milan, l'autre, avec un changement du début, envoyée à Gênes. ~ Sur l'élection de Constance, voir R.A. MARKUS, *Gregory the Great and his world*, p. 140-142.

2. Magnus : voir *supra* III, 26, note 1. ~ Hippolyte (voir *PCBE* 2,

grandes si l'on verse à des orphelins ce que l'on aurait pu accorder à leurs parents en récompense de leurs services.

III, 29

PL et *MGH* : III, 29 – Avril 593

Aux prêtres, aux diacres et au clergé de l'Église de Milan, puisque d'une commun accord ils veulent élire pour leur évêque Constance, diacre de Milan, il expose les vertus requises chez un évêque. Il envoie le sous-diacre Jean, pour qu'il fasse consacrer celui qu'ils ont élu.

Grégoire aux prêtres, aux diacres et au clergé de l'Église de Milan[1]

Nous avons reçu la lettre de Votre Dilection, qui ne comportait cependant aucune signature ; mais en faisaient foi les personnes des porteurs, le prêtre Magnus et le clerc Hippolyte[2]. En la lisant, nous découvrons que l'accord de vous tous s'est réuni sur notre fils Constance, diacre de votre Église, qui m'est bien connu depuis un certain temps[3]. Lorsque, dans la ville royale je représentais le Siège apostolique[4], il me fut longtemps attaché, et jamais je n'ai trouvé en lui quoi que ce fût qui pût lui être reproché. Cependant, comme c'est pour moi depuis longtemps un

« Yppolitus », p. 2371-2372) était l'homme de confiance de Grégoire dans ses relations avec la reine Théodelinde (voir IV, 2).

3. Constance, évêque de Milan : voir *PCBE* 2, « *Constantius* 29 », p. 482-486. *Dudum mihi bene cognitus* : Grégoire aime à souligner la connaissance personnelle qu'il a des hommes, en bien ou en mal – par exemple Honorat en III, 46 ou Maxime en IV, 20. Mais, dans ce cas, c'est plus qu'une formule. Comme il le dit dans la phrase suivante, Grégoire a connu Constance à Constantinople. On ignore les fonctions de Constance à ce moment, mais l'expression *mihi adhaesit* suggère une relation de collaboration, plutôt qu'une simple relation d'amitié et invite à penser que Constance appartenait aux services de l'apocrisiaire de Rome, à moins qu'il ne fût lui-même apocrisiaire de Milan.

4. Quand Grégoire était nonce apocrisiaire du pape Pélage II à Constantinople (*urbs regia*) de 579 à 586.

10 deliberationis intentio est ad suscipienda pastoralis curae onera pro nullius umquam me misceri persona, orationibus prosequor electionem uestram, ut omnipotens Deus, qui futurorum actuum nostrorum semper est praescius, talem uobis pastorem praebeat, in cuius lingua et moribus exhor-
15 tationis diuinae pascua ualeatis inuenire. In cuius mente et humilitas cum rectitudine fulgeat et seueritas cum pietate, qui uobis uitae uiam[a] non solum loquendo sed etiam uiuendo possit ostendere, quatenus exemplo illius discat uestra dilectio ad aeternae patriae desiderium suspirare.
20 Itaque nos, dilectissimi filii, officii nostri censura commoniti suademus ut in hac suscipiendi antistitis causa nullus uestrum, neglecta utilitate communi, suo lucro prospiciat, ne, si quisquam propria commoda appetit, friuola aestimatione fallatur, quia nec libero iudicio praeferendam sibi personam
25 examinat mens quam cupiditas ligat. Pensantes ergo quae cunctis expediunt, ei quem uobis gratia diuina praetulerit, integerrimam semper in omnibus oboedientiam praebete.

29. a. cf. Jn 14, 6

---

5. Grégoire se fait la part belle, quand on pense à tous les évêques qu'il a désignés lui-même, sinon imposés, voir la longue liste donnée par L. PIETRI, *HC* 3, p. 856-857. Il est vrai que parmi ceux qu'elle cite, seuls Boniface de Reggio, Festus de Capoue et Castorius de Rimini sont en fonction à la date de cette lettre. Les interventions du pape ne feront que croître avec le temps.

6. Énumération des quatre vertus cardinales de l'évêque. Elles sont groupées deux par deux. L'humilité vient en premier, comme en III, 54 (*sola officii sacerdotalis erectio*) et elle est associée à la *rectitudo* dans un rapport dialectique où s'exprime toute la conception grégorienne du pouvoir. C'est ce qu'il développe clairement dans *Reg. past.* II, 6 (*SC* 381, p. 202). Le détenteur de l'autorité est un *socius* pour ceux qui agissent bien ; il ne se souvient de sa prééminence (*potestatem sui prioratus*) qu'en face de ceux qui agissent mal : « De la sorte, oubliant l'honneur (*honore suppresso*), il se regardera comme l'égal de ceux de ses subordonnés qui vivent bien et il redoutera de ne pas exercer les droits de la rectitude (*iura rectitudinis*) contre les dévoyés. » Et plus loin, il précise en renversant la formule : « Il faut donc garder en son cœur l'humilité et dans son action la rigueur de la règle (*disciplina*). Ce faisant, il faut veiller avec soin à ce qu'en gardant une

propos délibéré, quand il s'agit d'assumer le fardeau de la charge pastorale, de ne jamais me mêler de la personnalité de qui que ce soit[5], j'accompagne de prières votre élection, pour que Dieu tout-puissant, qui d'avance connaît toujours nos actions futures, vous accorde un pasteur tel qu'en ses paroles et sa conduite, vous puissiez trouver les pacages de la divine exhortation. Qu'en son esprit l'humilité brille avec la rectitude, la sévérité avec la pitié[6] ; qu'il puisse vous montrer le chemin de la vie[a7] non seulement en parlant mais aussi en vivant, de sorte que par son exemple Votre Dilection apprenne à aspirer au désir de la patrie éternelle. C'est pourquoi nous, frères très chers, averti par notre fonction de censeur, nous conseillons qu'en cette affaire de désignation d'un évêque, aucun d'entre vous, négligeant le bien commun, ne regarde à son propre profit, de peur que, si quelqu'un cherche son intérêt personnel, il ne soit trompé par une vaine appréciation, car un esprit qu'entrave l'ambition n'estime pas avec un jugement libre qu'une personne doive lui être préférée. Pesant donc l'intérêt général, prêtez toujours en toutes choses la plus complète obéissance à celui que la grâce divine mettra à votre tête. En effet, une

excessive humilité, on ne laisse se relâcher les droits de l'autorité (*iura regiminis*) » (*SC* 381, p. 212, li. 126 s). Le juste exercice du pouvoir chemine sur cette crête. Sur la conception du pouvoir chez Grégoire, voir M. REYDELLET, *La royauté*, p. 468-473. Ces deux vertus se rapportent à l'attitude intérieure de l'évêque, alors que les deux suivantes, *seueritas cum pietate*, définissent ses relations avec autrui. Là aussi on retrouve GRÉG., *Reg. past.* II, 6 (*SC* 381, p. 216, li. 188) : « À l'égard de leurs subordonnés, ceux qui dirigent (*rectores*) doivent avoir à la fois une miséricorde soucieuse de la justice (*iuste consulens*) et une rigueur (*disciplina*) sévissant avec bonté (*pie saeuiens*). » Il est clair que *pietas* a le sens de « pitié », c'est-à-dire « bonté » et non de « piété ». Il y a peut-être ici un souvenir de SERVIUS, *Ad Aen.* I, 544-545 : « Il y a une grande différence entre la justice et la bonté (*pietas*). En effet la bonté est une partie de la justice comme la sévérité. » ISIDORE DE SÉVILLE, *Etym.* IX, 3, 5 (éd. M. Reydellet, *A.L.M.A.*, Paris 1984, p. 122-123), cite ce texte pour définir les deux vertus essentielles du roi. C'est sans doute une tradition scolaire qu'il reprend, tout comme Grégoire.

7. C'est-à-dire le Christ, cf. Jn 14, 6 : *Ego sum uia et ueritas et uita.*

Iudicari namque a uobis ultra non debet semel praelatus, sed tanto nunc subtiliter indagandus est, quanto postmodum
30 iudicandus non est. Consecrato autem uobis, Deo auctore, pastori tota uos mente committite, atque in illo omnipotenti
175 Domino, qui uobis hunc praetulerit, deseruite.

Sed quia iuxta meritum plebium solent superno iudicio personae prouideri pastorum, uos spiritalia quaerite, caelestia
35 amate, temporalia et fugitiua despicite[b], et certissimum tenete quia placentem Deo pastorem habebitis, si uos in uestris actibus Domino placetis. Ecce iam mundi huius omnia perdita conspicimus, quae in sacris paginis audiebamus peritura. Euersae urbes, castra eruta, ecclesiae destructae,
40 nullus in terra nostra cultor inhabitat. In nobis ipsis paucissimis, qui ad modicum derelicti sumus, cum supernae percussionis cladibus humanus gladius incessanter saeuit. Mundi igitur mala quae dudum uentura audiebamus, aspicimus ; quasi paginae nobis codicum factae sunt ipsae iam plagae terrarum.
45 In interitum ergo rerum omnium pensare debemus nil fuisse quod amauimus. Appropinquantem itaque aeterni iudicis diem sollicita mente conspicite et terrorem illius paenitendo praeuenite. Delictorum omnium maculas fletibus lauate. Iram quae aeterna imminet temporali lamento
50 compescite. Pius enim conditor noster cum ad iudicium uenerit, tanto nos maiore gratia consolabitur, quanto nunc conspicit quod a nobis nostra delicta puniuntur.

b. cf. 2 Co 4, 18

---

8. Sur l'idée que les gouvernants sont choisis par Dieu d'après les mérites des gouvernés, voir *supra* III, 13, note 4.

9. Passage manifestement inspiré de 2 Co 4, 18. On retrouve la spiritualité paulinienne, mais sans correspondance verbale précise, sauf *temporalia*.

10. Ce sont à peu près les mêmes mots que dans GRÉG., *Hom. in Ez.* I, 9, 9 (*SC* 327, p. 342, li. 8-9) : *Vrbes erutas, euersa castra, depopulatos agros, suffossas ecclesias uidemus*, et II, 6, 22 (*SC* 360, p. 312, li. 2). Voir aussi GRÉG., *Hom. in Euang.* I, 17, 16 (*PL* 76, 1147).

fois établi au-dessus de vous, il ne doit pas plus avant être jugé par vous, mais il doit être recherché d'autant plus minutieusement maintenant, que, dans la suite, il ne doit plus être jugé. Mais au pasteur qui, par la volonté de Dieu, aura été consacré pour vous, remettez-vous en de toute votre âme et servez en lui le Dieu tout-puissant qui l'aura mis à votre tête.

Mais puisque la personne des pasteurs est d'ordinaire accordée aux populations selon le mérite de celles-ci par un jugement d'en haut[8], recherchez, les choses spirituelles, aimez les choses célestes, méprisez les choses temporelles et fugitives[b 9], et tenez pour très certain que vous aurez un pasteur qui plaira à Dieu, si vous-mêmes plaisez au Seigneur dans vos actes. Voici que déjà nous voyons disparues toutes les choses de ce monde dont nous entendions les pages sacrées nous dire qu'elles périraient. Les villes ont été anéanties, les fortifications renversées, les églises détruites, nul n'habite sur notre terre pour la cultiver[10]. Sur le tout petit nombre d'entre nous qui a été laissé pour un peu de temps, avec les calamités qui viennent du ciel, le glaive de l'homme frappe sans cesse. Les maux du monde dont nous entendions naguère qu'ils devaient venir, nous les voyons ; les plaies elles-mêmes de la terre sont devenues pour nous comme des pages de livres. Devant la destruction de toutes choses, nous devons donc mesurer que ce que nous avons aimé n'était rien. C'est pourquoi regardez avec inquiétude s'approcher le jour du Juge éternel et prévenez-en la terreur en faisant pénitence. Lavez par des pleurs les taches de toutes fautes. Arrêtez par des gémissements dans le temps la colère qui menace pour l'éternité. Car notre pieux Créateur, lorsqu'il viendra pour le Jugement, nous consolera d'une grâce d'autant plus grande qu'il voit maintenant que nos fautes sont punies par nous-mêmes[11].

11. Sur ce passage, voir C. DAGENS, *Saint Grégoire le Grand*, p. 380.

Latorem uero praesentium Iohannem subdiaconum nostrum ad hoc, Deo fauente, transmisimus, ut electum
55 uestrum sua imminentia cum Dei omnipotentis solacio secundum modum decessoris eius faciat ab episcopis consecrari. Nam sicut ab aliis nostra exigimus, ita singulis sua iura seruamus.

176

III, 30

GREGORIVS IOHANNI SVBDIACONO

Quanto apostolica sedes Deo auctore cunctis praelata constat ecclesiis, tanto inter multiplices curas et illa nos ualde sollicitat, ubi ad consecrandum antistitem nostrum exspectatur arbitrium. Defuncto igitur Laurentio, ecclesiae
5 Mediolanensis episcopo, sua nobis relatione clerus innotuit in electione se filii nostri Constantii, diaconis sui, unanimiter consensisse. Sed quoniam eadem non fuit subscripta relatio, ne quid, quod ad cautelam pertinet, omittamus, idcirco huius praecepti auctoritate suffultus Genuam te proficisci
10 necesse est. Et quia multi illic Mediolanensium coacti barbarica feritate consistunt, eorum te uoluntates oportet, conuocatis eis in commune, perscrutari. Et si nulla eos diuersitas ab electionis unitate disterminat, siquidem in praedicto filio nostro Constantio omnium uoluntates
15 atque consensum perdurare cognoscis, tunc eum a propriis

12. Jean, sous-diacre romain : voir *PCBE* 2, « *Iohannes* 82 », p. 1110. Il n'apparaît qu'ici et en IV, 1.

13. Son prédécesseur, Laurent, avait été sacré à Gênes. La lettre suivante précise qu'il soit ordonné selon l'usage ancien (*antiquitatis mos*). Voir le rescrit de Pélage dans *Regesta*, éd. Jaffé, n° 983 : les évêques de Milan et d'Aquilée s'ordonnent l'un l'autre pour éviter un déplacement au pape.

14. Formule d'accent romain qui rappelle la définition de la justice donnée par CICÉRON, *Fin.* V, 65 : « la disposition d'esprit qui consiste à attribuer à chacun ce qui lui revient (*suum cuique tribuens*) », formule reprise dans la définition de la justice qui ouvre les *Institutes* de JUSTINIEN, I, 1, 1 : « La justice est une volonté constante et durable d'attribuer à chacun son droit (*ius suum cuique tribuere*). »

Nous vous avons, par la faveur divine, envoyé le porteur des présentes, notre sous-diacre Jean [12], pour que, sous sa pression, avec l'aide de Dieu tout-puissant il fasse consacrer par les évêques celui que vous aurez élu de la même façon que son prédécesseur [13]. Car de même que nous exigeons que nos droits soient respectés par les autres, de même nous respectons ceux de chacun [14].

III, 30

PL et *MGH* : III, 30 – Avril 593

Il donne ordre au sous-diacre Jean de partir pour Gênes et de prendre soin de faire sacrer évêque par les évêques propres le diacre Constance, si tous les Milanais qui ont fui par crainte de l'ennemi et vivent à Gênes en sont d'accord.

GRÉGOIRE AU SOUS-DIACRE JEAN

Autant il est évident que, par la grâce de Dieu, le Siège apostolique est élevé au-dessus de toutes les Églises, autant parmi nos multiples soucis, celui-là aussi nous préoccupe grandement de voir qu'on attend notre décision pour la consécration d'un évêque. Après le décès de Laurent, évêque de l'Église de Milan, le clergé nous a fait connaître par son rapport qu'il s'était unanimement mis d'accord pour l'élection de notre fils Constance, son diacre. Mais comme ce rapport ne comportait pas de signatures, afin de n'omettre aucune précaution, il est nécessaire que tu ailles à Gênes en t'appuyant sur l'autorité de cette ordonnance. Et puisqu'un grand nombre de Milanais, forcés par la férocité des barbares, séjourne là-bas, il faut qu'après les avoir convoqués ensemble, tu t'enquières soigneusement de leurs volontés. Et si aucune divergence ne les oppose à l'unanimité de l'élection, si donc tu apprends que les volontés et l'accord de tous persistent au sujet de notre susdit fils Constance, alors, avec l'aide du Seigneur, fais-le consacrer par les

episcopis, sicut antiquitatis mos exigit, cum nostrae auctoritatis assensu, solaciante Domino, facias consecrari, quatenus, huiusmodi seruata consuetudine, et apostolica sedes proprium uigorem retineat, et a se concessa aliis sua
20 iura non minuat.

177

III, 31

GREGORIVS ROMANO PATRICIO ET EXARCHO ITALIAE

Obitum Laurentii, ecclesiae Mediolanensis episcopi, excellentiam uestram iam credimus cognouisse. Et quia quantum ex cleri relatione didicimus in Constantio filio nostro, diacono eiusdem ecclesiae, omnium consistit electio,
5 necesse fuit pro seruanda consuetudine militem ecclesiae nostrae dirigere, qui eum in quo omnium uoluntates atque consensum concorditer conuenire cognouerit a suis episcopis, sicut uetus mos exigit, cum nostro tamen assensu faciat consecrari.

10 Proinde paterna dilectione persoluentes debitum salutationis officium, quaesumus ut praedicto Constantio, seu fuerit consecratus episcopus necne, excellentia uestra ubi necesse fuerit suum dignetur impendere, iustitia fauente, solacium,

1. Romanus, patrice et exarque d'Italie (589-597) : voir *PLRE* III B, « *Romanus* 7 », p. 1092-1093 et *PCBE* 2, « *Romanus* 17 », p. 1905. Après avoir fait ses preuves contre les Perses, Romanus fut nommé exarque d'Italie en 589 et, dès l'année suivante, il se mit en campagne contre les Lombards. Deux lettres de lui adressées à Childebert II, *Epist. austr.* 40 et 41 (éd. E. Malaspina, p. 190 s. et 196 s.), parlent des succès qu'il remporta contre eux. Selon la première lettre, il avait repris Modène, Altinum et Mantoue (*Epist.* 40, § 5) et s'apprêtait à assiéger Authari dans Pavie (§ 7). Dans la lettre 41, il fait état d'une campagne contre les Lombards en Istrie (§ 3 et 4) et, comme les Francs s'étaient déjà retirés d'Italie, il exhorte le roi à remplir les engagements qu'il a pris à l'égard de l'empereur. Les relations entre le pape et l'exarque ne tardèrent pas à se tendre. En juillet 592, Grégoire, dans la lettre II, 38 (*SC* 371, p. 388), reproche à l'exarque de ne pas combattre efficacement les Lombards tout en lui déniant le droit de

évêques propres comme l'exige l'usage ancien, avec l'assentiment de notre autorité, de sorte qu'en observant cette coutume, le Siège apostolique conserve son autorité propre et ne diminue pas les droits qu'il a concédés à d'autres.

III, 31

PL et *MGR* : III, 31 – Avril 593

À Romanus, exarque d'Italie, il recommande Constance élu évêque par les Milanais.

GRÉGOIRE À ROMANUS, PATRICE ET EXARQUE D'ITALIE[1]

Nous croyons que Votre Excellence connaît déjà le décès de Laurent, évêque de l'Église de Milan. Et puisque, comme nous l'avons appris par le rapport du clergé, le vote de tous s'est portée sur notre fils Constance, diacre de la même Église, il a été nécessaire, pour observer l'usage, d'envoyer quelqu'un du service de notre Église[2] pour faire consacrer par ses évêques, comme l'exige la coutume ancienne, mais avec notre assentiment, celui sur lequel il se sera assuré que les volontés et l'accord de tous sont unanimement réunis.

Ainsi donc, nous acquittant avec une paternelle dilection du devoir de vous saluer, nous prions Votre Excellence de daigner accorder son assistance, lorsque ce sera nécessaire, selon la justice, au susdit Constance, qu'il ait été ou non

traiter lui-même avec Agilulfe (voir aussi IV, 2). Même dans l'ordre religieux, l'exarque s'opposait à la lutte de Grégoire contre le schisme des évêques d'Istrie (II, 38 ; *SC* 371, p. 391) où Grégoire va jusqu'à parler de l'*animositas* du patrice. Romanus est aussi soupçonné par le pape en 594 de soutenir l'élévation de Maxime au siège de Salone et de favoriser les menaces proférées contre le sous-diacre Antonin (V, 6). Voir *supra* III, 22, note 3. ~ La politique militaire et religieuse de Romanus a été analysée par P. GOUBERT, *Byzance et l'Occident*, p. 93-105. Selon lui, cette lettre montre que l'exarque « intervenait dans l'élection des évêques » (p. 51). En fait, le pape informe simplement l'exarque de l'élection et lui demande de soutenir l'élu.

2. C'est le sous-diacre Jean qui n'est pas nommé ici, mais seulement désigné par l'expression rare de *militem ecclesiae nostrae*.

quatenus haec uos merces et hic apud inimicos uestros
15 exaltet, et in futura uos uita apud Deum praeuenienter
commendet. Meus enim est proprius olimque mihi magna
fuit familiaritate coniunctus. Et uos quos nostros agnoscitis
habere ut uestros peculiariter debetis.

178

III, 32

GREGORIVS HONORATO
ARCHIDIACONO SALONITANAE ECCLESIAE

Dudum quidem decessoris nostri nostraque praeceptio
ad dilectionem tuam concurrerat, in qua et de obiectis tibi
calumniose capitulis fueras absolutus, et in tui gradus ordine
sine aliqua instituimus altercatione restitui. Sed quia rursus
5 ante non multum temporis spatium ad Romanam ciuitatem
ueniens de quibusdam illic actis incongrue et de sacrorum
es conquestus alienatione uasorum, atque, dum pro hac re
quae tuis obiectionibus respondere potuissent sustinemus

3. *Proprius* accompagné d'un adjectif possessif signifie *amicus*.

1. Honorat, archidiacre de Salone et, à ce titre, chargé de l'administration des biens de son Église, reprochait à son évêque, Natalis, de donner à ses parents des objets sacrés et des tentures (II, 17 ; *SC* 371, p. 338, li. 18). Celui-ci avait alors « promu » l'archidiacre contre son gré au « grade supérieur », celui de *presbyter* (II, 17 ; *SC* 371, p. 338, li. 14). C'est ce que Grégoire, soutenant les protestations de l'archidiacre, appelle à deux reprises *callida arte degradare* (II, 17 ; *SC* 371, p. 338, li. 15 et II, 19, p. 346, li. 14). Il est certes compréhensible que l'archidiacre comme le pape aient jugé condamnable le procédé choisi par l'évêque pour se débarrasser d'un gêneur, sous couvert de l'honorer. Mais il est permis d'envisager une autre hypothèse. C. PIETRI, *Roma christiana*, t. 1, p. 694 s., fait état d'une rivalité à Rome à la fin du IVe siècle entre l'ordre des diacres et celui des *presbyteri* et il montre que l'épiscopat était la fin de carrière normale de l'ordre des diacres. JÉRÔME, *In Ezech.* XIV, 48 (*PL* 25, 505), dit qu'un diacre « considère comme un outrage d'être ordonné prêtre ». À l'époque de Grégoire, on constate que tous les

consacré évêque, de sorte que ce mérite vous exalte ici-bas devant vos ennemis et vous recommande d'avance auprès de Dieu dans la vie future. Car il est mon ami[3], et jadis me fut lié d'une grande familiarité. Quant à vous, vous devez tenir pour particulièrement vôtres ceux que vous reconnaissez pour nôtres.

III, 32

PL et *MGH* : III, 32 – Avril 593

Il atteste de nouveau qu'Honorat, archidiacre de Salone, a été acquitté après la mort de l'évêque Natalis pour les crimes qu'on lui reprochait. Il renvoie les plaintes de celui-ci à Antonin, recteur du patrimoine romain de Salone.

GRÉGOIRE À HONORAT ARCHIDIACRE DE L'ÉGLISE DE SALONE[1]

Il y a quelque temps étaient parvenus à Ta Dilection le mandement de notre prédécesseur et le nôtre dans lesquels tu étais acquitté des chefs d'accusation portés calomnieusement contre toi, et où nous établissions, sans aucune discussion possible, que tu étais réintégré dans le degré de ton ordre. Mais puisque de nouveau, venant il y a peu de temps en la cité de Rome, tu t'es plaint de certaines choses faites là-bas de manière indue et de l'aliénation de vases sacrés et puisque, tandis que, pour cette affaire, nous gardons

évêques se recrutent parmi les diacres. Dès lors, il devient vraisemblable que ce qui était en jeu dans la « promotion » d'Honorat, c'était probablement la succession de Natalis : il s'agissait d'écarter l'archidiacre. Évidemment, Grégoire ne pouvait pas parler de cela et encore moins dire qu'il espérait voir Honorat installé sur le siège de Salone. De fait, Honorat, rétabli dans ses fonctions d'archidiacre par le pape, fut élu évêque de Salone en juillet 593 (III, 46). Mais ses adversaires firent consacrer à sa place le diacre Maxime que le pape récusait (IV, 16). C. PIETRI, « L'Illyricum ecclésiastique », p. 56, souligne l'attention particulière que Grégoire porte à l'Église de Salone.

in hac ciuitate personas, Natalis episcopus tuus de hac luce
10 migrauit, necessarium iudicamus easdem praeceptiones, tam
decessoris nostri quam nostras, quas dudum ut dictum est
pro tua absolutione transmisimus, praesentibus deinceps
apicibus confirmare. Quamobrem a cunctis tibi obiectis
capitulis te plenius absoluentes, in tui te ordinis gradu sine
15 aliqua uolumus altercatione permanere, ut nihil tibi penitus
mota a praefato uiro quaestio qualibet occasione praeiudicet.
De his autem capitulis de quibus conquestus es Antonino
subdiacono et rectori illic patrimonii sanctae cui Deo
auctore praesidemus ecclesiae instanter iniunximus ut,
20 siquidem in his ecclesiasticas inuenerit immixtas esse
personas, cum summa causas ipsas districtione atque
auctoritate definiat. Sin autem cum talibus res agitur in
quos ecclesiasticae uigor non possit iurisdictionis extendi,
de singulis quibusque capitulis probationes, inter publica
25 gesta depositas, ad nos absque ulla dilatione transmittat, ut
instructi subtiliter sciamus quid de his debeamus Christo
auxiliante disponere.

2. En octobre 592, Natalis, évêque de Salone, était encore en vie ou sa mort était encore ignorée de Grégoire (III, 8 et 9). Mais en mars 593, la nouvelle en circulait déjà (III, 22). ~ Il s'agit toujours des détournements de l'évêque qu'avait dénoncés l'archidiacre Honorat.

dans cette cité les personnes qui pourraient répondre à tes reproches, ton évêque Natalis a émigré de cette vie[2], nous jugeons nécessaire que ces mêmes mandements, tant ceux de notre prédécesseur que les nôtres, que nous avons il y a quelque temps, comme il a été dit, transmis pour ton acquittement, soient derechef confirmés par les présentes lettres. C'est pourquoi, t'absolvant plus pleinement de tous les chefs d'accusation portés contre toi, nous voulons sans discussion possible que tu demeures dans le degré de ton ordre, afin que la poursuite engagée par l'homme susdit ne te porte aucun préjudice en quelque occasion que ce soit. Au sujet de ces chefs d'accusation dont tu t'es plaint, nous avons instamment enjoint à Antonin, sous-diacre[3] et recteur là-bas du patrimoine de la sainte Église à laquelle, par la volonté de Dieu, nous présidons, de mettre un terme à ces accusations elles-mêmes avec la plus grande rigueur et la plus grande autorité s'il trouvait que des personnes ecclésiastiques y fussent mêlées. Mais si l'affaire met en cause des personnes telles que la force de la juridiction ecclésiastique ne puisse s'étendre à elles, qu'il nous transmette sans aucun délai les preuves concernant chacune de ces affaires, déposées parmi les actes publics, afin que renseigné minutieusement, nous sachions ce que nous devons décider, avec l'aide du Christ.

3. Sur Antonin, voir *supra* III, 8, note 4. ~ Le pape distingue bien ici et dans la phrase suivante les cas qui relèvent de la juridiction ecclésiastique et ceux qui relèvent des tribunaux civils.

179

III, 33

GREGORIVS DYNAMIO PATRICIO GALLIARVM

Monstrat quam bene dispenset propria, qui fideliter administrat aliena. Quod uestra nobis gloria ostendit, quae perenni muneri intenta, beato Petro apostolorum principi suorum redituum fructus intulit. Cui dum sua fideliter 5 impenditis, haec apud eum sua munera fecistis. Sic quippe agere huius terrae gloriosos[a] de aeterna gloria cogitantes decet, ut in eo quod temporaliter praeualent, mercedem sibi non temporalem parent.

Proinde debitum salutationis alloquium persoluentes, 10 omnipotentem Dominum deprecamur ut uitam uestram et bonis praesentibus repleat, et ad sublimia gaudia aeternitatis

33. a. cf. Is 45, 2

1. Dynamius, *patricius* et *rector Prouinciae* : voir *PLRE* III A, « *Dynamius* 1 », p. 429-430 ; K.F. STROHEKER, *Der senatorische Adel im spätantiken Gallien*, Reutlingen 1948 (réimpr. Darmstadt 1970), p. 164-165, n° 108. Né vers 545 dans une grande famille sénatoriale, il exerça d'abord à Marseille des fonctions judiciaires (FORTUNAT, *Carm.* VI, 10, 33 et 37). GRÉG. T., *Hist. Franc.* VI, 7, dit qu'en 581 il était *rector Prouinciae*. Au moins à partir de 593, il fut en même temps *rector* du patrimoine pontifical en Gaule. Il se retira des deux fonctions en avril 595 (GRÉG., *Epist.* V, 31). Il fut l'un des représentants du cercle littéraire austraso-provençal, voir P. RICHÉ, *Éducation et culture dans l'Occident barbare, VIe-VIIIe siècles*, 2e éd., Paris 1962, p. 229-230. Venance Fortunat, qu'il rencontra à la cour de Metz, lors du mariage de Sigebert et de Brunehaut en 565, lui dédia deux poèmes : VI, 9 et 10. Lui-même écrivit une *Vita sancti Maximi* (*PL* 80, 31) et FORTUNAT, *Carm.* VI, 10, 57, lui attribue des vers dont un a subsisté cité par un grammairien, voir *Grammatici latini*, V, éd. H. Keil, p. 579, li. 13. Deux lettres de lui figurent parmi les lettres austrasiennes, voir *Epist. austr.* 12 (éd. E. Malaspina, p. 116) et 17 (*ibid.* p. 128-130). Son petit-fils Dynamius a composé une épitaphe en distiques élégiaques (éditée dans *Inscriptions chrétiennes de la Gaule*, t. 2, éd. E. Le Blant, p. 515, n° 641 et *MGH, AA* 6/2, p. 194) qui célèbre Dynamius et sa femme. Le nom de celle-ci est donné au vers 5 : Eucheria.

III, 33

PL et *MGH* : III, 33 – Avril 593

Au patrice Dynamius de Marseille il annonce qu'il a reçu par l'entremise d'Hilaire quatre cents sous gaulois sur les revenus du patrimoine. Il lui fait don d'une croix avec des reliques.

GRÉGOIRE À DYNAMIUS, PATRICE DES GAULES[1]

Celui-là montre combien il sait disposer sagement de ses propres biens, qui administre fidèlement ceux des autres. C'est ce que nous montre Votre Gloire, qui, attentive à son incessante fonction, a versé au bienheureux Pierre, prince des apôtres, les fruits de ses revenus. En lui reversant fidèlement ce qui lui appartient, vous avez à ses yeux transformé en dons ce qui lui appartient[2]. C'est ainsi, en effet, qu'il convient qu'agissent les glorieux de cette terre[a][3], en pensant à la gloire éternelle, afin que dans l'exercice d'un pouvoir temporel, ils se préparent une récompense qui n'est pas temporelle.

C'est pourquoi, après vous avoir adressé comme il se doit ces mots de salutation, nous prions le Seigneur tout-puissant de remplir votre vie des biens présents, et de l'étendre aux

C'est donc un autre Dynamius – voir *PLRE* III A, « *Dynamius* 4 », p. 431 –, marié à Auréliana (ou Aurélia) qui est mentionné par Grégoire en IV, 37 et à qui il écrivit, ainsi qu'à sa femme, la lettre VII, 33.

2. Dans un style précieux, Grégoire veut dire qu'en s'acquittant de sa mission avec fidélité, Dynamius a fait plus que son devoir : saint Pierre est devenu son obligé. Il y a à l'arrière-plan la parabole des talents, Mt 25, 14-30. Dynamius est le *seruus bonus et fidelis,* comme le suggère la répétition de *fideliter.*

3. *Huius terrae gloriosos* rappelle Is 45, 2 : *gloriosos terrae humiliabo*. Mais, chez Grégoire, il n'y a pas de malédiction jetée sur le pouvoir. S'il est bien exercé, il mérite sa récompense devant Dieu, voir M. REYDELLET, *La royauté,* p. 472-479. En IV, 27 on retrouve l'expression *quod praeuales.*

extendat. Suscepimus namque per Hilarium filium nostrum de praefatis ecclesiae nostrae reditibus Gallicanos solidos quadringentos.

15 Transmisimus uero beati Petri apostoli benedictionem, crucem paruulam, cui de catenis eius beneficia sunt inserta, quae illius quidem ad tempus ligauerant sed uestra colla in perpetuum a peccatis soluant. Per quattuor uero in circuitu partes, de beati Laurentii craticula in qua perustus est 20 beneficia continentur, ut hoc ubi corpus illius pro ueritate crematum est uestram mentem ad amorem Domini accendat.

180

III, 34

Gregorivs Petro svbdiacono Campaniae

Queritur Festus, frater et coepiscopus noster, a suis se clericis ac ciuibus despici atque contemni. Pro qua re experientiae tuae praecipimus ut tranquilla eos adhortatione conuenias, quatenus, sedatis si quae forte odiorum causae 5 sunt, mutua eos et Deo placita caritate concilies, ut et ille quod filiis decet impendat, et illi quod patri oportet exhibeant. Si quae uero aliae causae sunt, praedicto episcopo te impendere praecipimus, salua tamen iustitia et aequitate, solacium.

4. Hilaire : voir *PCBE* 2, « *Hilarius* 7 », p. 988. Le titre de *filius noster* indique qu'il était au service du pape, sans qu'on sache avec quelle fonction. ~ Le sou gaulois était d'une valeur inférieure au sou romain. La lettre VI, 10 (*CCL* 140, p. 378, li. 8) mentionne les sous gaulois « qui n'ont pas cours chez nous ».

1. Festus, sous-diacre de Rome, évêque de Capoue : voir *PCBE* 2, « *Festus* 5 », p. 814-815. Selon V, 13, il mourut en novembre 594. L. Pietri,

joies sublimes de l'éternité. Nous avons bien reçu en effet par notre fils Hilaire quatre cents sous gaulois sur les susdits revenus de notre Église[4].

Nous vous envoyons, comme relique du bienheureux Pierre apôtre, une toute petite croix dans laquelle ont été insérées des reliques de ses chaînes ; elles ont lié son cou pour un temps, qu'elles délient le vôtre de ses péchés pour l'éternité. Tout autour, à quatre endroits, sont contenues des reliques du gril du bienheureux Laurent sur lequel il a été brûlé, afin que cet objet où son corps a été consumé pour la vérité, enflamme votre esprit de l'amour de Dieu.

III, 34

PL et *MGH* : III, 34 – Avril 593

Il donne ordre à Pierre, recteur du patrimoine de Campanie, de réconcilier Festus, évêque de Capoue, avec ses clercs et ses concitoyens.

GRÉGOIRE À PIERRE SOUS-DIACRE DE CAMPANIE

Festus notre frère et collègue dans l'épiscopat se plaint d'être regardé de haut et méprisé par ses clercs et ses concitoyens[1]. Pour cette raison, nous prescrivons à Ton Expérience d'entrer en relation avec eux par une exhortation sereine, de sorte que, une fois apaisés les motifs de haine, si par hasard il y en a, tu les mettes d'accord dans une charité mutuelle et agréable à Dieu, afin que lui rende à ses fils ce qui convient, et qu'eux témoignent à leur père ce qu'ils doivent. Mais s'il y a d'autres motifs, nous te prescrivons d'accorder ton aide au dit évêque tout en sauvegardant la justice et l'équité.

HC 3, p. 857, remarque que Festus appartient aux dix évêques mentionnés par JEAN DIACRE, *Vita Greg.* III, 7 (*PL* 75, 133), comme venant du clergé romain et, en quelque sorte, imposés par le pape dans des Églises locales.

MENSE MAIO INDICTIONE XI

III, 35

GREGORIVS PETRO SVBDIACONO CAMPANIAE

Saepius a nobis Paulus frater et coepiscopus noster expetiit ut eum ad propriam reuerti faceremus ecclesiam. Quod quia rationabile esse perspeximus, eius petitionem necessario duximus adimplere. Proinde experientia tua clerum ecclesiae 5 Neapolitanae conueniat quatenus duos uel tres de suis eligere et huc ad eligendum episcopum transmittere non 181 omittant. Sed et sua nobis relatione insinuent quoniam hi quos transmiserint omnium in hac electione uice funguntur, ut ecclesiae illi, Deo auctore, suus antistes ualeat ordinari. 10 Nam amplius eam sine proprio non patimur esse rectore. Qui si fortasse admonitionem tuam differre quolibet modo tentauerint, ecclesiasticum in eis uigorem exerce. Nam prauitatis de se dabit indicium quisquis in hoc non sponte consenserit.

15 Praedicto autem Paulo fratri et coepiscopo nostro centum solidos et unum puerulum orphanum, quem ipse elegerit, pro labore suo de eadem facies ecclesia dari.

Illos autem qui cunctorum uice hic uenerint ad eligendum episcopum admone ut uestarium omne episcopii suprascripti, 20 et quantum praeuiderint se cum argentum adducant, quod

1. Sur Paul, évêque de Nepi, voir *supra* III, 1, note 2.

2. Ce n'est pas une simple façon de parler. Dans *Reg. past.* II, 2 (*SC* 381, p. 178, li. 19), Grégoire écrit que le cœur de l'évêque doit être tenu par la raison (*ratio sola constringat*) ; il doit montrer *quantam in pectore rationem portet.* C'est ce que symbolise le « rational du jugement » que le grand prêtre des juifs porte sur la poitrine, voir Ex 28, 15 s. Grégoire fait souvent appel à la raison. Voir l'Index des mots, *s.u.* « *rationabilis* » et l'Introduction, p. 39.

3. Sur le sens d'*argentum*, voir III, 41 : *usuale argentum.* POSSIDIUS, *Vita Augustini* XXII, 7, rapporte qu'à la table d'Augustin, seules les cuillers étaient d'argent.

MAI 593. INDICTION XI

III, 35

PL et *MGH* : III, 35 – Mai 593

À Pierre, recteur du patrimoine de Campanie, il donne l'ordre de faire envoyer deux ou trois clercs de Naples pour élire un évêque, en apportant avec eux la garde-robe et l'argenterie de l'évêché. Au visiteur Paul, qui désire retourner à l'Église de Nepi, il ordonne de donner cent sous et un jeune esclave.

GRÉGOIRE À PIERRE SOUS-DIACRE DE CAMPANIE

Plus d'une fois notre frère et collègue dans l'épiscopat Paul nous a supplié de le faire revenir dans sa propre Église[1]. Et puisque nous avons reconnu que c'était raisonnable[2], nous avons estimé nécessaire d'accéder à sa demande. Que Ton Expérience rencontre donc le clergé de l'Église de Naples, pour qu'ils ne manquent pas de choisir deux ou trois des leurs et de nous les envoyer ici pour l'élection de l'évêque. Mais qu'ils nous fassent bien remarquer dans leur rapport que ceux qu'ils auront envoyés agissent dans cette élection au nom de tous, afin que cette Église puisse voir son évêque ordonné par la volonté de Dieu. En effet, nous ne supportons pas qu'elle reste plus longtemps sans un chef qui lui soit propre. Si par hasard ils tentent de différer ton ordre d'une façon ou d'une autre, exerce envers eux l'autorité ecclésiastique. Celui-là en effet fera preuve de sa perversité qui ne donnera pas spontanément son accord là-dessus.

Au susdit Paul, notre frère et collègue dans l'épiscopat, tu feras donner pour son travail, aux frais de la même Église, cent sous et un petit esclave orphelin que lui-même aura choisi.

Recommande à ceux qui viendront ici au nom de tous pour élire l'évêque, d'apporter avec eux toute la garde-robe de l'évêché susdit et autant d'argenterie[3] qu'ils jugeront

in usu suo habere possit qui fuerit episcopus ordinatus. Haec uero omnia uiuaciter districteque implere festina, et sub omni huc celeritate electos sicut diximus de clero transmitte, ut, quia diuersi huc nobiles ciuitatis Neapolitanae 25 praesentes sunt, una cum eis de episcopali ordinatione et tractare et adiutore Domino deliberare possimus.

III, 36

GREGORIVS SABINO DEFENSORI SARDINIAE

Quaedam ad aures nostras grauia peruenerunt, quae quoniam canonicam emendationem exspectant, idcirco experientiae tuae praecipimus quatenus, una cum Iohanne notario, omni excusatione postposita, Ianuarium fratrem et 182 5 coepiscopum nostrum summa hic exhibere instantia non omittas, ut eo coram posito, ea quae ad nos perlata sunt subtili ualeant indagatione perquiri. Pompeiana uero atque Theodosia religiosae feminae iuxta postulationem suam si huc uenire uoluerint, uestra eis in omnibus praebete solacia, 10 ut desideria sua uobis queant concurrentibus adimplere.

1. Sabinus, défenseur de Sardaigne : voir *PCBE* 2, « *Savinus* 10 », p. 1979.

2. Jean, notaire : voir *PCBE* 2, « *Iohannes* 81 », p. 1110. ~ Janvier, évêque de Cagliari de 591 à 603 : voir *PCBE* 2, « *Ianuarius* 20 », p. 1030-1035. Cet évêque, par son manque d'autorité, sa faiblesse d'esprit et sa mauvaise santé fut un administrateur désastreux qui causa bien des soucis au pape, comme on le verra ici et dans six lettres du livre IV.

3. Pompeiana : voir *PLRE* III B, p. 1046-1047 et *PCBE* 2, p. 1809-1810. En I, 46 (*SC* 370, p. 230, n. 2), et en I, 61 (*ibid.*, p. 260), il est question des démêlés de cette pieuse femme avec la mère de son défunt gendre, le lecteur Épiphane, mari de sa fille Matrona (son nom est donné en XIV, 2 où la mère est appelée Pomponiana) qui veut faire casser le testament de celui-ci. Cela entrave son projet d'installer un monastère d'hommes dans sa maison de Cagliari : le *monasterium sancti Hermae.* C'est sans doute pour

bon, pour qu'en dispose à son usage celui qui aura été ordonné évêque. Hâte-toi d'accomplir tout cela avec énergie et rigueur, et envoie ici, comme nous l'avons dit, ces élus du clergé en toute hâte afin que, puisque sont présents ici divers nobles de la cité de Naples, nous puissions avec eux nous occuper de l'ordination épiscopale et, Dieu aidant, en délibérer.

III, 36

PL et *MGH* : III, 36 – Mai 593

Au défenseur Sabinus il prescrit de conduire à Rome, avec le notaire Jean, Janvier, évêque de Cagliari, et le prêtre Épiphane accusé de crimes. Qu'il amène avec lui les religieuses Pompeiana et Théodosia, si elles veulent venir, et le très éloquent Isidore.

GRÉGOIRE À SABINUS, DÉFENSEUR DE SARDAIGNE [1]

Certains faits graves sont parvenus à nos oreilles, et comme ils exigent une peine canonique, pour cette raison nous prescrivons à Ton Expérience de ne pas manquer de présenter ici en toute hâte avec le notaire Jean, Janvier, notre frère et collègue dans l'épiscopat [2], tout prétexte mis de côté, pour qu'en sa présence, on soit en mesure de faire une enquête minutieuse sur les faits qui nous ont été rapportés. Si les religieuses Pompeiana et Théodosia veulent, comme elles le demandent, venir ici, apportez-leur votre aide en toutes choses pour qu'elles puissent réaliser leur désir avec votre concours [3]. Ayez surtout à cœur par tous

traiter de cette affaire qu'elle désire voir le pape. ~ Théodosia : voir *PLRE* III B, p. 1290 et *PCBE* 2, p. 2180. Sur ses difficultés pour construire un monastère selon le désir de son époux défunt, voir IV, 8. On ne voit pas quel lien ont entre elles ces deux femmes, sinon qu'elles désirent fonder chacune un monastère et ont besoin pour cela de l'appui du pape.

Praecipue autem Isidorum eloquentissimum sicut petiit studii uestri sit per omnia uobiscum adducere, ut causae eius qualitas quam contra ecclesiam Caralitanam habere dinoscitur interius trutinata legalem ualeat finem accipere.
15 Praeterea quoniam aliqua nobis de persona Epiphanii presbyteri facinora nuntiata sunt, necesse est ut cuncta diligentius perscruteris, et seu mulieres cum quibus perisse dicitur, seu alios quos de causa eadem scire aliquid senseris, hic pariter festines adducere, quatenus ecclesiasticae districtioni
20 liquide possint aperiri quae uera sunt. Haec uero omnia ita efficaciter utrique curabitis adimplere, ut nulla te de neglecto culpa respiciat, scientes ad uestrum omnimodo pertinere periculum, si haec nostra quoquomodo fuerit lentata praeceptio.

III, 37

GREGORIVS LIBERTINO PRAETORI SICILIAE

Ab ipso administrationis exordio Deus uos in causae suae uoluit uindicta procedere et hanc uobis mercedem propitius

4. Isidore : voir *PCBE* 2, « *Ysidorus* », p. 2372. La lettre II, 41 d'août 592 (*SC* 371, p. 406), dit que cet Isidore a été excommunié et anathématisé par Janvier de Cagliari pour l'avoir injurié. Grégoire trouva excessive cette sentence de Janvier. Maintenant qu'il se dispose à juger l'évêque, il souhaite entendre tous ceux qui ont à se plaindre de ses agissements. ~ *Eloquentissimus,* ou *uir eloquentissimus*, n'est pas une épithète, mais un titre officiel. P. GOUBERT, *Byzance et l'Occident,* p. 53, n. 191, précise que « tous les *scholastici* étaient *uiri eloquentissimi* ». Est-ce une indication sur les fonctions de cet Isidore ?

5. Épiphane, prêtre de Cagliari : voir *PCBE* 2, « *Epiphanius* 22 », p. 653. Il fut reconnu innocent des accusations portées contre lui, comme le pape le dit en mai 594 dans une lettre (IV, 24) à Janvier de Cagliari.

6. *Vtrique* désigne Sabinus et Épiphane lui-même.

1. Libertinus, *praetor Siciliae* de mai 593 à 598 : voir *PLRE* III B, p. 792 ; *PCBE* 2, « *Libertinus* 3 », p. 1303-1305. La Sicile ne dépendait ni de l'exarque de Ravenne, ni de celui de Carthage, mais était administrée par un préteur. En 600, Libertinus, malgré les témoignages en sa faveur de ses anciens administrés, fut convaincu de fraude sur les biens publics par l'ex-consul Léontius, chargé

les moyens d'amener avec vous le très éloquent Isidore[4], comme il l'a demandé, pour que la nature du procès qu'il a, comme l'on sait, contre l'Église de Cagliari puisse, après un examen au fond, recevoir une conclusion légale.

Comme en outre certains actes nous ont été signalés à propos de la personne du prêtre Épiphane[5], il est nécessaire que tu t'enquières de tout avec grande diligence, et que tu te hâtes de faire conduire également ici soit les femmes avec lesquelles il est, dit-on, allé à sa perte, soit d'autres personnes que tu auras découvert être au courant de la même affaire, afin que la vérité puisse apparaître clairement à la rigueur ecclésiastique. Vous aurez soin tous les deux[6] de remplir toutes ces obligations d'une manière efficace, pour qu'aucune faute de négligence ne se retourne contre toi, sachant que de toutes manières il y a péril pour vous si d'une façon ou d'une autre l'exécution de notre présent mandement subit quelque retard.

III, 37

PL : III, 38 et *MGH* : III, 37 – Mai 593

Il exhorte Libertinus, préteur de Sicile, à punir très rigoureusement le juif Nasas qui trompe les chrétiens par une séduction sacrilège et achète des esclaves chrétiens, ce que Justin corrompu par de l'argent a négligé de châtier. Qu'il rende la liberté aux esclaves chrétiens.

GRÉGOIRE À LIBERTINUS PRÉTEUR DE SICILE[1]

Dès le début de votre administration, Dieu a voulu que vous progressiez dans la défense de sa cause et c'est la grâce

par l'empereur d'une enquête administrative en Sicile. Il fut flagellé. Grégoire protesta contre cette peine frappant un homme libre (XI, 4 ; *CCL* 140 A, p. 862, li. 15). C'est à cette occasion qu'il énonça la distinction célèbre entre les rois des nations « maîtres d'esclaves » et l'empereur des Romains « maître d'hommes libres ». Sur cette formule, reprise trois ans plus tard dans une lettre à Phocas, voir M. REYDELLET, *La royauté*, p. 459-462.

cum laude seruauit. Fertur siquidem quod Nasas, quidam sceleratissimus Iudaeorum, sub nomine beati Heliae altare
183 5 punienda temeritate construxerit multosque illic Christianorum ad adorandum sacrilega seductione deceperit. Sed et Christiana ut dicitur mancipia comparauit et suis ea obsequiis ac utilitatibus deputauit. Dum igitur seuerissime in eum pro tantis facinoribus debuisset ulcisci, gloriosus Iustinus,
10 medicamento auaritiae ut nobis scriptum est delinitus, Dei distulit iniuriam uindicare. Gloria autem uestra haec omnia districta examinatione perquirat, et si huiuscemodi manifestum esse reppererit, ita districtissime ac corporaliter in eundem sceleratum festinet uindicare Iudaeum, quatenus
15 hac ex causa et gratiam sibi Dei nostri conciliet, et his se posteris pro sua mercede imitandum monstret exemplis. Mancipia autem Christiana quaecumque eum comparasse patuerit ad libertatem iuxta legum praecepta sine ambiguitate perducite, ne, quod absit, Christiana religio Iudaeis subdita
20 polluatur. Ita ergo omnia districtissime et sub omni festinatione corrigite, ut non solum pro hac uobis disciplina gratias referamus, sed et testimonium de bonitate uestra ubi necesse fuerit praebeamus.

2. Nasas : voir *PCBE* 2, p. 1532. On a sans doute affaire au culte d'un faux saint, comme le faux martyr démasqué par Martin (SULPICE SÉVÈRE, *Vita sancti Martini Turonensis* 11) plutôt que d'une vénération du grand prêtre de 1 R 2, 12 – 4, 22.

3. *Suis obsequiis ac utilitatibus* précise bien que la faute de ce juif est d'avoir acheté des esclaves chrétiens pour les mettre à son service personnel. Cette précision est importante : voir *infra* IV, 21, notes 3 et 4.

4. Justin, *praetor Siciliae* de 590 à 593, prédécesseur de Libertinus : voir *PLRE* III A, « *Iustinus* 8 », p. 756-757 ; *PCBE* 2, « *Iustinus* 5 », p. 1216-1217. Dès le début de son mandat, Grégoire le mit en garde contre son penchant au lucre (I, 2 ; *SC* 370, p. 72).

que dans sa bienveillance il vous a réservée avec la gloire. Or on rapporte que Nasas, qui est bien le plus scélérat des juifs, par une témérité punissable, a édifié un autel sous le vocable du bienheureux Élie, et par une séduction sacrilège a trompé beaucoup de chrétiens pour qu'ils y fassent l'adoration[2]. Il a aussi, dit-on, acheté des esclaves chrétiens et les a assignés à son service et à son usage[3]. Le glorieux Justin, alors donc qu'il aurait dû sévir très rigoureusement contre lui pour de si grands crimes, gagné par la drogue de la cupidité, comme on nous l'a écrit, a différé de châtier l'injure faite à Dieu[4]. Que Votre Gloire s'informe donc[5] sur tout cela par une enquête rigoureuse, et si elle trouve qu'il en est manifestement ainsi, qu'elle se hâte d'infliger un châtiment corporel très rigoureux à ce juif scélérat, de sorte que, de ce fait, elle se concilie la grâce de notre Dieu, et que, pour sa récompense, elle se montre à la postérité, par ces exemples, comme un modèle. Quant aux esclaves chrétiens, à tous ceux qu'il sera évident qu'il les a achetés, faites donner la liberté, comme l'ordonnent les prescriptions légales, sans contestation, de peur que – ce qu'à Dieu ne plaise – la religion chrétienne ne soit souillée par la soumission à des juifs[6]. Ainsi donc corrigez tout cela très rigoureusement et en toute hâte, pour que non seulement nous vous rendions grâce pour cette application du droit, mais aussi pour que nous rendions témoignage de vos qualités, lorsque ce sera nécessaire.

5. Sur le sens d'*autem*, avec valeur d'opposition affaiblie, simple particule de liaison, voir E. LÖFSTEDT, *Philologischer Kommentar*, p. 33, qui renvoie à *TLL* 2, col. 1588.

6. *Cod. Theod.* III, 1, 5 ; XVI, 9, 2 (*SC* 497, p. 420), loi reprise par *Cod. Iust.* I, 10. Voir *infra* IV, 21, note 3. ~ La fin de la phrase exprime la crainte du prosélytisme juif auprès de leurs esclaves chrétiens. La loi I, 10 de Justinien condamne d'ailleurs, à la suite de *Cod. Theod.* XVI, 9, 2, le fait de circoncire un esclave comme passible de la peine de mort.

III, 38

GREGORIVS VNIVERSIS EPISCOPIS CORINTHIIS

Desiderii nostri est ad concordiam redire discordes, et unitos esse in gratia eos, quos diuisos ab alterutra dilectione uoluntatis facit esse diuersitas. Scripta igitur fraternitatis uestrae relegentes, agnouimus quod hi, qui contra
5 Hadrianum fratrem et coepiscopum nostrum aliqua dixerant, modo cum eodem episcopo in amicitiam conuenissent, et magna nobis ad praesens facta est de eorum unitate laetitia. Sed quoniam ea quae dicta sunt indiscussa remanere non patimur, sedis nostrae diaconem ad ea inuesti-
10 ganda dirigimus, quia nuntiati nos facinoris qualitas
184 uehementer impellit, ut ea quae audiuimus dissimulare nullatenus debeamus. Praesertim cum accusatores et accusatum inter se fecisse gratiam indicastis, hoc nobis necesse est subtilius perscrutari, ne fortasse eorum sit comparata
15 concordia. Quae si, quod absit, non ex caritate sed ex praemio facta constiterit, maiori hoc emendatione plectendum est. Nam nos qui canonice reuelante Deo mala, si quidem uera sunt, resecare praecedentia festinamus, commissam postmodum culpam sine uindicta nulla ratione
20 dimittimus.

1. Voir III, 6.

III, 38

PL : III, 39 et *MGH* : III, 38 – Mai 593

Aux évêques suffragants de l'archevêque de Corinthe il annonce qu'il envoie un diacre du siège romain pour enquêter sur le crime reproché à Hadrien, évêque de Thèbes, bien que les accusateurs se soient réconciliés avec lui.

Grégoire à tous les évêques de Corinthe

C'est notre désir que ceux qui sont en désaccord reviennent à la concorde, et que vivent en bonne intelligence, ceux qu'une divergence de sentiments sépare de la dilection mutuelle. En lisant la lettre de Votre Fraternité, nous avons appris que ceux qui avaient parlé contre Hadrien, notre frère et collègue dans l'épiscopat[1], sont maintenant revenus en termes d'amitié avec ce même évêque, et nous avons eu à présent une grande joie de leur accord. Mais comme nous n'admettons pas que les propos qui ont été tenus restent sans éclaircissement, nous envoyons un diacre de notre siège pour les examiner, parce que la qualification du crime révélé nous pousse fortement à ne devoir en aucune façon fermer les yeux sur ce que nous avons entendu dire. Surtout, comme vous avez indiqué qu'accusateurs et accusé avaient fait la paix entre eux, il nous faut examiner la chose plus minutieusement, de peur que par hasard la concorde entre eux n'ait été achetée. Or si – ce qu'à Dieu ne plaise – il apparaît qu'elle a été acquise non par la charité mais par l'argent, cela doit être frappé d'une assez forte réprimande. En effet nous qui nous hâtons, éclairé par Dieu, de retrancher canoniquement les maux passés, si évidemment ils sont vérifiés, nous ne laissons pour aucun motif sans punition une faute commise ensuite.

MENSE IVNIO INDICTIONE XI

III, 39

GREGORIVS PETRO SVBDIACONO CAMPANIAE

Ante aliquot tibi dies scripsimus ut Numerium diaconem Nucerinae ecclesiae interrogare subtiliter debuisses et, si nihil esset quod ei ad sacerdotii gradum potuisset obsistere, hic eum consecrandum Deo auctore transmitteres. Et ideo si, facta interrogatione quam diximus, suprascriptum ad nos diaconem transmissurus es, clerum et populum ciuitatis ipsius admonere curabis, ut cum eo quanticumque potuerint uenire non differant, quatenus et eis praesentibus, si Deo placuerit et ordinandus fuerit, consecretur.

Praeterea quia Felix defensor puellam nomine Catellam habere dicitur, quae cum magnis lacrimis et uehementi desiderio habitum conuersationis appetit, sed eam praefatus dominus suus conuerti minime permittit, proinde uolumus ut experientia tua praefatum Felicem uideat atque puellae eiusdem animum sollicite requirat. Et si ita cognouerit, pretium eiusdem puellae suo domino praebeat, et eam hic in monasterio dandam cum personis grauibus Domino auxiliante transmittat. Ita uero haec age, ut non per lentam actionem tuam praefatae puellae anima detrimentum aliquod in desiderio suo sustineat.

1. Numerius : voir *PCBE* 2, « *Numerius* 2 », p. 1545. Contrairement à ce qu'affirme cette notice ainsi que la notice sur Pierre, « *Petrus* 70 », p. 1768, il n'est pas précisé dans cette lettre que Numerius a été élu au siège de Nocera. Il pourrait s'agir d'un candidat souhaité par le pape et recommandé par lui. D'où l'insistance sur la nécessité de faire accompagner le candidat à Rome pour son ordination par le plus grand nombre de membres du clergé et du peuple de Nocera. On ne sait si finalement Numerius fut évêque de Nocera. En octobre 598 (IX, 45), l'évêque de cette ville est Primenius.

2. Félix, défenseur de Campanie : voir *PCBE* 2, « *Felix* 69 », p. 806 et T.S. BROWN, *Gentlemen and Officers*, p. 17.

JUIN 593. INDICTION XI

III, 39

PL : III, 40 et *MGH* : III, 39 – Juin 593

Il donne ordre à Pierre, recteur du patrimoine de Campanie, d'envoyer à Rome Numerius, diacre de Nocera, pour être consacré, s'il semble digne de l'épiscopat ; qu'il rachète à son maître l'esclave Catella qui désire se retirer dans un monastère.

Grégoire à Pierre sous-diacre de Campanie

Nous t'avons écrit, il y a quelques jours, de te faire un devoir de soumettre Numerius, diacre de l'Église de Nocera[1], à un interrogatoire minutieux, et, s'il n'y avait rien qui pût l'empêcher d'accéder à l'ordre épiscopal, de l'envoyer ici pour le faire consacrer, par la volonté de Dieu. Si donc, après l'interrogatoire dont j'ai parlé, tu t'apprêtes à nous envoyer le diacre susdit, tu prendras soin d'avertir le clergé et le peuple de cette cité, de ne pas tarder à venir avec lui aussi nombreux que possible, pour qu'il soit consacré en leur présence, s'il plait à Dieu, et s'il doit être ordonné.

D'autre part, comme le défenseur Félix[2] a, dit-on, une esclave du nom de Catella qui aspire avec force larmes et un très grand désir à l'état religieux, mais comme son maître susdit ne lui permet pas d'être religieuse, pour cette raison, nous voulons que Ton Expérience aille voir le susdit Félix et s'assure soigneusement de l'intention de cette même jeune fille. Si Ton Expérience trouve qu'il en est ainsi, qu'elle offre l'argent du rachat de cette esclave à son maître et qu'elle l'envoie ici avec des personnes respectables pour qu'elle soit donnée, avec l'aide du Seigneur, à un monastère. Fais cela de manière que l'âme de la susdite esclave ne souffre aucun dommage quant à son désir, du fait de la lenteur de ton action.

III, 40

GREGORIVS PANTALEONI NOTARIO

Questus nobis est Euangelus, Sipontinae ecclesiae diaconus, filiam suam a Felice fuisse, quod dici nefas est, stupratam. Pro qua re huius praecepti auctoritate suffultus ad Sipontinam ciuitatem te proficisci necesse est et, adhibitis tibi sapien-
5 tibus illic uiris, cum omni subtilitate ueritatem curabis addiscere. Et si ita reppereris, eam quam stuprauit aut uxorem, factis nuptialibus instrumentis, accipiat, aut corporaliter castigatum in monasterio eum priuatum communione, ubi paenitentiam peragat, dare festinabis, ita
10 ut nulla exinde ei sit quoquomodo egrediendi licentia, nisi hoc nostra permiserit fortasse praeceptio.

Praeterea quia suprascriptus diaconus de hostibus se redemptum ac propterea debitum habere commemorat, ideoque si talem eius substantiam non esse cognoueris, quae
15 ad reddendum ipsum debitum possit sufficere, Felici fratri

1. Pantaléon, notaire : voir *PCBE* 2, « *Pantaleo* 1 », p. 1585-1587. Homme de confiance du pape qui le chargea de missions en Sicile en 598 (VIII, 26 ; IX, 19) et en 603 (XIII, 35). Est-ce le même Pantaléon, notaire lui aussi, que Grégoire envoya à Milan et à Gênes (XI, 6 et 14) ? D. Norberg, dans son *Index nominum (CCL* 140 A, p. 1156), les distingue. Comme on le voit par la lettre 41, il était ici accompagné du notaire Boniface. ~ Les lettres 40 à 45 nous transportent dans les évêchés d'Apulie et de Calabre, à Sipontum (40-42), à Reggio (43) et à Tarente (44-45). On y découvre les désordres provoqués par l'isolement de cette région et l'indignité de certains évêques. Voir S. GASPARRI, « Gregorio Magno e l'Italia meridionale » et J.-M. MARTIN, *La Pouille,* p. 154-160, qui décrivent la situation sociale et morale de la région et montrent qu'on observe une décadence sociale et économique qui résultait non seulement de l'invasion lombarde, mais aussi d'une baisse démographique et de la corruption des fonctionnaires byzantins.

2. Sipontum est en Apulie au bord de l'Adriatique, au sud du mont Gargano, aujourd'hui Santa-Maria-di-Siponto, près de Manfredonia. ~ Cette lettre et les deux suivantes ainsi que IV, 17 sont un témoignage de la situation d'une ville restée sous l'autorité impériale dans une région dominée par les Lombards. J.-M. MARTIN, *La Pouille*, p. 148-149, insiste sur l'isolement de

III, 40

PL : III, 41 et *MGH* : III, 40 – Juin 593

Il donne ordre au notaire Pantaléon d'aller à Sipontum et de contraindre un certain Félix à épouser, s'il l'a séduite, la fille du diacre Evangelus ; s'il refuse, qu'il l'excommunie et le remette à un monastère ; qu'il invite Félix, évêque de Sipontum, à rendre au diacre Evangelus l'argent avec lequel il s'est racheté des ennemis.

GRÉGOIRE AU NOTAIRE PANTALÉON [1]

Evangelus, diacre de l'Église de Sipontum, s'est plaint à nous que sa fille, on ose à peine le dire, a été séduite par Félix[2]. Pour cela, t'appuyant sur l'autorité de cette ordonnance, il est nécessaire que tu te rendes à la cité de Sipontum et, t'y adjoignant des hommes sages, tu t'emploieras à connaître la vérité avec une totale minutie. Et si tu trouves qu'il en est ainsi, qu'il prenne comme épouse, après constitution du contrat de mariage, celle qu'il a séduite, ou bien tu te hâteras, après l'avoir châtié corporellement, de l'envoyer, privé de la communion, dans un monastère, où il fera pénitence, de telle manière qu'il n'ait dans la suite en aucune façon la permission d'en sortir, excepté au cas où un mandement de notre part le lui aura permis.

De plus, comme le diacre nommé plus haut[3] rappelle qu'il a été racheté de l'ennemi et qu'il s'est de ce fait endetté, si donc tu as la preuve que sa fortune n'est pas telle qu'elle puisse suffire à le libérer de sa dette, nous te

la ville qui ne peut communiquer facilement avec Rome ou Otrante que par mer. ~ Félix, ainsi que le précise la lettre III, 42, était le neveu de Félix, évêque de Sipontum : voir *PCBE* 2, « *Felix* 64 », p. 803-804.

3. Il s'agit d'Evangelus cité au début de la lettre. *PCBE* 2, « *Euangelus* 2 », p. 662-663, suppose que l'absence d'Evangelus prisonnier des Lombards a permis à Félix d'abuser de sa fille.

186 et coepiscopo nostro te imminere praecipimus ut eius pretium de ecclesia dare non differat, quatenus suprascriptus Euangelus sine tarditate aliqua a debiti possit necessitate cui est suppositus liberari.

III, 41

GREGORIVS FELICI EPISCOPO SIPONTINO

Propositi nostri nos sollicitudo uehementer astringit, ut ita rerum ecclesiasticarum, Deo auxiliante, debeamus prouidere cautelam, quatenus nulla in eis possit euenire de neglecto iactura. Proinde fraternitas tua una cum Bonifatio 5 necnon et Pantaleone latore praesentium, sedis nostrae notariis, res ecclesiarum quae apud Sipontinam esse noscuntur ecclesiam curet subtiliter singulas quasque describere, ut tam ministeria ecclesiarum, quam etiam usuale argentum uel quicquid illud est, isdem breuis a uobis conscriptus, 10 ueraciter rerum facta inspectione, contineat. Nec quandam ad hoc moram uel excusationem fraternitas tua temptet adducere, sed omni excusatione cessante, haec quae a nobis iniuncta sunt modis omnibus implere festina, eundemque nobis breuem manu tua subscriptum per ante dictum

4. Félix, évêque de Sipontum : voir *PCBE* 2, « *Felix* 64 », p. 803-804. Les quatre lettres (III, 40-42 et IV, 17) qui le concernent traitent de l'inconduite de son neveu et de son peu de zèle à soulager les embarras de ses clercs, Evangelus et Tribunus, qui ont payé une rançon aux Lombards.

1. Si l'on suit la leçon *praepositi* adoptée par Norberg, ce terme désigne le notaire Pantaléon. Cela surprend, car c'est plutôt un mot du vocabulaire monastique (voir *supra* III, 3, note 2) que de la curie pontificale. La correction *propositi* de *R*1[c] et *r*2[c] n'est donc pas impossible et elle est adoptée par Ewald. Il semble naturel de voir rappeler ici ce qui relève de la charge du pape, de sa mission, plutôt que cette platitude selon laquelle le pape est lié (*astringit*) par le zèle d'un subordonné. Cf. par exemple le début de III, 21 : *officii nostri est* ; III, 38 : *desiderii nostri est.* V. Recchia (éd. *Lettere*, t. 1, p. 447), conserve le texte de Norberg, mais il traduit : « La sollecitudine della nostra condizione… ».

prescrivons de presser Félix, notre frère et collègue dans l'épiscopat[4], d'en donner sans tarder le montant en prenant sur l'Église, pour que le dit Evangelus puisse, sans plus tarder, se libérer de la contrainte de la dette à laquelle il est assujetti.

III, 41

PL : III, 42 et *MGH* : III, 41 – Juin 593

Il ordonne à Félix, évêque de Sipontum, de faire l'inventaire des biens ecclésiastiques qui se trouvent à Sipontum en compagnie de Pantaléon et Boniface, notaires du Siège apostolique, et de le transmettre par l'intermédiaire de Pantaléon.

GRÉGOIRE À FÉLIX ÉVÊQUE DE SIPONTUM

Le souci de notre charge[1] nous engage fortement à devoir, avec l'aide de Dieu, veiller à la protection des biens ecclésiastiques, de sorte qu'aucun dommage ne leur puisse survenir par négligence. Ainsi donc, que Ta Fraternité en compagnie de Boniface et du porteur des présentes Pantaléon[2], notaires de notre siège, prenne soin de décrire avec minutie, un par un, chacun des biens des églises que l'on sait relever de l'Église de Sipontum afin qu'un même document rédigé par vous, après inspection des biens faite avec véracité, contienne aussi bien les vases sacrés des églises que l'argenterie pour l'usage ordinaire et toute chose de ce genre. Et que Ta Fraternité n'essaie pas d'apporter à cela quelque délai ou excuse, mais, toute excuse cessante[3], hâte-toi d'accomplir par tous les moyens ce qui t'est enjoint par nous, et fais-nous remettre ce document signé de ta main

2. Boniface, notaire romain : voir *PCBE* 2, « *Bonifatius* 33 », p. 340. ~ Sur Pantaléon, voir *supra* III, 40, note 1.

3. *Omni excusatione cessante* : sur ce type de formule amplifiée, au lieu d'un simple *sine excusatione*, voir D. NORBERG, « Style personnel et style administratif dans le *Registrum epistularum* de saint Grégoire le Grand », dans *Grégoire le Grand, Colloque de Chantilly*, p. 491.

Pantaleonem transmitte, quatenus quid de hoc fieri debeat salubriter diuina possimus gratia suffragante disponere.

III, 42

GREGORIVS FELICI EPISCOPO SIPONTINO

Exspectabamus fraternitatem tuam sua aliquos ad Deum praedicatione conuertere et male agentes ad rectitudinem reuocare. Qua de re nimis contristamur, quia e diuerso in nepotis tui Felicis prauitate tua euidenter qui talem nutristi culpa monstrata est. Peruenit itaque ad nos quod suprascriptus Felix Euangeli diaconis tui filiam stupro deceperit. Quod si uerum est, quamuis graui esset de lege poena plectendus, nos tamen aliquatenus legis duritiam mollientes huiuscemodi <praeuidimus> disponendum, id est ut aut eam quam stuprauit uxorem habeat, aut certe si rennuendum putauerit districtius ac corporaliter castigatus excommunicatusque in monasterio, ubi paenitentiam peragat, retrudatur, de quo ei nulla sit egrediendi sine nostra praeceptione licentia. Ita ergo fraternitas tua ut haec compleantur studeat, quatenus nihil de his aliquo modo possit omitti. Nam si quid, quod non credimus, lentatum fuerit, et illi graue postea periculum imminebit, et te non leuis incipiet culpa respicere.

1. Sur *rectitudo*, voir *supra* III, 2, note 2.

2. Dans *Reg. past.* II, 6 (*SC* 381, p. 214, li. 165), Grégoire rappelle que le grand prêtre Éli a été condamné « pour n'avoir pas voulu frapper ses fils coupables », selon 1 S 2, 29 et 4, 18.

3. Un tel crime était passible de la peine de mort selon *Cod. Iust.* IX, 13 et l'*interpretatio* de la *Nou.* CXLIII.

par le susdit Pantaléon, de sorte que nous puissions, avec l'aide de la grâce divine, régler de façon salutaire ce qui doit être fait à ce sujet.

III, 42

PL : III, 43 et *MGH* : III, 42 – Juin 593

À Félix, évêque de Sipontum, au sujet de son neveu Félix qui a séduit la fille du diacre Evangelus, il donne ordre qu'il la prenne pour femme ou qu'après excommunication il fasse pénitence dans un monastère.

GRÉGOIRE À FÉLIX ÉVÊQUE DE SIPONTUM

Nous attendions de Ta Fraternité que sa prédication ramène quelques personnes à Dieu et rappelle à la rectitude ceux qui agissent mal[1]. C'est pourquoi nous sommes très contristés de voir que, au contraire, la dépravation de ton neveu Félix a manifesté avec évidence ta culpabilité, toi qui l'as élevé ainsi[2]. Il est venu à notre connaissance, en effet, que le susdit Félix a débauché et séduit la fille de ton diacre Evangelus. Si cela est vrai, bien qu'il soit passible, en vertu de la loi, d'une lourde peine, cependant, adoucissant un peu la dureté de la loi[3], nous avons prévu de prendre les dispositions suivantes : ou bien qu'il prenne pour épouse celle qu'il a séduite, ou, s'il pense devoir refuser, qu'il soit châtié plus rigoureusement et corporellement, et que, excommunié, il soit enfermé dans un monastère où il fasse pénitence, et d'où aucune permission ne lui sera donnée de sortir sans notre mandement. Ainsi donc que Ta Fraternité s'applique à ce que tout cela soit exécuté, de sorte que rien n'en puisse être omis de quelque façon. Car si – ce que nous ne croyons pas – quelque retard y est apporté, un lourd péril le menacera et une culpabilité non légère commencera à retomber sur toi.

188

III, 43

GREGORIVS BONIFATIO EPISCOPO REGITANO

Sicut ecclesia proprias res amittere non debet, ita eam rapacitatis ardore alienas inuadere non oportet. Stephania siquidem latrix praesentium quasdam res suas temporibus decessoris tui Lucii, quondam episcopi, ab actoribus eius
5 ui queritur occupatas. Et quia sibi eas petiit, iustitia fauente, debere restitui, propterea fraternitas tua cum Dei timore haec quae asserit subtiliter curet addiscere. Et si ita quemadmodum suprascripta femina ait esse reppererit, quaeque male tulta sunt faciat sine aliquo damno uel dilatione res-
10 titui. Nam ualde durum est res alienas contra rationem ecclesiam detinere. Ita ergo querimoniam praefatae mulieris salubriter finire festina, ut nec nos exinde denuo molestiam patiamur, nec te auarum uel desidiosum haec causa demonstret.

1. Sur Boniface, évêque de Reggio, voir *supra* III, 4, note 1.
2. Stéphanie : voir *PCBE* 2, « *Stephania* 2 », p. 2106-2107.

III, 43

PL : III, 44 et *MGH* : III, 43 – Juin 593

Il prescrit à Boniface, évêque de Reggio, de faire restituer à Stéphanie les biens qui lui ont été illégalement enlevés par les agents de son prédécesseur Lucius.

Grégoire à Boniface évêque de Reggio[1]

De même qu'une Église ne doit pas perdre ses biens propres, de même il ne faut pas que, sous le feu de la rapacité, elle s'empare de ceux d'autrui. Or Stéphanie, la porteuse des présentes[2], se plaint de ce que, à l'époque du défunt évêque Lucius ton prédécesseur[3], les agents de celui-ci se sont emparés, par la force, de quelques-uns de ses biens. Et parce qu'elle a demandé au nom de la justice qu'ils lui soient restitués, que Ta Fraternité prenne donc soin, dans la crainte de Dieu, de vérifier minutieusement ce qu'elle affirme. Et si elle constate qu'il en est comme le déclare ladite femme, qu'elle fasse restituer sans dommage ni retard tout ce qui a été injustement enlevé. Car il est très grave qu'une Église retienne sans raison les biens d'autrui. Ainsi donc hâte-toi de mettre un terme à la plainte de cette femme de façon salutaire afin que nous n'en souffrions plus d'ennui, et que d'autre part, cette affaire ne démontre pas que tu es cupide ou négligent.

3. Lucius, évêque de Reggio : voir *PCBE* 2, « *Lucius* 5 », p. 1335.

III, 44

GREGORIVS ANDREAE EPISCOPO TARENTINO

Tribunal iudicis aeterni securus aspiciet quisquis reatus sui conscius digna eum modo paenitentia placare contendit. Habuisse te siquidem concubinam manifesta ueritate comperimus, de qua etiam contraria est quibusdam nata suspicio. Sed quia in rebus ambiguis absolutum non debet esse iudicium, hoc conscientiae <tuae> elegimus committendum. Qua de re si in sacro ordine constitutus eius te permixtione esse recolis maculatum, sacerdotii honore deposito, ad administrandum nullomodo praesumas accedere, sciturus in animae tuae periculo ministrare et Deo nostro te sine dubio reddere rationem, si huius sceleris conscius in eo quo es ordine, celans ueritatem, permanere uolueris. Vnde iterum adhortamur ut, si te deceptum hostis antiqui calliditate cognoscis, competenti eum dum licet paenitentia superare festines, ne cum eo particeps, quod non optamus, in die iudicii deputeris. Si uero huius reatus tibi conscius non es, in eo te necesse est quo es ordine permanere.

Praeterea quoniam mulierem de matriculis contra ordinem sacerdotii caedi crudeliter fustibus deputasti, quam

1. André, évêque de Tarente : voir *PCBE* 2, « *Andreas* 16 », p. 132.

2. Comme la suite l'indique, il s'agit de savoir s'il a eu des relations avec cette concubine avant ou après son ordination, voir début de la lettre suivante. La lettre III, 45 montre qu'il avait bien eu une concubine avant son ordination. Mais l'avait-il gardée après ? En tout cas, il fut sans doute déposé, car il n'est plus question de cet évêque après cette lettre.

3. C'est-à-dire le diable, voir Ap 12, 9 et 20, 2 : *serpentem antiquum qui est diabolus et Satanas.* ~ Pour *calliditate*, voir *supra* III, 20, note 3.

4. Sur cette institution charitable, voir M. ROUCHE, « La matricule des pauvres. Évolution d'une institution de charité du Bas-Empire jusqu'à la fin du haut Moyen Âge », dans *Études sur l'histoire de la pauvreté (Moyen Âge-XVIe siècle),* dir. M. MOLLAT, Publications de la Sorbonne, *Études* 8, Paris 1974, p. 87-110.

III, 44

PL : III, 45 et *MGH* : III, 44 – Juin 593

Il ordonne à André, évêque de Tarente, de se démettre, s'il a eu commerce avec une concubine après avoir déjà été établi dans les saints ordres ; pour avoir ordonné de bâtonner une femme des registres d'assistance, qu'il s'abstienne pendant deux mois de célébrer la messe.

GRÉGOIRE À ANDRÉ ÉVÊQUE DE TARENTE[1]

Il regardera sans trouble le tribunal du Juge éternel, tout homme qui, conscient de sa culpabilité, s'est efforcé de l'apaiser immédiatement par une digne pénitence. Or nous découvrons comme une vérité manifeste que tu as eu une concubine et, de plus, à son sujet, des soupçons contradictoires se sont fait jour chez certains[2]. Mais comme on ne doit pas porter un jugement irrévocable sur des choses incertaines, nous avons choisi de remettre la chose à ta conscience. C'est pourquoi, si tu te rappelles t'être souillé par l'union avec elle après avoir été établi dans l'ordre sacré, démets-toi de l'honneur épiscopal et ne te permets en aucune façon d'exercer le ministère, sachant que ce sera au péril de ton âme que tu exerceras le ministère et que tu rendras compte sans aucun doute à notre Dieu si, coupable de ce crime, tu veux demeurer dans l'ordre où tu es, en cachant la vérité. C'est pourquoi nous t'exhortons de nouveau : si tu sais que tu as été trompé par la ruse de l'antique ennemi[3], hâte-toi de le vaincre, tant que c'est possible, par une pénitence convenable, de peur que tu ne sois, au jour du Jugement, compté comme ayant part avec lui, ce que nous ne souhaitons pas. Mais si tu n'es pas coupable de cette faute, il est nécessaire que tu demeures dans l'ordre où tu es.

D'autre part, parce que tu as cruellement livré à la bastonnade une femme des registres d'assistance[4] contre la règle du sacerdoce, et, bien que nous ne pensions pas que

licet post octo menses exinde minime arbitremur fuisse defunctam, tamen quia ordinis tui habere noluisti respectum, propterea duobus te mensibus ab administratione missarum statuimus abstinere. In quibus ab officio tuo suspensus flere
25 te conuenit quod fecisti. Nam ualde dignum est ut, postquam te ad uitae istius tranquillam rectitudinem laudabilium sacerdotum exempla non prouocant, saltim correptionis medicina compellat.

III, 45

GREGORIVS IOHANNI EPISCOPO CALLIOPOLITANO

Ex gestis, quae ad nos fraternitas tua direxit, inuentum est Andream fratrem et coepiscopum nostrum habuisse sine
190 dubio concubinam. Sed quia incertum est si eam in sacro ordine constitutus contigerit, necesse est ut eum sollicita
5 adhortatione commoneas, et si positus in sacro ordine cum ea se nouit immixtum, ab eo quo est officio quiescat et nullatenus administrare praesumat. Qui si forte, conscius sibi huius rei, peccatum suum supprimens administrare praesumpserit, animae suae periculum diuino iudicio
10 imminere cognoscat.

Matriculam uero, quam fecit fustibus castigari, quamuis exinde post octo menses obisse non credimus, tamen quia eam contra propositi sui ordinem huiusmodi fecit affligi, duobus hunc mensibus a missarum sollemnitate suspende,

1. Jean, évêque de Gallipoli : voir *PCBE* 2, « *Iohannes* 83 », p. 1110-1111. Il mourut avant novembre 595 (VI, 21). ~ Gallipoli, en Apulie, sur le golfe de Tarente. C'était avec Sipontum et Otrante l'une des trois villes de la côte sous autorité impériale qui gardaient de l'importance, selon J.-M. MARTIN, *La Pouille*, p. 153-154. La lettre IX, 205 nous apprend que le *castrum* fortifié – « qui semble s'identifier à la cité même », écrit J.-M. MARTIN, *La Pouille*, p. 155 – est propriété de l'Église : *Ecclesiae nostrae … proprium*.

c'est de cela qu'elle soit morte dans les huit mois, cependant, puisque tu n'as pas voulu avoir égard à ton ordre, nous décidons que tu t'abstiendras pendant deux mois de la célébration des messes. Pendant ce temps, suspens de ton office, il convient que tu pleures ce que tu as fait. Car il est tout à fait juste que, puisque les exemples des évêques dignes de louange ne t'ont pas incité à la rectitude tranquille de cette vie, du moins le remède d'une remontrance t'y contraigne.

III, 45

PL : III, 46 et *MGH* : III, 45 – Juin 593

Il charge Jean, évêque de Gallipoli, d'ordonner à André, évêque de Tarente, de se démettre, s'il a eu commerce avec une concubine après avoir été installé dans les saints ordres ; qu'il l'oblige à s'abstenir des fonctions sacrées pendant deux mois, pour avoir puni de la bastonnade une femme des registres d'assistance ; qu'il vienne en aide à des clercs maltraités.

Grégoire à Jean évêque de Gallipoli [1]

Dans les rapports que Ta Fraternité nous a adressés, l'on a trouvé qu'André, notre frère et collègue dans l'épiscopat, a eu sans aucun doute une concubine. Mais comme il n'est pas certain qu'il l'ait connue depuis son ordination, il est nécessaire que tu l'avertisses par une bienveillante exhortation ; et s'il reconnaît qu'il a eu des rapports avec elle après son ordination, qu'il s'abstienne de la charge où il est placé et ne se permette en aucune façon d'exercer le ministère. Si par hasard, conscient de cet acte, cachant son péché, il se permet d'exercer le ministère, qu'il sache que par le jugement divin un péril menace son âme.

Quant à la femme pauvre qu'il a fait bâtonner, bien que nous ne croyions pas qu'elle soit morte de cela huit mois plus tard, cependant, parce qu'il l'a fait frapper ainsi contrairement à la règle de sa profession, suspends cet homme pour deux mois de la solennité de la messe, pour

15 ut uel haec eum uerecundia qualem se de cetero exhibere possit instituat.

Praeterea oblata nobis petitione quae tenetur in subditis, clerici praedicti episcopi multa se ab eo mala sustinere commemorant. Ob quam rem fraternitas tua subtiliter 20 cuncta curet addiscere, et ita ea rationabili modo emendare atque disponere, ut nulla eis pro hac re huc remeandi de cetero necessitas imponatur.

MENSE IVLIO INDICTIONE XI

III, 46

GREGORIVS CLERO ECCLESIAE SALONITANAE

Dilectionis uestrae scripta relegentes electionem uos in Honoratum archidiaconem uestrum fecisse didicimus. Et omnino nobis gratum fuisse cognoscite, quod olim expertum uirum et grauem moribus ad episcopatus ordinem elegistis. 5 Cuius etiam et nos personam, quia dudum nobis est bene 191 cognita, comprobamus eumque uobis iuxta desiderium uestrum et nos ordinari uolumus sacerdotem. Pro qua re hortamur ut in eius electione sine aliqua ambiguitate persistere, nec quaedam uos res ab eius debet persona 10 deflectere, quia sicut ista laudabilis nunc probatur electio, ita si, quod absit, dilectionem uestram ab eo quisquam deuiare seduxerit, et animae uestrae grauamen et opinioni

2. *Rationabili modo* : voir *supra* III, 35, note 2.

1. Sur Honorat, voir *supra* III, 32, note 1. ~ Natalis était mort depuis mars 593.

2. *Dudum nobis est bene cognita*, formule stéréotypée : voir *supra* III, 29, note 3.

3. Sur la construction de *ut* avec l'infinitif, voir D. NORBERG, *Syntaktische Forschungen*, p. 257 et E. LÖFSTEDT, *Philologischer Kommentar*, p. 250-251.

qu'au moins cette humiliation lui enseigne comment il peut se conduire à l'avenir.

D'autre part, dans une pétition à nous présentée qui se trouve parmi les pièces jointes, des clercs de l'évêque en question font mention de beaucoup de maux qu'il leur a fait subir. Pour ce motif, que Ta Fraternité veille à se renseigner sur tout cela avec minutie, et à y porter remède et ordre d'une manière raisonnable[2], de telle sorte qu'à l'avenir ils n'aient pas besoin de revenir ici pour cette affaire.

JUILLET 593. INDICTION XI

III, 46

PL : III, 47 et *MGH* : III, 46 – Juillet 593

Il félicite le clergé de l'Église de Salone d'avoir élu l'archidiacre Honorat. Il annonce qu'ordre a été donné à Antonin, recteur du patrimoine de Dalmatie, d'appeler les dissidents à un accord.

GRÉGOIRE AU CLERGÉ DE L'ÉGLISE DE SALONE

En lisant la lettre de Votre Dilection, nous avons appris que vous avez porté votre choix sur votre archidiacre Honorat[1]. Et sachez qu'il nous a été tout à fait agréable que vous ayez élu à l'ordre de l'épiscopat un homme de longue expérience et de mœurs austères. Nous aussi agréons sa personne, parce qu'elle nous est bien connue de longtemps[2] ; et nous voulons nous aussi qu'il vous soit ordonné comme évêque selon votre désir. Pour cela, nous vous exhortons à persister[3] dans le choix que vous avez fait de lui sans aucune équivoque ; et rien ne doit vous détourner de sa personne, parce que, si cette élection faite par vous est maintenant reconnue comme louable, en revanche, si quelqu'un – ce qu'à Dieu ne plaise – induit Votre Dilection à s'éloigner de lui, il imposera une charge à votre âme et une tache

maculam infidelitatis imponet. Eos uero qui ab electionis uestrae unitate inconsiderate discordant, ut uobiscum sentire 15 possint, ab Antonino subdiacono nostro fecimus admoneri. Cui etiam de persona Malchi, fratris et coepiscopi nostri, quod oporteat fieri iam pridem iniunximus. Sed quoniam et ipsi scripsimus, credimus eum ab inquietudine uestra sine mora quiescere. Qui si fortasse oboedire quocumque 20 modo neglexerit, contumacia eius canonicae ultionis modis omnibus districtione multabitur.

III, 47

GREGORIVS COLVMBO EPISCOPO

Et antequam fraternitatis tuae scripta susciperem, bonum te Dei famulum esse, nuntiante ueridica opinione, cognoui. Et postquam suscepi, certum fuisse hoc quod fama dudum asperserat plenius intellexi, meritisque tuis ualde congaudeo, 5 quod testes uitae laudabilis mores tuos et actus ostendis. Haec ergo quoniam superna tibi sentio maiestate collata, gratulor et Deum creatorem nostrum utique benedico, qui seruis humilibus misericordiae suae dona non denegat. Qua de re uerum fateor quia sic me fraternitas tua ad amorem 10 suum flamma caritatis accendit, sicque tibi unitus est meus 192 spiritus, ut et uidere te cupiam, et tamen absentem corde

4. Sur le sous-diacre Antonin, voir *supra* III, 8, note 4. ~ Les précautions que Grégoire prend dans toute cette lettre montrent qu'il est au courant des manœuvres qui se préparent contre l'élection d'Honorat.

5. Sur Malchus, dont le siège est inconnu, voir *supra* III, 22, notes 5 et 6.

1. Sur le siège épiscopal de Colombus, voir l'Introduction, p. 24, note 3.

d'infidélité à votre réputation. Quant à ceux qui, faute de réflexion, sont en désaccord avec l'unanimité de votre élection, nous les avons fait avertir par notre sous-diacre Antonin de la possibilité de se ranger à votre avis[4]. À lui également nous avons enjoint depuis longtemps ce qui doit être fait au sujet de la personne de Malchus, notre frère et collègue dans l'épiscopat[5]. Mais comme nous lui avons écrit nous aussi, nous croyons qu'il ne tardera pas à s'abstenir de vous tourmenter. Si par hasard il néglige en quoi que ce soit d'obéir, sa contumace sera châtiée de toutes les façons par la rigueur d'une peine canonique.

III, 47

PL : III, 48 et *MGH* : III, 47 – Juillet 593

Il exhorte Colombus, évêque de Numidie, à se souvenir des promesses faites au bienheureux Pierre et à inviter le président du synode à ne pas conférer les ordres sacrés à des enfants ou moyennant finances. Il demande à être informé de la réunion du concile. Par l'entremise du diacre Victorin, il envoie en cadeau des clefs du bienheureux Pierre.

GRÉGOIRE À L'ÉVÊQUE COLOMBUS[1]

Avant même d'avoir reçu la lettre de Ta Fraternité, je savais par le bruit d'une rumeur digne de foi que tu es un bon serviteur de Dieu. Et depuis que je l'ai reçue, j'ai compris plus pleinement la vérité de ce que la renommée avait déjà répandu et je me réjouis beaucoup de tes mérites, parce que tu fais voir tes mœurs et tes actes comme témoignage d'une vie digne de louange. Comme je sens que tout cela t'est accordé par la majesté divine, je t'en félicite, et je bénis de toutes les manières Dieu notre créateur qui ne refuse pas les dons de sa miséricorde à ses humbles serviteurs. À ce sujet, je confesse cette vérité que Ta Fraternité allume tellement en moi par amour pour elle la flamme de la charité et mon esprit est tellement uni à toi, que je désire

semper attendam. Haec igitur ita esse ex te bene consideras. Nam profecto plus in caritate animorum unitas, quam corporalis potest uenerari praesentia. Praeterea tota te mente,
15 toto corde totaque anima[a] apostolicae sedi inhaerere ac esse deuotum et nunc scio, et priusquam epistula tua hoc testimonium perhiberet, manifeste cognoui.

Praemisso siquidem debita ex caritate salutationis alloquio, hortor ut eorum, quae beato Petro apostolorum
20 principi promisisti, memor esse non desinas. Itaque erga primatem synodi tuae esto sollicitus, ut pueri ad sacros ordines nullatenus admittantur, ne tanto periculosius cadant, quanto citius conscendere altiora festinant. Nulla sit in ordinatione uenalitas, potentia uel supplicatio
25 personarum nihil aduersus haec quae prohibemus obtineat. Nam proculdubio Deus offenditur, si ad sacros ordines quisquam non ex merito sed ex fauore, quod absit, aut uenalitate prouehitur. Haec autem si fieri cognoscis, non taceas, sed instanter obsiste. Quoniam si haec aut inuestigare
30 fortasse neglexeris, aut intellecta celaueris, non solum illos qui haec agunt peccati uinculum illigabit, sed et te huius rei non leuis ante Deum culpa respiciet. Oportet ergo canonica ultione si quid tale committitur coerceri, ne tantum facinus cum aliorum peccato uires ex dissimulatione
35 percipiat.

47. a. cf. Lc 10, 27 ; Mc 12, 30 ; Mt 22, 37

---

2. On a ici le thème de l'amitié comme présence de l'absent. Sur les antécédents de ce thème, voir K. THRAEDE, *Grundzüge griechisch-römischer Brieftopik*, coll. *Zetemata, Heft* 48, Munich 1970, spécialement p. 107 s. pour les auteurs chrétiens.

3. Le primat des évêques de Numidie. D'après III, 48, il s'appelait Adéodat.

4. Le raisonnement est que si l'on est ordonné trop tôt (*immature*), sans remplir les conditions, on risque de commettre des fautes qui entraîneront la déchéance définitive (*semper*) du sacerdoce. C'est l'idée qu'il vaut mieux prévenir que guérir, voir l'Introduction, p. 41.

te voir, et que pourtant, par le cœur je me tourne toujours vers toi, qui es absent. Qu'il en va ainsi, tu le vois par toi-même[2]. Car assurément, dans la charité, l'union des esprits peut être estimée plus que la présence corporelle. De plus, je sais maintenant que tu es attaché et dévoué au Siège apostolique de tout ton esprit, de tout ton cœur et de toute ton âme[a], et avant que ta lettre m'en ait apporté le témoignage, je le savais de façon évidente.

Après avoir donc d'abord exprimé par un devoir de charité ces mots de salutation, je t'exhorte à ne pas cesser de te souvenir de ce que tu as promis au bienheureux Pierre prince des apôtres. Veille donc auprès du primat de ton synode[3] à ce que l'on n'admette jamais des enfants aux ordres sacrés, de peur qu'ils ne tombent dans un péril d'autant plus grand qu'ils se hâtent de gravir trop vite des degrés plus élevés[4]. Qu'il n'y ait dans l'ordination aucune vénalité ; que la puissance ou la supplication des personnes n'obtiennent rien contre ce que nous prohibons. Car sans aucun doute Dieu est offensé, si quelqu'un est promu aux ordres sacrés non en vertu de son mérite mais par faveur – ce qu'à Dieu ne plaise – ou par vénalité. Et si tu apprends que cela se pratique, ne te tais pas, mais fais-y obstacle résolument. Parce que si par hasard tu négliges de t'enquérir de ces fautes, ou si, les ayant constatées, tu les dissimules, non seulement la chaîne du péché entravera ceux qui les commettent, mais contre toi aussi se retournera une culpabilité non légère devant Dieu. Il faut donc, si une chose semblable est commise, qu'elle soit réprimée par un châtiment canonique, de peur qu'un pareil crime n'acquière des forces avec le péché d'autres personnes, si l'on ferme les yeux sur lui[5].

5. Dans le vocabulaire de Grégoire, la *dissimulatio* n'est pas l'hypocrisie, mais le refus de dévoiler les fautes des subordonnés. Ce sens se trouve déjà chez PLINE LE JEUNE, *Epist.* VI, 27, 3 ; IX, 13, 21, où A.-M. Guillemin traduit par « fermer les yeux » (*CUF*, t. 3, p. 107). Sur ce thème, voir l'Introduction, p. 34.

Praesentium igitur portitorem Victorinum fraternitatis tuae diaconem, quem tuum reor imitatorem exsistere, et cum caritate suscepi, et ad remeandum citius relaxaui. Per quem etiam claues beati Petri, in quibus de catenis ipsius
40 inclusum est, tibimet pro benedictione transmisi.

Praeterea de unitate ac pace concilii, quod Deo auctore congregare disponitis, caritas tua animos nostros subtiliter omnia indicando laetificet.

193

III, 48

GREGORIVS ADEODATO EPISCOPO PRIMATI PROVINCIAE NVMIDIAE

Qualiter erga nos fraternitatem uestram caritas dilectionis astrinxerit scriptorum uestrorum series euidenter innotuit, magnumque nobis fomitem contulere laetitiae, quod ea et benigna puritate composita et Deo placita didicimus dilec-
5 tione feruere. Vt igitur breuiter diximus, ita mentem uestram epistula quam direxistis exposuit, ut auctor eius abesse minime crederetur. Nec enim absentes iudicandi sunt, quorum animus ab alterutra caritate non discrepat. Quamuis autem nec uirtus nec aetas uos sicut scribitis ad nos uenire
10 permittat, ut de fraternitatis uestrae corporali possimus gratulari praesentia, tamen quia animus noster uobis uesterque

6. Sur la limaille prélevée sur les chaînes de saint Pierre, voir les détails que donne le pape en IV, 30.

1. On ignore quel était le siège d'Adéodat. ~ Sur l'organisation de l'Église africaine, voir l'Introduction, p. 24.

J'ai donc reçu avec charité le porteur des présentes, Victorinus, diacre de Ta Fraternité, que je crois être ton imitateur, et je l'ai assez vite libéré pour qu'il s'en retourne. Par lui aussi je t'envoie comme reliques des clés du bienheureux Pierre, dans lesquelles a été inclus un peu des chaînes de celui-ci[6].

En outre, que Ta Charité réjouisse nos âmes en donnant minutieusement tous les renseignements sur l'unité et la paix du concile que par la volonté de Dieu vous vous disposez à réunir.

III, 48

PL : III, 49 et *MGH* : III, 48 – Juillet 593

Il salue Adéodat, primat de Numidie et le met en garde à propos de l'ordination des évêques et des prêtres ; il lui ordonne de prendre conseil de l'évêque Colombus ; il demande qu'on lui écrive à propos du prochain concile.

GRÉGOIRE À L'ÉVÊQUE ADÉODAT PRIMAT DE LA PROVINCE DE NUMIDIE[1]

Combien une affectueuse dilection a lié Votre Fraternité à notre personne, le fil de votre lettre l'a fait connaître avec évidence, et elle nous a apporté une grande source de joie parce que nous avons reconnu qu'elle était pétrie d'une franchise bienveillante et brûlante d'une dilection agréable à Dieu. Donc, comme je l'ai dit brièvement, la lettre que vous nous avez adressée a si bien fait connaître votre âme que l'on n'aurait pas du tout cru son auteur absent. Car ne doivent pas être jugés absents ceux dont l'âme n'est pas en désaccord avec la charité mutuelle. Mais bien que ni la force ni l'âge, comme vous l'écrivez, ne vous permettent de venir à nous, pour que nous puissions nous réjouir de la présence physique de Votre Fraternité, cependant parce que notre âme vous est unie et la vôtre à nous, nous

nobis unitus est, uicissim nobis per omnia praesentes sumus, dum nos unita per amorem mente conspicimus.

Salutantes praeterea fraternitatem uestram congruo cari-
15 tatis affectu, hortamur ut officium primatus, quod Deo habetis auctore, tota intentione sic studeatis sagaciter exhibere, quatenus ad hunc uos ordinem peruenisse et animae uestrae proficiat et aliis in futuro exemplum bonae imitationis exsistat. Estote ergo praecipue in ordinatione
20 solliciti, et ad sacros ordines aspirare nisi prouectiores aetate et mundos opere nullatenus admittatis, ne forte semper esse desinant, quod immature esse festinant. Eorum enim qui in sacros sunt ordines collocandi prius uitam moresque discutite, et ut dignos huic officio adhibere possitis, non
25 uobis potentia aut supplicatio quarumlibet subripiat personarum. Ante omnia uero cautos uos esse oportet, ut nulla proueniat in ordinatione uenalitas, ne, quod absit, et ordinatis et ordinantibus periculum maius immineat. Si quando
194 igitur de his tractari necesse est, graues expertosque uiros
30 consiliis uestris adhibete participes, et cum eis communi de hoc deliberatione pensate. Prae omnibus autem Columbum fratrem et coepiscopum nostrum in cunctis adhibere uos conuenit. Credimus enim quia, si illa quae agenda sunt cum eius consilio feceritis, nullus in uobis quod quibusque modis
35 redarguere possit inueniet, nobisque ita gratum esse tamquam si cum nostro consilio agantur cognoscite, quoniam uita moresque illius ita nobis sunt in omnibus approbati, ut cunctis liquido constet, quia quod cum eius consensu agatur, nullius culpae macula fuscatur.

2. Les antécédents de ce thème littéraire ont été étudiés par K. THRAEDE, *Grundzüge griechisch-römischer Brieftopik*, p. 146-161. Voir *supra* III, 47, note 2.

3. En ordonnant des prêtres sans garantie suffisante, on risque qu'ensuite ceux-ci, pour cause d'indignité, soient interdits.

4. Allusion aux *potentes*. Sur cette catégorie sociale, voir G. ALFÖLDY, *Histoire sociale de Rome*, trad. franç. É. Évrard, Paris 1991, p. 171.

sommes tout à fait mutuellement présents l'un à l'autre, quand nous nous considérons d'une âme unie par l'amour[2].

D'autre part, en saluant Votre Fraternité avec le sentiment de charité qui convient, nous vous exhortons à vous étudier avec toute votre attention à exercer avec sagacité la charge de primat que vous détenez par la volonté de Dieu, de telle sorte que le fait d'être parvenu à ce rang profite à votre âme et soit pour les autres à l'avenir un exemple à bien imiter. Soyez donc particulièrement attentif aux ordinations, et ne laissez en aucune façon aspirer aux ordres sacrés sinon ceux qui sont assez avancés en âge et purs dans leurs actes, de peur que, peut-être, ils ne cessent d'être pour toujours ce qu'ils se hâtent d'être prématurément[3]. De ceux, en effet, qui doivent être établis dans les ordres sacrés, examinez auparavant la vie et les mœurs, et pour que vous puissiez appeler à cette fonction des hommes de mérite, ne vous laissez pas surprendre par la puissante situation[4] ou la supplication de quelque personne que ce soit. Mais il faut avant tout que vous soyez sur vos gardes pour qu'aucune vénalité n'intervienne dans une ordination de peur que – ce qu'à Dieu ne plaise – un péril plus grand ne menace ceux qui reçoivent les ordres et ceux qui ordonnent. S'il arrive donc qu'il soit nécessaire de traiter de ces choses, appelez à prendre part à vos conseils des hommes graves et expérimentés et, avec eux, examinez cela dans une commune délibération. Plus qu'aucun autre, il convient que vous appeliez en tous vos conseils notre frère et collègue dans l'épiscopat Colombus. Car nous croyons que si vous faites selon son avis ce qui doit être fait, nul ne trouvera en vous quoi que ce soit à objecter, et sachez qu'à nous cela sera aussi agréable que si cela était fait sur notre avis, parce que nous approuvons en toutes choses sa vie et ses mœurs, de sorte qu'il est clairement évident pour tous que la tache d'aucune faute ne ternit ce qui est fait avec son consentement.

40 Praesentium uero lator Victorinus, suprascripti coepiscopi nostri diaconus, uestrorum praeco ita exstitit meritorum, ut animos nostros de uestra uehementer actione reficeret. Et oramus omnipotentem Dominum ut bona quae de uobis retulit placita sibi plenius faciat operatione clarescere.
45 Concilium itaque quod congregare disponitis, dum Deo fuerit solaciante peractum, de eius nos unitate atque concordia laetificate ac reddite per omnia certiores.

III, 49

GREGORIVS THEODORO EPISCOPO LILLIBITANO

Fraternitatis tuae grata nobis omnino sollicitudo est, quia ea quae de sacerdotum uita cognoscit et perscrutari curat et inuestigata renuntiat. Vt ergo hanc sollicitudinem quam in te laudamus possit sine diminutione persistere, studiosus
5 esto ac uigilans. Et si quos illic a quibuslibet, quod absit,
195 excessus perpetrari cognoueris, siquidem tales sunt, qui ibi possint emendari, rationabiliter emendentur. Alioquin fratri nostro Maximiano episcopo scriptis renuntiare festina, ut quid fiendum sit a uobis informatus agnoscat. Nulla igitur res ab
10 inuestigatione prauorum actuum uel insinuatione te reuocet. Nam quanto uigilantiam tuam modo laudamus, tanto culpabilior inueniris, si huiusmodi actus qualibet dissimulatione celaueris.

5. La leçon *consilium* donnée par l'édition Norberg est sûrement une faute d'impression pour *concilium* donné par Ewald – Hartmann.

1. Théodore, évêque de Lilybée (aujourd'hui Marsala) : voir *PCBE* 2, « *Theodorus* 21 », p. 2174-2175. Il mourut avant février 595.

2. *Vt sollicitudinem quam in te laudamus possit*… : phénomène d'*attractio inuersa*, voir D. NORBERG, *Syntaktische Forschungen*, p. 75 s. et E. LÖFSTEDT, *Philologischer Kommentar*, p. 22. ~ Sur l'importance de la vigilance de l'évêque, voir l'Introduction, p. 34.

3. Maximien, évêque de Syracuse. On voit là s'appliquer la délégation de pouvoir accordée par Grégoire à son ami sur les Églises de Sicile. Voir *supra* III, 12, note 1.

Victorinus, porteur des présentes, diacre de notre susdit collègue dans l'épiscopat, s'est fait assez le chantre de vos mérites pour réconforter fortement notre esprit au sujet de vos actes. Et nous prions le Seigneur tout-puissant de faire briller plus pleinement par son œuvre le bien ainsi rapporté à votre sujet, et qui lui est agréable.

Lorsque le concile[5] que vous vous disposez à réunir aura été achevé avec l'aide de Dieu, donnez-nous la joie d'en savoir l'union et la concorde et informez-nous en tous points.

III, 49

PL : III, 50 et *MGH* : III, 49 – Juillet 593

Il félicite Théodore, évêque de Lilybée, attentif aux mœurs sacerdotales ; qu'il informe Maximien, évêque de Syracuse. Il ordonne à Paul, anciennement évêque, de demeurer dans un monastère pour y faire pénitence ; qu'il enquête avec le vicaire du préteur sur les accusations portées contre un certain Boniface.

Grégoire à Théodore évêque de Lilybée[1]

La sollicitude de Ta Fraternité nous est tout à fait agréable, parce que, ce qu'elle apprend de la vie des prêtres, elle a soin de le vérifier et après enquête elle en rend compte. Afin donc que cette sollicitude dont nous te louons puisse persister sans faiblir, sois zélé et vigilant[2]. Et si, là, tu apprends que des fautes sont commises par qui que ce soit – ce qu'à Dieu ne plaise –, si elles sont telles qu'elles puissent être corrigées sur place, qu'elles soient corrigées de manière raisonnable. Autrement, hâte-toi d'en rendre compte par écrit à notre frère l'évêque Maximien[3], pour qu'informé par vous, il sache ce qui doit être fait. Que rien donc ne te détourne d'enquêter sur les actes blâmables et d'en faire un rapport. Car autant nous louons maintenant ta vigilance, autant tu seras trouvé plus coupable si tu caches des actes de cette sorte en fermant les yeux sur eux d'une façon ou d'une autre.

Paulum praeterea quondam episcopum in monasterio in
15 quo est in paenitentia uolumus permanere. Res autem, quae
apud eum inuentae sunt, in cimiliarchio ecclesiae tuae
seruari modis omnibus studebis. De quibus etiam secundum
rerum inuentarii paginam desusceptum te facere uolumus,
et in scrinium ecclesiae nostrae transmittere. Sed clericis
20 eius, si tamen aliqui illic praesentes sunt, a pari aliud facere
desusceptum te conuenit, in quo tua fraternitas fateatur,
quia desusceptum de eisdem rebus in scrinio nostro emiserit,
quatenus dum necesse fuerit competenti personae res omnes
possint sine detrimento restitui.
25 De Bonifatio uero quodam grauis ad nos accusatio
peruenit, cuius scelera uolumus utrum uera sint, ut fraternitas
tua cum loci seruatore praetoris examinet.

4. Paul, évêque de Sicile : voir *PCBE* 2, « *Paulus* 39 », p. 1683. ~ L. PIETRI, *HC* 3, p. 856, souligne l'énergie avec laquelle Grégoire a repris en main l'épiscopat de Sicile, puisque sur treize évêques, trois – Grégoire d'Agrigente, Léon de Catane et Victor de Palerme (I, 70) – durent se justifier d'accusations portées contre eux, mais dont ils seront absous ; deux furent déposés : Agathon de Lipari (III, 53) et, comme on le voit ici, Paul dont le siège n'est pas indiqué, mais qui pourrait être Triocala.

5. *Cimiliarchium*, voir *TLL* 3, col. 1058, *s.u.* « *cimeliarchium* », désigne « le lieu où l'on garde les trésors des Églises. » Dérivé de *cymilium* (emprunt au grec κειμήλιον), qui apparaît déjà en I, 10 (*SC* 370, p. 98, li. 14).

6. Sur le mot *desusceptum*, voir D. NORBERG, *Studia critica*, t. 1, p. 121-123. Il cite le *TLL, s.u.*, qui renvoie aux *Novelles* XVII, 8 ; XLVI, 1 ; XLIX, 2, 2 (équivalent du grec ἀποχή, ἀπόδειξις) Le mot reparaît en IV, 15 ; VII, 35 ; IX, 19 (avec le mot *cimiliarchio*) ; IX, 94.

7. Boniface : voir *PCBE* 2, « *Bonifatius* 34 », p. 340-341. ~ Le préteur de Sicile était Libertinus, voir *supra* III, 37, note 1.

D'autre part, nous voulons que Paul, anciennement évêque[4], continue à demeurer dans le monastère où il est en pénitence. Quant aux biens qui ont été trouvés chez lui, tu veilleras par tous les moyens à les conserver dans le trésor[5] de ton Église. Nous voulons même que tu en fasses un reçu[6] selon la page de l'inventaire des biens et que tu le transmettes aux archives de notre Église. Mais pour ses clercs, s'il en est toutefois qui sont présents ici, il convient que tu fasses un autre reçu à l'identique, dans lequel Ta Fraternité reconnaisse qu'elle a déposé dans nos archives un reçu au sujet des mêmes biens, de sorte que, lorsqu'il sera nécessaire, le tout puisse être restitué sans dommage à qui de droit.

À propos d'un certain Boniface[7] nous est parvenue une grave accusation ; nous voulons que Ta Fraternité fasse une enquête avec le représentant[8] du préteur pour savoir si ses crimes sont réels.

8. *Loci seruator* est expliqué par Du Cange qui écrit en un seul mot *lociseruator* (*Glossarium Mediae Latinitatis*, t. 4, [réimpr.] Paris 1937-1938, p. 140). Il donne comme définition : « qui est à la place d'un autre » et comme équivalents *uicarius*, τοποτηρητής. C'est exactement la même formation que le français « lieutenant ». Rappelons que la Sicile byzantine était gouvernée par un préteur. ~ On retrouve *loci seruator* en II, 50 (*SC* 371, p. 438, li. 57-58), avec un sens un peu différent, puisqu'il s'agit du « remplaçant » du sous-diacre Pierre comme recteur du patrimoine de Palerme. Mais l'idée est la même, celle de mettre quelqu'un « à la place » d'un autre, cf. *ibid.* p. 438, li. 44 : *alter in loco tuo ordinari.*

III, 50

Gregorivs Maximiano episcopo Syracvsis

Fratres mei, qui mecum familiariter uiuunt, omnimodo me compellunt aliqua de miraculis patrum, quae in Italia facta audiuimus, sub breuitate scribere. Ad quam rem solacio uestrae caritatis uehementer indigeo, ut quaeque 5 uobis in memoriam redeunt, quaeque cognouisse uos contigit, mihi breuiter indicetis. De domno enim Nonnoso abbate, qui iuxta domnum Anastasium de Pentumis fuit, 196 aliqua retulisse te memini, quae obliuioni mandaui. Et hoc ergo et si qua sunt alia tuis peto epistulis imprimi, et mihi 10 sub celeritate transmitti, si tamen ad me ipsum non proferas.

1. Cette lettre est importante pour la date des *Dialogues.* Voir A. de Vogüé, éd. *Dial.*, *SC* 251, p. 27-28. Mais l'authenticité de la lettre et donc des *Dialogues* est contestée par F. Clark, « The authenticity of the Gregorian *Dialogues* : A reopening of the question ? », dans *Grégoire le Grand, Colloque de Chantilly*, p. 429-443 et spécialement pour cette lettre, p. 432. Voir, du même, « The Renewed Controversy about the Authorship of the *Dialogues* », dans *Gregorio Magno e il suo tempo*, t. 2, p. 5-25 et la réponse d'A. de Vogüé, « Les *Dialogues*, œuvre authentique et publiée par Grégoire lui-même », *ibid.*, p. 27-40.

2. Nonnosus : voir *PCBE* 2, « *Nonnosus* 2 », p. 1542. Anastase : voir *PCBE* 2, « *Anastasius* 9 », p. 116. Ces deux figures du monachisme italien sont célébrées dans Grég., *Dial.* I, 7 et 8 (*SC* 260, p. 64-76). Ils appartenaient à la génération précédente (*PCBE* 2 les situe tous deux entre 540 et 557). Nonnosus, qui porte dans notre lettre le titre d'*abbas*, est dit *praepositus* (prieur) d'un monastère situé sur le mont Soracte en *Dial.* I, 7, 1 (p. 66). Il s'agit de la montagne du pays falisque chantée par Horace (*Carm.* I, 9, 2) et Virgile (*Aen.* XI, v. 782). Grégoire rappelle trois miracles obtenus par Nonnosus et célèbre la patience avec laquelle il supportait le mauvais caractère de son abbé. ~ Anastase fut d'abord notaire de l'Église

III, 50

PL : III, 51 et *MGH* : III, 50 – Juillet 593

Il demande à Maximien, évêque de Syracuse, alors qu'il s'apprête à composer un livre sur les miracles des saints Pères accomplis en Italie, de le renseigner sur l'abbé Nonnosus.

GRÉGOIRE À MAXIMIEN ÉVÊQUE DE SYRACUSE [1]

Mes frères qui vivent avec moi dans l'intimité me pressent très fort de faire un bref écrit sur les miracles des Pères qui, avons-nous entendu dire, ont été accomplis en Italie. Pour cela j'ai grandement besoin de l'assistance de Votre Charité pour que tout ce qui vous revient en mémoire, tout ce que vous pouvez avoir su, vous me le fassiez brièvement connaître. Sur monseigneur l'abbé Nonnosus, en effet, qui vécut près du seigneur Anastase de Pentuma [2], je me souviens que tu m'as rapporté des choses que j'ai vouées à l'oubli. Je te demande donc de fixer cela dans tes lettres ainsi que d'autres souvenirs s'il y en a, et de me le faire transmettre rapidement, si toutefois tu ne me l'apportes pas.

de Rome avant de devenir moine et abbé du monastère de *Subpentoma* (*Dial.* I, 8, 1 ; p. 72), situé à 2 km de Nepi et 12 km du Soracte, aujourd'hui Castel Sant'Elia (selon A. de Vogüé, p. 71, n. 1). Anastase et Nonnosus étaient liés « par le voisinage, par leur conduite exemplaire et leur zèle pour les vertus » (*Dial.* I, 7, 1 ; p. 66). Anastase obtint d'être miraculeusement averti, par une voix venue du haut des rochers qui surplombaient le monastère, de sa mort prochaine et de celle de huit de ses compagnons. Mais surtout, au moment même de sa mort, un neuvième frère lui demanda d'intercéder pour qu'il mourût avec lui. Ce qui arriva dans la semaine suivante. Le diacre Pierre soulève à ce propos la question de savoir si des hommes très saints peuvent obtenir des choses « non prédestinées ». ~ Pour le nom du monastère d'Anastase, il est donné ici sous la forme *de Pentumis*, au lieu de *Subpentoma* dans les *Dialogues*. Les deux formes sont équivalentes.

III, 51

Gregorivs Prisco patricio Orientis

Si uitae istius cursum ueraciter attendamus, nihil in eo firmum, nihil inuenimus stabile. Sed quemadmodum uiator modo per plana, modo per aspera graditur, sic nobis utique in hac uita manentibus nunc prosperitas, nunc occurrit
5 aduersitas, denique alternis sibi succedunt temporibus et mutua se uice confundunt. Dum igitur omnia in hoc mundo mutabilitatis ordo corrumpat, nec eleuari prosperis nec frangi debemus aduersis. Tota ergo mente ad illum nos conuenit anhelare, ubi quicquid est firmum permanet, ubi non
10 mutatur aduersitate prosperitas. In hac ergo uita miro omnipotentis Dei moderamine idcirco agitur, ut uel prosperitatem aduersitas uel aduersitatem prosperitas subsequatur, qualiter et humiliati discamus, quicquid deliquimus, et iterum exaltati aduersitatis memoriam quasi humilitatis ancoram
15 in mente teneamus. Non hoc ergo creatoris nostri ira est

1. Priscus : voir *PLRE* III B, « *Priscus* 6 », p. 1052-1057. *Magister utriusque militiae per Orientem* au printemps de 588, il dut affronter une révolte des troupes et fut rappelé à Constantinople. Dans l'été 588, il fut envoyé contre les Avars avec le titre de *magister utriusque militiae per Thracias*. Il échoua dans cette campagne, se laissant assiéger par les Avars dans Tzurullum. À l'automne de 588, il revint à Constantinople. Le titre de *patricius Orientis* que lui donne Grégoire dans cette lettre est surprenant. Les fonctions de *magister militum per Orientem* étaient remplies alors par Narsès. Il semble qu'il faille comprendre : patrice à Constantinople. Ses échecs militaires provoquèrent sans doute la défaveur de Maurice entre 588 et 593, comme le suggère cette lettre sur les accidents de la fortune. Personnage influent, il épousa en 607 la fille de l'empereur Phocas.

2. Formule reprise de Grég., *Reg. past.* II, 3 (*SC* 381, p. 184, li. 34) : *Non hunc prospera eleuent, non aduersa perturbent*… Voir C.E. Straw, « *Aduersitas* et *prosperitas* : une illustration du motif structurel de la complémentarité », dans *Grégoire le Grand, Colloque de Chantilly*, p. 277-288.

III, 51

PL : III, 52 et *MGH* : III, 51 – Juillet 593

Il félicite Priscus, patrice d'Orient, d'avoir retrouvé la faveur de l'empereur. Il recommande le diacre Sabinien envoyé à Constantinople comme représentant, et Castus, maître de la milice de la ville de Rome.

GRÉGOIRE À PRISCUS PATRICE D'ORIENT[1]

Si nous observons vraiment le cours de cette vie, nous n'y trouvons rien de solide, rien de stable. Mais de même qu'un voyageur marche tantôt sur le plat, tantôt sur la rocaille, ainsi pour nous, de toute façon, tant que nous demeurons en cette vie, survient à un moment la prospérité, à un autre l'adversité ; bref, elles succèdent l'une à l'autre alternativement et s'entremêlent à tour de rôle. Donc, alors que la règle du changement corrompt toutes choses en ce monde, nous ne devons ni nous élever dans la prospérité ni être abattus par l'adversité[2]. Ainsi il convient que de toute notre âme nous aspirions à celui dans lequel tout ce qui est solide persiste, où la prospérité ne se change pas en adversité. En cette vie donc, l'admirable gouvernement de Dieu tout-puissant fait en sorte que ou bien l'adversité succède à la prospérité, ou la prospérité à l'adversité, de façon que, humiliés, nous apprenions les fautes que nous avons commises, et, de nouveau relevés, nous gardions en notre esprit la mémoire de l'adversité comme une ancre d'humilité[3]. Cela donc ne doit pas être attribué à la colère de notre Créateur mais à sa grâce par laquelle nous

3. Grégoire a le goût des métaphores maritimes. On le retrouve, plus affirmé qu'ici, dans plusieurs lettres où il annonce son élection à Jean de Constantinople (I, 4), à Théoctiste (I, 5) ; dans *Reg. past.* I, 9 (*SC* 381, p. 158-160, li. 30-36). On trouve entre autres l'expression : *semper cogitationum procellis nauis cordis quatitur.* Voir la note de B. Judic sur l'image du bateau dans la correspondance (*SC* 381, p. 160, n. 1). FORTUNAT, *Carm.* VIII, 3, 284 parle lui aussi d'*ancora cordis.*

deputanda sed gratia, per quam discimus, ut eius dona tanto seruemus uerius, quanto humilius tenemus.

Quia igitur perfectam uos dominorum gratiam, auctore omnipotenti Deo, reparasse cognouimus, magna pro uobis 20 exsultatione gaudemus, optantes ut uitam uestram rerum omnium gubernator et bonis semper praesentibus fulciat, et ad gaudia perpetua extendat. Haec uobis ideo loquor, quia multum uos diligo atque me a uobis diligi scio.

Sed hoc quod me diligitis in latorem praesentium 197 25 Sabinianum diaconem demonstrate, ut ubi usus exegerit, uestra patrocinia consequatur. Vir autem gloriosus Castus praeco laudum uestrarum in Romanis partibus exsistit, quem uestrae excellentiae paterna dilectione commendo.

III, 52

GREGORIVS IOHANNI EPISCOPO CONSTANTINOPOLITANO

Quamuis causae consideratio remouet, ad scribendum tamen me caritas impellit, quia et semel et bis sanctissimo

4. Sur ce thème des épreuves divines, voir C. DAGENS, *Saint Grégoire le Grand*, p. 187-188. Cette lettre, où le souci du mètre est observable, est aussi très marquée par le style de Grégoire avec ses balancements étudiés : *prosperitas / aduersitas* ; *humiliati / exaltati* ; *tanto / quanto*.

5. Sur le pluriel, voir *supra* III, 6, note 4.

6. Sabinien, diacre romain : voir *PCBE* 2, « *Sabinianus* 3 », p. 1966-1968. Il succéda à Honorat comme nonce apocrisiaire à Constantinople. Il fut élu pape à la mort de Grégoire (604-607). ~ Sur les fonctions des apocrisiaires représentants des sièges patriarcaux, voir J. PARGOIRE, art. « Apocrisiaire » dans *DACL* 1/2, col. 2539-2546.

7. Castus, *uir gloriosus* : voir *PLRE* III A, p. 274-275 ; *PCBE* 2, « *Castus* 4 », p. 421. Après une carrière militaire en Orient, il était commandant des troupes impériales (*magister militum)* à Rome en 593, lors du siège par Agilulfe. Avec Grégoire, préfet du prétoire, il fit tous ses efforts pour défendre la Ville. Mais la mauvaise volonté de l'exarque Romanus empêcha toute résistance et le pape dut payer une rançon pour éloigner les Lombards. Avec une grande injustice, Maurice fit retomber la responsabilité de cette capitulation sur le préfet Grégoire et sur Castus que le pape défendit dans une lettre à l'empereur, V, 36 (*CCL* 140, p. 307, li. 87-95).

apprenons à conserver d'autant plus réellement ses dons que nous les gardons plus humblement[4].

Donc puisque nous avons appris que, par la volonté de Dieu tout-puissant, vous avez retrouvé la faveur parfaite de nos seigneurs[5], nous nous réjouissons pour vous d'une grande joie, souhaitant que celui qui gouverne toutes choses soutienne votre vie de biens toujours présents, et étende cela aux joies perpétuelles. Si je vous dis ces choses, c'est parce que je vous aime beaucoup et que je sais que je suis aimé de vous.

Mais que vous m'aimez, donnez-en la preuve au porteur des présentes, le diacre Sabinien, de sorte que lorsque le besoin l'exigera, il obtienne votre appui[6]. Le glorieux Castus chante vos louanges dans les régions romaines[7] : je le recommande à Votre Excellence avec une affection paternelle.

III, 52

PL : III,53 et *MGH* : III, 52 – Juillet 593

Il reproche à Jean, patriarche de Constantinople, d'avoir écrit qu'il ignorait l'affaire du prêtre Jean et le procès des moines d'Isaurie. Il recommande son représentant, le diacre Sabinien.

GRÉGOIRE À JEAN ÉVÊQUE DE CONSTANTINOPLE[1]

Bien que l'examen de l'affaire m'en dissuade, la charité cependant me pousse à écrire, parce que j'ai écrit une et

1. Jean IV le Jeûneur fut patriarche de Constantinople de 582 à 595. La lettre I, 4 (*SC* 370, p. 76), par laquelle Grégoire annonce son élection à Jean, est d'un ton très amical. Mais, comme on le voit par cette lettre III, 52, les relations entre les deux hommes se tendirent à propos de l'injuste condamnation par Jean le Jeûneur de deux prêtres, Jean de Chalcédoine et Athanase, moine d'Isaurie, qui en avaient appelé au pape. Le conflit s'envenima encore plus, lorsque, dans une lettre sur cette affaire, le patriarche de Constantinople se para du titre de patriarche œcuménique. Voir L. PIETRI, *HC* 3, p. 896-901. ~ Toute cette lettre est un chef d'œuvre de finesse littéraire dans tous les sens du mot, à la fois ruse et habileté. Au lieu d'attaquer de front, Grégoire, avec une feinte bonhomie, fait semblant de croire que la lettre qu'il a reçue de Jean est trop indigne de lui pour avoir été véritablement écrite par lui. L'auteur en est un personnage mauvais tapi dans son cœur.

fratri meo domno Iohanni scripsi, sed non eius epistulas recepi. Alter enim mihi saecularis quidam sub eius nomine
5 loquebatur. Quae si epistulae eius fuerunt, ego uigilans non fui, qui longe de eo aliter credidi quam inueni. De causa enim reuerentissimi uiri Iohannis presbyteri scripseram, atque de questionibus monachorum Isauriae, quorum unus, et in sacerdotio positus, in ecclesia uestra fustibus caesus
10 est. Et rescripsit mihi, sicut ex nomine epistulae agnosco, sanctissima fraternitas tua, quia nescires, de qua causa scriberem. Ad quod rescriptum uehementer obstipui, mecum tacitus uoluens : si uerum dicit, quid esse deterius posset, quam ut agantur talia contra seruos Dei, et ipse
15 nesciat qui praesto est ? Quae enim potest esse pastoris excusatio, si lupus oues comedit, et pastor nescit ? Si autem sciuit sanctitas uestra et de qua causa scripserim, et quid uel contra Iohannem presbyterum, uel contra Athanasium Isauriae monachum atque presbyterum gestum sit, et mihi
20 scripsit : « Nescio », contra hoc ego quid respondeam,
198 quando per scripturam suam Veritas dicit : « *Os quod mentitur occidit animam*[a] » ? Requiro, frater sanctissime, illla tanta abstinentia ad hoc peruenit, ut fratri suo ea quae

52. a. Sg 1, 11

2. Ces lettres n'ont pas été conservées.

3. Ici commence un jeu sur le dédoublement de la personnalité du patriarche. Ce n'est pas le frère dans l'épiscopat qui a répondu au pape, mais un homme du siècle inconnu : *saecularis quidam.* Le qualificatif de *saecularis* est un premier indice qu'il ne s'agit pas, comme on l'écrit parfois, d'un personnage réel, membre de la chancellerie de Jean. On remarque le même jeu dans la lettre V, 18 à Constance de Milan : « Mais ou bien cette lettre n'a pas été dictée par vous, ou du moins, si elle est de vous, nous ne reconnaissons pas du tout en elle notre frère le seigneur Constance. »

4. *Vigilans* : traduction latine de la racine grecque de *Gregorius.* C'est aussi une des vertus de l'évêque, voir *supra* III, 49 et note 2 *ad loc.*

5. Alors que la peine du fouet était réservée aux esclaves, la bastonnade par gourdin pouvait s'appliquer à des personnes libres. ~ Le dossier de cette affaire se poursuit dans les lettres V, 44-45 ; VI, 14-17 ; 24 ; 65. Athanase était à Rome en 593, voir GRÉG., *Dial.* IV, 40, 10 (*SC* 265, p. 144),

deux fois[2] à mon frère très saint le seigneur Jean, mais n'ai pas reçu de lettres de lui. Un autre, en effet, un homme du siècle, me parlait en son nom[3]. Si ces lettres étaient de lui, je ne fus pas vigilant[4], moi qui attendais de lui tout autre chose que ce que j'ai trouvé. J'avais, en effet, écrit à propos de l'affaire du révérendissime prêtre Jean et à propos des plaintes des moines d'Isaurie dont l'un, de surcroît revêtu du sacerdoce, subit la bastonnade dans votre église[5]. Et Ta très sainte Fraternité, comme je le reconnais par le nom que porte la lettre[6], m'a répondu que tu ignorais sur quelle affaire j'écrivais. À cette réponse j'ai été grandement stupéfait, roulant silencieusement en mon esprit cette pensée : s'il dit vrai, que pourrait-il y avoir de pis, que de voir de tels actes se commettre contre des serviteurs de Dieu, sans qu'il le sache lui qui est sur place ? Quelle peut donc être l'excuse du pasteur, si le loup mange les brebis et que le pasteur n'en sait rien ? Mais si Votre Sainteté a su sur quelle affaire j'ai écrit, et ce qui a été fait contre le prêtre Jean et contre Athanase, moine d'Isaurie et prêtre, et si elle m'a écrit : « Je ne sais pas », que répondrais-je, moi, contre cela, quand la Vérité dit par ses Écritures : « *La bouche qui ment donne la mort à l'âme*[a] » ? Je le demande, frère très saint : cette si grande abstinence[7], en est-elle arrivée à vouloir cacher à son frère en les niant des choses qu'elle

où il est appelé *Isauriae presbyter*. Accusés d'hérésie par le patriarche, ces deux prêtres en appelèrent à Rome et Grégoire fit reconnaître leur innocence. Il en informa Athanase, en août 596, après la mort de Jean le Jeûneur (VI, 65) et il recommanda les deux hommes à la bienveillance de Cyriaque, le nouveau patriarche, dans la lettre qu'il lui envoya pour le féliciter de son accession au siège de Constantinople, en octobre 596 (VII, 4).

6. Reprise du thème exposé plus haut : Jean a écrit comme un *saecularis*, seule la suscription indiquait qu'il s'agissait d'un frère dans l'épiscopat.

7. Allusion ironique au surnom de *ieiunator* qu'on avait donné au patriarche à cause de sa réputation de sobriété. Sur le goût de Grégoire pour les jeux d'esprit et les calembours, voir D. NORBERG, « Style personnel et style administratif », dans *Grégoire le Grand, Colloque de Chantilly*, p. 490. Ici il y a un jeu de mots sur *abstinentia* / *ieiunator* renforcé par la reprise allitérative en fin de phrase de *abscondere*.

nouit gesta negando uelit abscondere ? Numquid non melius
25 fuerat in illo ore carnes ad uescendum ingredi, quam de
eo falsum sermonem ad illudendum proximum exire ?
Praecipue cum Veritas dicat : « *Non quae intrant in os coinquinant hominem, sed quae exeunt de ore illa sunt quae coinquinant hominem*[b]. » Sed absit hoc ne ego de sanctissimo
30 corde uestro tale aliquid credam. Illae epistulae uestro
nomine praenotatae sunt, sed uestras eas fuisse non arbitror.
Ego beatissimo uiro domno Iohanni scripseram, sed credo
quia mihi familiaris uester ille iuuenculus[c] rescripsit, qui
adhuc de Deo nihil didicit, qui uiscera caritatis nescit, qui
35 in scelestis rebus ab omnibus accusatur, qui insidiari cotidie
diuersorum mortibus per occulta testamenta nec Deum
metuit nec homines erubescit. Mihi crede, frater sanctissime,
si zelum ueritatis perfecte habes, ipsum prius corrige, ut
ex his qui uobis uicini sunt etiam hi qui uicini non sunt
40 exemplo melius emendentur. Illius linguam noli recipere.
Ille ad consilium uestrae sanctitatis debet dirigi, non autem
uestra sanctitas ad uerba illius inflecti. Si enim illum audit,
scio quia pacem cum suis fratribus habere non poterit. Ego
enim, attestante mihi conscientia, fateor quia cum nullo
45 homine habere scandalum uolo, et quanta uirtute ualeo
declino. Et quamuis cum omnibus hominibus habere pacem
summopere cupiam, uobiscum praecipue quos uehementer

b. Mt 15, 11 c. cf. Jr 31, 18

8. Insistance sur le thème abordé plus haut, voir *supra* note 1 (fin).

9. Ce *iuuenculus* ne désigne pas un personnage réel de l'entourage du patriarche. Si le pape reprochait à Jean de s'être laissé manœuvrer par un jeune homme, l'accusation serait dérisoire et le malentendu pourrait être facilement dissipé. Pourquoi aussi utiliser ce terme de *iuuenculus* ? Or le mot apparaît une seule fois dans la Vulgate, en Jr 31, 18 : « Tu m'as châtié et j'ai été instruit comme un taurillon indocile. » Le *iuuenculus* dont parle Grégoire est évidemment le patriarche lui-même, esprit fougueux, mal dégrossi ; plus précisément, c'est le double malfaisant qui se dissimule derrière l'homme d'Église. Cette fiction permet à Grégoire une attaque d'une violence extraordinaire. En IV, 11, 42 et 12, 8 on trouve respectivement *iuuencula* et *iuuenculus* avec le sens de jeunes gens. Mais ici, le sens habituel du mot semble plus en rapport avec le ton du morceau.

connaît ? N'aurait-il pas été préférable que dans cette bouche entrassent des viandes pour s'en nourrir, plutôt que d'elle sortît un discours mensonger pour tromper le prochain ? Surtout quand la Vérité dit : « *Ce ne sont pas les choses qui entrent dans la bouche qui souillent l'homme ; mais celles qui sortent de la bouche, voilà celles qui souillent l'homme*[b]. » Mais loin de moi de croire semblable chose de votre cœur très saint. Ces lettres portaient en tête votre nom, mais je ne pense pas qu'elles étaient de vous[8]. Moi, j'avais écrit au très bienheureux seigneur Jean, mais je crois que celui qui m'a répondu est ce taurillon[c], votre familier[9], qui n'a encore rien appris de Dieu, qui ignore les entrailles de la charité, qui est accusé par tous en matière criminelle, qui pour manigancer tous les jours des assassinats de diverses personnes par des testaments secrets n'a ni crainte de Dieu ni honte devant les hommes[10]. Crois-moi, frère très saint, si tu as parfaitement le zèle de la vérité, châtie d'abord celui-là[11], afin que, à partir de ceux qui vous sont proches, même ceux qui ne sont pas proches s'améliorent par l'exemple. N'accueille pas la langue de cet homme. Celui-là doit être dirigé selon les avis de Votre Sainteté, mais non Votre Sainteté se plier aux discours de cet homme. Car si elle l'écoute, je sais qu'elle ne pourra être en paix avec ses frères. Moi, en effet, comme ma conscience me l'atteste, j'avoue que je ne veux causer de scandale avec aucun homme et, de toute la force que je puis, je l'évite. Et bien que ce soit avec tous les hommes que je désire au plus haut point avoir la paix, c'est principalement avec vous que j'aime très fort,

10. La syntaxe de cette phrase n'est pas claire. *Insidiari* reste dans le vide. On peut supposer que Grégoire a écrit *insidiari* en pensant à *metuit,* et, en cours de phrase, il aura rajouté *deum.* Ou bien il manque quelque chose comme *ad* devant l'infinitif : voir, sur la possibilité de ce tour, D. NORBERG, *Syntaktische Forschungen,* p. 210.

11. *Corrige,* comme *Jérémie* dit : *castigasti me,* voir *supra* note 9. Le patriarche est invité à se réformer lui-même.

amo, si tamen ipsi quos noui uos estis. Nam si canones non custoditis, et maiorum uultis statuta conuellere, non
50 cognosco qui estis. Age ergo, frater sanctissime atque carissime, ut nos inuicem recognoscamus, ne si antiquus hostis per scandalum duos mouerit, per nequissimam uictoriam multos necet. Ego enim ut aperte indicem, qui per elationem nil quaero, si ille iuuenculus, de quo praelocutus
55 sum, apud fraternitatem tuam culmen prauae actionis minime teneret, ipsa etiam quae mihi de canonibus suppetunt, interim tacere potuissem, et ab ipso initio uenientes
199 ad me personas ad eam fiducialiter retransmisissem, sciens quod eas sanctitas tua cum caritate susciperet. Sed etiam
60 nunc dico, aut easdem personas in suis ordinibus suscipe eisque quietem praebe, aut si hoc fortasse nolueris, mihi, omni altercatione postposita, de eorum causa statuta maiorum et canonum terminos custodi. Si uero neutrum feceris, nos quidem rixam inferre non uolumus, sed tamen
65 uenientem a uobis non deuitamus.

Quid autem de episcopis, qui uerberibus timeri uolunt, canones dicant, bene fraternitas uestra nouit. Pastores etenim facti sumus, non persecutores. Et egregius praedicator dicit : « *Argue, obsecra, increpa, cum omni patientia et doctrina*[d]. »
70 Noua uero atque inaudita est ista praedicatio, quae uerberibus exigit fidem. Sed de his multa in epistulis loqui non debeo, quia dilectissimum filium meum Sabinianum diaconem pro responsis ecclesiae faciendis ad dominorum uestigia transmisi, qui uobiscum cuncta subtilius loquitur. Si
75 nobiscum litigare non uultis, paratum eum ad omnia quae iusta sunt inuenitis. Quem uestrae beatitudini commendo, ut saltem ipse illum domnum Iohannem inueniat, quem ego in urbe regia sciui.

d. 2 Tm 4, 2

12. C'est-à-dire le vrai Jean, et non le *iuuenculus* débridé.

13. Formule protocolaire liée au rite de la *proskynèse*.

14. Les derniers mots de la lettre sont encore pour souligner qu'il y a deux visages du patriarche, tant il est vrai que c'est le thème central.

si toutefois vous êtes celui que j'ai connu[12]. Car si vous n'observez pas les canons, et voulez renverser les décrets des anciens, je ne connais pas qui vous êtes. Faites donc en sorte, frère très saint et très cher, que nous nous retrouvions mutuellement, de peur que, si l'antique ennemi en a ébranlé deux par le scandale, il ne fasse périr beaucoup de gens par une victoire très malfaisante. En effet, pour dire les choses ouvertement, moi qui ne recherche rien par arrogance, si ce taurillon dont je viens de parler ne possédait pas sur Ta Fraternité l'ascendant d'une influence détestable, j'aurais pu pour le moment ne pas faire état même des moyens que les canons mettent à ma disposition, et dès le début je lui aurais renvoyé en toute confiance les personnes qui venaient à moi, sachant que Ta Sainteté les recevrait avec charité. Mais maintenant, je dis aussi : ou bien admets ces mêmes personnes dans leur ordre et accorde-leur le repos, ou bien, si par hasard tu ne veux pas, mettant de côté tout esprit de dispute, observe pour moi, sur leur cas, les statuts des anciens et les arrêts des canons. Si tu ne fais ni l'un ni l'autre, nous ne voulons pas engager une lutte ; mais nous n'esquivons cependant pas celle qui viendrait de vous.

Ce que disent les canons sur les évêques qui veulent se faire craindre par les coups, Votre Fraternité le sait bien. Car nous avons été faits pasteurs, non persécuteurs. Et l'éminent prédicateur dit : « *Reprends, supplie, réprimande en toute patience et sagesse*[d]. » Elle est vraiment nouvelle et inouïe, cette prédication qui exige la foi au moyen des coups. Mais je n'ai pas besoin de dire beaucoup de choses à ce sujet dans des lettres, puisque j'ai envoyé mon fils bien-aimé le diacre Sabinien pour assurer la représentation de l'Église aux pieds de nos seigneurs[13] ; il vous parlera de tout plus minutieusement. Si vous ne voulez pas vous quereller avec nous, vous le trouverez prêt à tout ce qui est juste. Je le recommande à Votre Béatitude, pour qu'au moins lui, il trouve ce seigneur Jean que moi j'ai connu dans la ville royale[14].

III, 53

GREGORIVS MAXIMIANO EPISCOPO SYRACVSANO

Postquam in Agathone quondam episcopo iuxta qualitatem excessuum districtione est canonica uindicatum, necesse est humanitatis intuitu quemadmodum sustentari possit disponere. Propterea fraternitas tua ad Liparitanam ecclesiam, 5 in qua suprascriptus Agatho sacerdotis gessit officium, 200 festinet dirigere, eique exinde ad praesens quinquaginta solidos, qui in eius possint proficere uictu, transmittat. Nam nimis est impium si alimoniorum necessitati post uindictam subiaceat.

1. Agathon, évêque de Lipari déposé : voir *PCBE* 2, « *Agatho* 4 », p. 53. Agathon était déjà déposé le 29 février 592, puisque, à cette date, le pape charge Maximien de Syracuse de nommer Paulin de Taurium, administrateur de l'Église de Lipari (II, 15 ; *SC* 371, p. 334). ~ *Humanitatis intuitu* : sur l'application tempérée du droit, voir *supra* III, 7, note 5.

III, 53

PL : III, 54 et *MGH* : III, 53 – Juillet 593

Il donne ordre à Maximien, évêque de Syracuse, de faire porter à Agathon, écarté de l'évêché de Lipari, de la part de la même Église, cinquante sous pour son entretien.

GRÉGOIRE À MAXIMIEN ÉVÊQUE DE SYRACUSE

Maintenant que sur Agathon, naguère évêque[1], s'est exercée la rigueur des canons, selon l'importance de ses fautes, il est nécessaire d'assurer, par une considération d'humanité, les moyens de son entretien. Pour cela, que Ta Fraternité se hâte d'envoyer à l'Église de Lipari, dans laquelle le susdit Agathon a rempli son office d'évêque, et lui fasse parvenir sans désemparer cinquante sous, qui puissent servir à sa nourriture. Car ce serait trop manquer de cœur que de le réduire, après avoir été puni, à n'avoir pas de quoi subsister.

III, 54

GREGORIVS IOHANNI EPISCOPO RAVENNATI

Non multum temporis interuallum est quod quaedam nobis de tua fraternitate fuerant nuntiata, de quibus uobis, ueniente illuc Castorio notario sanctae cui, Deo auctore, praesidemus ecclesiae, subtiliter nos indicasse meminimus.
5 Peruenerat namque ad nos quaedam in ecclesia uestra contra

1. Jean, évêque de Ravenne : voir *PCBE* 2, « *Iohannes* 41 », p. 1087-1093 ; AGNELLUS, *Lib. pont.* 98 (*MGH, SRL*, p. 342). Ancien diacre de Rome, devenu évêque de Ravenne en 578. Ami de Grégoire, qui lui dédia la *Regula pastoralis* en 591 ; voir B. Judic (*SC* 381, p. 16-17, n. 3), qui montre que le *Ioannes coepiscopus* de la dédicace est l'évêque de Ravenne et non Jean le Jeûneur. ~ Sur les deux points en litige, l'usage du pallium pour l'évêque et celui du manipule pour les clercs, la réponse de Jean se trouve dans l'Appendice VI, *SC* 371, p. 460-464. ~ Sur l'origine du pallium, voir C. PIETRI, *Roma christiana*, t. 1, p. 699, qui souligne l'usage « impérial et aristocratique » de cette « écharpe de cérémonie ». Il ne semble pas que le pape l'ait lui-même porté avant la fin du ve siècle. M. MACCARRONE, « La dottrina del primato dal IVe al VIIIe s. nelle relazioni con le chiese occidentali », *Settimane di Spoleto* 7, 1960, p. 633-742, a montré que l'octroi par le pape de cette marque d'honneur à certains métropolitains prenait chez Grégoire une valeur nouvelle en relation avec sa conception du primat du Siège romain (p. 734-737). Cela explique l'importance qu'il donne à ce qui pourrait paraître une affaire mineure. Voir aussi H. LECLERCQ, dans *DACL* 13/1, col. 931-940 et surtout col. 935. Finalement, Grégoire fit droit aux revendications de Jean (*Epist.* V, 11 d'octobre 594) en lui concédant le droit de porter le pallium hors de l'église pour les fêtes de saint Jean-Baptiste, de l'apôtre Pierre, du martyr Apollinaire et le jour anniversaire de son ordination. Autrement, il pouvait porter le pallium dans la sacristie après le renvoi des fidèles et pour célébrer la messe. Cela ne contenta pas l'archevêque qui, en réponse à des mots acerbes contre Grégoire, se vit reprocher en novembre 594 (V, 15) son orgueil et les vices de son entourage. D'autres lettres font état d'autres griefs. Jean mourut en janvier 595 laissant un testament jugé par le pape contraire au droit canonique parce qu'il léguait des biens appartenant à l'Église (VI, 1).

III, 54

PL : III, 55 et *MGH* : III, 54 – Juillet 593

Il avertit Jean, archevêque de Ravenne, de ne pas user du pallium autrement que selon l'habitude des autres métropolitains. Il accorde à ses premiers diacres l'usage du manipule. Il parle aussi de l'enquête à faire sur certains clercs.

GRÉGOIRE À JEAN ÉVÊQUE DE RAVENNE[1]

Il ne s'est pas écoulé beaucoup de temps depuis que nous ont été rapportées au sujet de Ta Fraternité certaines choses sur lesquelles nous nous souvenons vous avoir fait des observations minutieuses lors de la venue là-bas de Castorius[2] notaire de la sainte Église à laquelle, par la volonté de Dieu, nous présidons. Il était en effet parvenu à notre connaissance que dans votre Église se faisaient certaines choses contraires

2. Castorius, notaire de l'Église romaine : voir *PCBE* 2, « *Castorius* 7 », p. 415-418 ; JEAN DIACRE, *Vita Greg.* II, 53 (*PL* 75, 110). Il est une figure éminente de ce personnel de laïcs, notaires et défenseurs, sur lesquels Grégoire a assis son contrôle des Églises locales et que Y. DUVAL, « Grégoire et l'Église d'Afrique », a appelés « les hommes du pape ». Grégoire fit du notaire Castorius son *responsalis* à Ravenne avant juillet 593. À ce titre, il fut l'intermédiaire entre Grégoire et Jean II de Ravenne lors du conflit sur le port du pallium. En avril 596, le débat sur ce sujet reprit avec Marinien, nouvel évêque de Ravenne, et Castorius fut chargé d'interroger sous serment les hommes d'âge sur l'usage du pallium dans l'Église de Ravenne avant Jean (VI, 31). Dans le même temps, Castorius fut attaqué à Ravenne par un libelle répandu de nuit qui condamnait la politique de paix du pape avec Agilulfe (VII, 42 dans *MGH, Epist* 1 ; VI, 34 dans *CCL* 140). Il était à Ravenne en 599, cette fois pour s'occuper du cas de Maxime, évêque excommunié de Salone, dont le procès fut confié à Marinien de Ravenne et Constance de Milan. Il fut, pour finir, le témoin en août 599 de la pénitence publique de Maxime dans les rues de Ravenne (IX, 234). ~ Sur le personnel pontifical, voir C. PIETRI, « Clercs et serviteurs laïcs de l'Église romaine au temps de Grégoire le Grand », dans *Grégoire le Grand, Colloque de Chantilly*, p. 107-122.

consuetudines atque humilitatis tramitem geri, quae sola ut bene nosti est officii sacerdotalis erectio. Quae si sapientia uestra mansuete uel cum episcopali suscepisset studio, non de illis accendi debuerat, sed oportuerat te haec eadem cum 10 gratiarum actione corrigere. Contra morem quippe ecclesiasticum est, si non patientissime toleratur, quod a nobis absit, etiam iniusta correctio.

Mota autem nimis uestra fraternitas atque cum tumore cordis quasi satisfaciens, scripsit nobis pallio te non nisi 15 post dimissos de secretario filios ecclesiae et missarum tempore atque in laetaniis uti sollemnibus. Verbis aliquid te usurpasse contra generalis ecclesiae consuetudinem apertissima ueritate professus es. Quomodo enim fieri potest ut illud cineris atque cilicii tempore per plateas inter 201 20 populorum strepitus agas licite, quod te agere in conuentu pauperum, nobilium, et in secretario ecclesiae uelut illicitum excusasti ? Illud tamen, frater carissime, tibi non putamus ignotum, quod prope de nullo metropolita in quibuslibet mundi partibus sit auditum, extra missarum tempus, usum 25 sibi pallii uindicasse. Et quod bene hanc consuetudinem generalis ecclesiae noueritis, uestris nobis manifestissime

3. Le rapprochement *humilitas* / *erectio* n'est pas seulement un jeu de mots comme Grégoire les aime. C'est une opposition qu'on trouve souvent chez lui et qui est le fondement de sa conception du pouvoir, voir *supra* III, 29, note 6. L'humilité est la cinquième et dernière des vertus épiscopales que Grégoire définit dans sa lettre synodale I, 24 (*SC* 370, p. 146-150). Et tout son développement repose sur la double attitude qui s'impose au détenteur d'une autorité bien maîtrisée : « … lorsque je m'applique à considérer quelle doit être l'humilité (*humilitas*) du recteur et quelle doit être sa sévérité (*districtio*), je pense qu'il lui faut être par son humilité le compagnon de ceux qui agissent bien, et qu'il se dresse (*erectus*) contre les vices des pécheurs par son zèle pour la justice… » (p. 146, li. 307-311). Un peu plus loin, il répète que le chef doit savoir « s'élever contre les fautes (*super culpas erigi*) … et se considérer comme l'égal des autres » (p. 148, li. 342). Le pouvoir est un service en dehors duquel il ne confère aucune supériorité à son détenteur qui doit garder l'humilité. Tout cela est déjà mot pour mot dans Grég., *Reg. past.* II, 1 (*SC* 381, p. 174, li. 10-12) et II, 6 où l'on retrouve la même opposition : « une humilité qui fasse de lui, pour les gens de bien, un compagnon, contre les vices des délinquants, un homme dressé (*erectus*) contre les vices des délinquants par zèle pour

aux coutumes et à la voie de l'humilité qui, tu le sais bien, est la seule élévation de la fonction sacerdotale[3]. Si Votre Sagesse avait reçu cela avec douceur et avec un zèle épiscopal, elle n'aurait pas dû s'en échauffer ; mais il aurait fallu que tu corrigeasses cela avec actions de grâces. Car il est contraire à l'usage ecclésiastique de ne pas supporter avec la plus grande patience une correction même injuste – et loin de nous d'agir ainsi.

Or Votre Fraternité fort émue et donnant satisfaction pour ainsi dire avec enflure du cœur, nous a écrit que tu ne te servais du pallium qu'après que les fils de l'Église avaient été renvoyés de la sacristie et au temps des messes, ainsi qu'aux litanies solennelles[4]. Par ces mots, tu as avoué, avec la franchise la plus évidente, que tu avais agi contre la coutume de l'Église universelle. Comment en effet se peut-il qu'en un temps de cendres et de cilice tu fasses licitement à travers les places, au milieu du tumulte des foules, ce dont tu t'es excusé comme d'une chose illicite dans une assemblée des pauvres, des nobles, et dans la sacristie de l'église ? Pourtant, frère très cher, nous ne pensons pas que tu ignores qu'on n'a jamais entendu dire d'aucun métropolitain ou presque, en quelque partie du monde que ce soit, qu'il ait réclamé pour lui l'usage du pallium hors du temps des messes[5]. Et que vous connaissiez bien cette coutume de l'Église universelle, vous nous l'avez

la justice » (*SC* 381, p. 202, li. 3-4). Du point de vue stylistique, il y a manifestement tout un réseau sonore et sémantique autour d'*erectio* qui est un mot rare : *erectus, rector, regere, rectitudo*.

4. Ce sont les propres termes de Jean, voir Appendice VI, *SC* 371, p. 462, li. 27-32. Par « litanies » il faut entendre « processions ».

5. La lettre V, 61 d'août 595 (*CCL* 140, p. 363), à Marinien, atteste que l'évêque de Ravenne avait le privilège de porter le pallium en sortant du *salutatorium* pour aller célébrer la messe et il le quittait après la messe, en revenant dans le *salutatorium*. Ailleurs ce droit se limitait à la partie de la messe antérieure à la lecture de l'Évangile. De plus, à Ravenne, le pallium était porté hors de l'église quatre fois l'an pour les litanies (processions). ~ L'argumentation du pape s'appuie fortement sur la *consuetudo*, comme l'avait fait son prédécesseur Célestin, selon C. PIETRI, *Roma christiana*, t. 2, p. 1480.

significastis epistulis, quibus praeceptum beatae memoriae decessoris nostri Iohannis papae nobis in subditis transmisistis annexum, continentem omnes consuetudines ex
30 priuilegio decessorum nostrorum concessas uobis ecclesiaeque uestrae debere seruari. Confitemini igitur aliam esse generalis ecclesiae consuetudinem, postquam ea quae uos geritis uobis ex priuilegio uindicatis. Nulla ergo nobis in hac re ut arbitramur poterit remanere dubietas. Aut enim
35 mos omnium metropolitarum a tua est fraternitate seruandus, aut si tuae ecclesiae aliquid specialiter dicis esse concessum, praeceptum a prioribus Romanae urbis pontificibus, quod haec Rauennati ecclesiae sunt concessa, a uobis oportet ostendi. Quod si hoc non ostenditur, restat,
40 postquam talia agere neque consuetudine generali neque priuilegio uindicas, ut usurpasse te comprobes quod fecisti. Et quid dicturi sumus futuro iudici, frater dilectissime, si illud quod graue iugum atque uinculum ceruicis nostrae, non dico pro ecclesiastica sed pro quadam saeculari nobis
45 dignitate defendimus, grauare nos iudicantes si tanto pondere uel parui temporis spatium careamus ? Decorari pallio uolumus, forsan moribus indecori, dum nihil in episcopali ceruice splendidius quam fulget humilitas.

Oportet igitur fraternitatem tuam, si honores suos sibi
50 quibuslibet argumentis stabili proposuit mente defendere, aut generalitatis usum ex non scripto sequi, aut ex scripto priuilegiis se tueri. Vel si postremo nihil horum est, aliis metropolitis huius te praebere nolumus praesumptionis
202 exemplum. Sed ne forte putes quia nos, haec uobis scribentes,

6. Le pape Jean III (561-574) dont le *Registrum* (Appendice VII, *SC* 371, p. 466), a conservé la lettre, datée du 22 septembre 569, par laquelle il accorde le port du pallium à Pierre de Ravenne.

7. Il est probable que le pape craignait de voir l'évêque de Ravenne profiter du rôle politique de sa ville devenue siège de l'exarchat pour revendiquer des privilèges exceptionnels, comme le patriarche de Constantinople cherchait à tirer avantage de son rang d'évêque de la capitale impériale.

signifié de façon très manifeste dans vos lettres où vous nous avez transmis en annexe, dans les pièces jointes, l'ordonnance de notre prédécesseur de bienheureuse mémoire le pape Jean[6], aux termes de laquelle devaient être maintenues toutes les coutumes concédées par privilège de nos prédécesseurs à vous et à votre Église. Vous reconnaissez donc que la coutume de l'Église universelle est différente, puisque vous revendiquez comme vous ayant été accordé par privilège ce que vous pratiquez[7]. Aucun doute ne pourra donc à notre avis subsister pour nous en cette matière. En effet, ou bien l'usage de tous les métropolitains doit être observé par Ta Fraternité, ou bien, si tu dis que quelque chose a été spécialement concédé à ton Église, il faut que vous montriez l'ordonnance prise par les précédents pontifes de la ville de Rome selon laquelle cela fut concédé à l'Église de Ravenne. Et si ce document n'est pas produit, il reste, puisque tu ne revendiques le droit de faire ces choses ni en vertu de la coutume générale ni par privilège, que tu prouves que tu as agi par usurpation. Et que dirons-nous au Juge futur, frère bien-aimé, si nous réclamons pour nous ce joug pesant et cette chaîne sur notre nuque comme une dignité, je ne dis pas ecclésiastique mais d'une certaine façon séculière, estimant que cela nous pèse si un tel fardeau nous manque même pour un bref espace de temps ? Nous voulons être honorés du pallium, quand peut-être notre conduite nous déshonore, alors que rien ne brille plus splendidement sur la nuque d'un évêque que l'humilité.

Il faut donc que Ta Fraternité, si elle s'est proposée de réclamer d'un esprit ferme par toutes sortes d'arguments ses marques d'honneur, ou bien suive l'usage général, s'il n'y a pas d'écrit, ou bien garantisse ses privilèges par un écrit. Et si finalement aucun de ces écrits n'existe, nous ne voulons pas que tu donnes aux autres métropolitains l'exemple de cette présomption. Mais afin que tu ne penses pas par hasard qu'en vous écrivant cela, nous avons négligé ce qu'exige la

55 quae pro fraterna sunt caritate negleximus, scitote in nostro scrinio de priuilegiis ecclesiae tuae subtiliter perquisitum. Et quidem quaedam inuenta sunt quae omnino possint fraternitatis tuae intentionibus obuiare, nihil autem in quo de huiusmodi capitulis pars uestrae possit ecclesiae roborari.
60 Nam et de ipsa consuetudine tuae quam opponis ecclesiae, quae uobis olim ut a partibus uestris probaretur scripsimus, iam satis nos sollicitudinem gessisse cognoscite, inquirentes filios nostros Petrum diaconem atque Gaudiosum primicerium necnon et Michahelium defensorem sedis nostrae
65 uel alios, qui pro diuersis responsis Rauennam a nostris decessoribus sunt transmissi, et haec te in praesentia sua egisse districtissime negauerunt. Apparet igitur secrete non potuisse geri, nisi quod usurpabatur illicite. Vnde quod latenter subintroductum est nulla debet stabilitate persistere.
70 Quae ergo superflue a te uel a tuis decessoribus sunt praesumpta, cum caritatis intuitu atque cum fraterna stude benignitate corrigere. Nullatenus non dico per te sed per aliorum uel decessorum tuorum normam ab humilitatis temptes regula deuiare. Vt enim ea quae superius dixi
75 breuiter colligam, admoneo quatenus, nisi decessorum meorum munificentia tibi haec per priuilegium attributa docueris, uti in plateis pallio ulterius non praesumas, ne non habere et ad missas incipias, quod audacter et in plateis usurpas. De secretario autem quod fraternitas tua resedisse
80 cum pallio et filios ecclesiae suscepisse et fecit et excusauit, nunc interim nihil querimur, quia synodorum sententiam sequentes, minores culpas quae negantur ulcisci recusamus. Hoc tamen quia semel et iterum sit factum cognouimus, sed fieri ulterius prohibemus. Fraternitas autem tua sit

8. Gaudiosus, primicier des notaires, voir *PCBE* 2, « *Gaudiosus* 6 », p. 901-902, a été *responsalis* à Ravenne. ~ Michel, *defensor* : voir *PCBE* 2, « *Michaelius* », p. 1511. ~ Pierre porte ici pour la première fois le titre de diacre.

charité fraternelle, sachez qu'il a été enquêté minutieusement dans nos archives sur les privilèges de ton Église. Et certes on a trouvé des éléments qui pourraient s'opposer tout à fait aux prétentions de Ta Fraternité, mais rien en quoi le parti de votre Église puisse être fortifié sur ces points-là. Car ce que nous vous avons écrit un jour pour être approuvé par votre parti à propos de la coutume même de ton Église que tu nous opposes, sachez que nous y avons déjà apporté suffisamment de soin en nous enquérant auprès de nos fils le diacre Pierre et le primicier Gaudiosus sans compter Michel[8], défenseur de notre siège et d'autres, envoyés à Ravenne par nos prédécesseurs pour diverses missions, et ils ont nié avec la plus grande rigueur que tu aies agi ainsi en leur présence. Il apparaît donc que n'a pu être fait secrètement que ce qui était pratiqué illicitement. C'est pourquoi ce qui a été introduit subrepticement ne doit persister d'aucune façon durable. Donc les choses que se sont permises sans nécessité toi-même ou tes prédécesseurs, prends soin de les corriger dans un esprit de charité et avec une fraternelle bonté. Ne tente en aucune façon de t'écarter de la règle de l'humilité, je ne dis pas de toi-même, mais à l'exemple des autres ou de tes prédécesseurs. En effet, pour résumer brièvement ce que j'ai dit plus haut, je t'engage, à moins que tu ne prouves que ce droit t'a été attribué en privilège par la munificence de mes prédécesseurs, à ne pas te permettre dorénavant de te servir du pallium sur les places, de peur que tu ne commences à ne plus avoir même aux messes ce que tu as l'audace d'usurper aussi sur les places. Mais à propos de la sacristie, que Ta Fraternité y soit restée avec le pallium et y ait reçu les fils de l'Église – elle l'a fait et s'en est disculpée – nous ne nous en plaignons pas pour le moment, parce que suivant la sentence des synodes nous refusons de punir les fautes mineures que l'on nie. Nous savons cependant que cela s'est fait plus d'une fois, mais nous interdisons que cela se fasse à l'avenir. Que Ta Fraternité

85 omnino sollicita, ne hoc quod praesumptioni incoanti adhuc ceditur, in proficiente deterius uindicetur.

Conquesti praeterea estis quod quidam de sacerdotali ordine Rauennatis ciuitatis, peccatis imminentibus, grauibus sint criminibus inuoluti. Quorum causam uel illic te discutere 90 uolumus, uel hic eos, si tamen probationum difficultas pro 203 locorum longinquitate non impedit, ad haec ipsa discutienda transmittere. Quod si uel ad tuum iudicium uel ad nos, maiorum fulti patrocinio, quod non credimus, uenire despexerint, et in obiectis sibi capitulis contumaciter respondere 95 nequiuerint, uolumus ut eis post secundam et tertiam admonitionem tuam ministerium sacri interdicas officii, atque nobis de contumacia eorum scriptorum tuorum tenore renunties, ut deliberemus quemadmodum actus eorum debeas subtiliter perscrutari, atque secundum definitiones 100 canonicas emendare. Cognoscat igitur fraternitas tua de causa hac nos plenissime absolutos, ex eo quod uobis causas ipsas commisimus subtiliter perquirendas, atque omnia peccata eorum si inulta euenerint et omne pondus discussionis huius in tuae animae redundare periculo, sciens nullam 105 dilectionem uestram excusationem apud futurum iudicem habituram, si non excessus cleri tui cum summa canonici rigoris seueritate correxeris, aut hos quibus haec fuerint approbata sacros ulterius ordines temerare permiseris.

Illis autem quae pro utendis a clero uestro mappulis 110 scripsistis a nostris est clericis fortiter obuiatum, dicentibus nulli hoc umquam aliae cuilibet concessum fuisse ecclesiae, nec Rauennates clericos uel illic uel in Romana ciuitate

9. Sur le *patrocinium*, voir *supra* III, 22, note 3. *Maiores* ou *maiores natu* signifie : « les grands, les nobles », voir NIERMEYER, *Lexicon*, *s.u.* « *major* », p. 628, qui renvoie à GRÉG. T., *In glor. conf.* 60 (*MGH, SRM* 1, éd. Arndt – Krusch, p. 783, li. 14) pour *maiores* et *Hist. Franc.* V, 32 ; VII, 32 ; VIII, 30 pour *maiores natu.* R.A. MARKUS, *Gregory the Great*, p. 151, n. 39, traduit : « the protection of powerful men ».

10. Sur le manipule, voir H. LECLERCQ dans *DACL* 10/1, col. 1411-1416 et spécialement col. 1415 sur cette lettre de Grégoire. AGNELLUS, *Lib. pont.*,

prenne grand soin que ce que l'on accorde à une présomption encore à son début ne soit puni plus gravement chez celui qui persiste.

De plus, vous vous êtes plaint de ce que certains membres de l'ordre sacerdotal de la cité de Ravenne, sous le poids du péché, ont été entraînés dans de graves crimes. Leur affaire, nous voulons ou bien que tu la règles là-bas, ou bien que tu les envoies ici pour la régler si toutefois la difficulté des preuves ne l'empêche, à cause de la distance des lieux. Que s'ils ne daignent pas venir à ton tribunal ou devant nous, forts de l'assistance d'hommes de la noblesse[9], ce que nous ne croyons pas, et si par contumace ils ne sont pas en état de répondre aux chefs d'accusation qui leur sont objectés, nous voulons qu'après ta seconde et ta troisième sommation tu leur interdises le ministère de l'office sacré, et que tu nous fasses connaître leur contumace dans un rapport écrit, pour que nous délibérions sur la manière dont tu dois enquêter minutieusement sur leurs actes et les châtier selon les règles canoniques. Que Ta Fraternité sache donc que nous sommes entièrement dégagé de cette affaire du fait que nous vous avons commis ces affaires pour les examiner minutieusement ; et sur toi retomberont pour le péril de ton âme tous leurs péchés, s'il arrive qu'ils soient impunis, et tout le poids de cette enquête, sachant que Votre Dilection ne trouvera aucune excuse auprès du Juge futur, si tu ne corriges pas avec la plus grande sévérité des peines canoniques les fautes de ton clergé, ou si tu permets à ceux qui auront été convaincus de ces choses de profaner ultérieurement les saints ordres.

Quant à ce que vous avez écrit sur l'usage des manipules par votre clergé[10], nos clercs s'y opposent fortement, disant que cela n'a jamais été accordé à quelque autre Église que ce soit ; que les clercs de Ravenne, ni là, ni dans la ville

ne parle pas de l'usage du manipule par les clercs de Ravenne, non plus que du pallium de l'évêque.

tale aliquid cum sua conscientia praesumpsisse, nec, si temptatum esset, ex furtiua usurpatione sibi praeiudicium
115 generari. Sed etiam in qualibet ecclesia hoc praesumptum fuerit, asserunt emendandum, quod non concessione Romani pontificis sed sola subreptione praesumitur. Sed nos seruantes honorem fraternitatis tuae, licet contra uoluntatem antedicti cleri nostri, tamen primis diaconibus uestris, quos
120 nobis quidam testificati sunt etiam ante eis usos fuisse, in obsequio dumtaxat tuo, mappulis uti permittimus, alio autem tempore uel alias personas hoc agere uehementissime
204 prohibemus.

III, 55

Gregorivs Cypriano diacono

Cosmas ex uariis periculorum necessitatibus multis se dicit debitis obligatum, ita ut pro eis a creditoribus suis suos dicat filios detineri. Quae res si ita est nos omnino commouit. Quamobrem hortamur dilectionem tuam ut,
5 quia de rebus pauperum dandis agitur, causam eius cum summa subtilitate perquiras. Et si inueneris eum praedictis debitis ueraciter inuolutum, ut non sit substantia unde possit haec ipse persoluere, praedictos creditores eius uideas

11. Il faut remarquer dans ces deux phrases que Grégoire recourt de façon appuyée à l'argumentation et au vocabulaire du droit : *obuiare, conscientia, praesumere, furtiua usurpatio, praeiudicium, subreptio.* C'est pourquoi, pour ce dernier mot, j'utilise « subreption » donné par le *Dictionnaire* de Robert comme appartenant au vocabulaire du droit canon.

1. Cyprien, diacre de Rome, recteur du patrimoine de Sicile : voir *PCBE* 2, « *Cyprianus* 8 », p. 516-520. Il exerça ses fonctions en Sicile entre 593 et 597, assurant des missions diverses : outre l'administration proprement dite du patrimoine, il réglait comme ici des problèmes matériels, de discipline (IV, 6) ou de succession épiscopale à Syracuse (V, 20) et à

de Rome, ne se sont arrogés, avec leur consentement, une telle pratique, et que, si on l'avait osé, on ne crée pas un précédent en sa faveur par un usage fait à la dérobée. Et même, ils affirment qu'en toute Église où l'on se sera arrogé ce droit, il faut corriger ce qui est pratiqué non par concession du pontife romain, mais seulement par subreption[11]. Mais nous, pour sauvegarder l'honneur de Ta Fraternité, bien que ce soit contre la volonté de notre dit clergé, nous permettons cependant à vos premiers diacres dont certaines personnes nous ont attesté qu'ils s'en étaient même servi avant, et seulement par considération pour toi, de se servir des manipules, mais nous interdisons très vivement que ce soit fait en d'autre temps et par d'autres personnes.

III, 55

PL : III, 58 et *MGH* : III, 55 – Juillet 593

Il donne ordre à Cyprien, recteur du patrimoine de Sicile, de payer les dettes de Côme, si celui-ci ne peut satisfaire ses créanciers et libérer ses enfants de leurs mains.

GRÉGOIRE AU DIACRE CYPRIEN[1]

Côme se dit obéré de dettes multiples pour avoir en diverses circonstances fait face à des dangers, au point que pour ces dettes, dit-il, ses créanciers retiennent ses fils. S'il en est ainsi, cela nous émeut beaucoup. C'est pourquoi nous exhortons Ta Dilection, puisqu'il s'agit de dons à faire sur les biens des pauvres, d'enquêter sur son affaire avec la plus grande minutie. Et si tu trouves que réellement il est ligoté par les susdites dettes au point de n'avoir pas les ressources qui permettent de les acquitter lui-même, vois les créanciers en question, et réunis la somme que tu sauras

Lilybée (V, 23). ~ La lettre IV, 43 montre qu'en août 594, les ennuis financiers et judiciaires du marchand syrien Côme n'étaient pas encore réglés. Voir *PCBE* 2, « *Cosmas* 1 », p. 492-493.

et propter recolligendos filios eius quanta cognoueris quantitate
10 componas. Quodque ipsam sicut dictum est hic non habet unde restituat, de rebus pauperum ex praesenti nostra auctoritate persolue, sciens quicquid illic te prouidente datum fuerit patrimonii nostri pensionibus esse reputandum.

MENSE AVGVSTO INDICTIONE XI

III, 56

GREGORIVS SECVNDINO EPISCOPO

205 Pridem praecepimus ut de monasterio sancti Andreae quod est super Mascalas baptisterium propter monachorum insolentias debuisset auferri, atque in eodem loco quo fontes sunt altare fundari. Cuius rei perfectio hactenus est protracta.
5 Admonemus igitur fraternitatem tuam ut nullam iam moram post susceptas praesentes litteras nostras inserere. Sed repleto loco ipsarum fontium, altare ad sacra celebranda mysteria illic sine aliqua dilatione fundetur, quatenus et praedictis monachis opus Dei securius liceat celebrare, et
10 non de neglegentia uestra contra fraternitatem tuam noster animus excitetur.

1. Secundinus, évêque de Taormine depuis 591 : voir *PCBE* 2, « *Secundinus* 6 », p. 2010-2014.

2. Sur l'infinitif *inserere* après *ut*, corrigé par *MGH* en *inseras*, voir *supra* III, 46, note 3.

nécessaire pour recouvrer ses enfants. Et comme lui-même n'a pas de quoi la restituer, comme il vient d'être dit, paie intégralement, en vertu de notre présente instruction, sur les biens des pauvres, en sachant que ce que tu prévoiras de donner dans ce cas sera à imputer sur les revenus de notre patrimoine.

AOÛT 593. INDICTION XI

III, 56

PL : III, 59 et *MGH* : III, 56 – Août 593

Il prescrit une seconde fois à Secundinus, évêque de Taormine, de faire enlever le baptistère du monastère de Saint-André sur Mascalas et de faire installer un autel à la place des fonts.

GRÉGOIRE À SECUNDINUS ÉVÊQUE [1]

Depuis un certain temps, nous avons prescrit d'avoir à enlever le baptistère du monastère de saint André sur Mascalas à cause des inconvénients qu'il cause aux moines, et à installer un autel à la place même des fonts. L'exécution de la chose a traîné jusqu'à présent. Nous avertissons donc Ta Fraternité de ne plus y apporter aucun délai après réception de notre présente lettre[2]. Mais une fois comblé l'emplacement des fonts, qu'on y installe sans plus attendre un autel pour célébrer les saints mystères, de sorte que les susdits moines puissent célébrer l'œuvre de Dieu[3] avec plus de tranquillité, et que notre esprit ne soit plus irrité contre Ta Fraternité à cause de votre négligence.

3. *Opus Dei* est l'expression monastique traditionnelle pour désigner l'office liturgique, par exemple *Reg. Ben.*, *passim* (voir dans *SC* 182, la concordance verbale *s.u.* « *opus* », p. 790-791).

III, 57

Gregorivs Italicae patriciae

Suscepimus plenas dulcedine litteras uestras, atque incolumitatis excellentiae uestrae nos laetificauit auditus. Circa quas tanta nostrae est mentis sinceritas, ut nihil in earum tranquillitate simultatis reconditum paternus nos
5 suspicari permittat affectus. Sed omnipotens Deus faciat ut, sicut nos de uobis bona sentimus, ita mens uestra nobis bona respondeat, et dulcedinem quam uerbis impenditis exhibeatis operibus. Nihil enim prodest gloriosissima sanitas et pulchritudo in superficie corporis, si uulnus latet intrin-
10 secus. Atque illa magis cauenda est discordia, cui satellitium pax praebet exterior. Illud uero quod in praedictis epistulis reuocare in memoriam nostram excellentia uestra studiose contendit scriptum uobis nihil cum scandalo, nihil cum forali strepitu uobiscum nos uelle de causis pauperum definire,
15 haec nos et scripsisse meminimus, et scimus nosmetipsos, iuuante Domino, a causarum litigiis ecclesiastica moderatione

1. Italica, *patricia* : voir *PLRE* III A, p. 726-727 et *PCBE* 2, « *Italica* 3 », p. 1164-1165. Grégoire lui écrivit aussi la lettre IX, 232 d'août 599 adressée conjointement à son mari le patrice Venance. Celui-ci avait reçu du pape une lettre pleine de reproches et d'affection pour avoir abandonné la vie monastique qu'il avait embrassée (I, 33, de mars 591 ; *SC* 370, p. 174-180). Tous deux furent sollicités, chacun par une lettre particulière de Childebert II, à la fin de 587, d'appuyer une alliance entre l'Austrasie et l'Empire, voir *Epist. austr.* 38 à Italica et 39 à Venance (éd. E. Malaspina, p. 186-190).

2. Par deux fois dans cette lettre, dès la première ligne et ici, Grégoire fait l'éloge de la *dulcedo* de sa correspondante. Le mot revient ailleurs : en IV, 1 il parle de la *uirtus dulcedinis* qui doit accompagner la *sacerdotalis indignatio* ; en IV, 37, il demande d'agir *dulcedine et ratione* ; en IV, 38, il salue son correspondant *cum omni affectu atque dulcedine*. À la même époque le thème de la *dulcedo* apparaît aussi chez Fortunat et dans les *Epist. austr.*, voir éd. E. Malaspina, *Indici*, p. 342, *s.u.* « *dulcedo* » et « *dulcis* » et p. 239, n. 147. On est dans le domaine de la topique épistolaire, comme l'a montré E.R. Curtius, *La littérature européenne et le Moyen Âge latin*, trad. franç. J. Bréjoux, coll. *Agora*, Paris 1956[1], t. 2, p. 178-179, qui voit dans l'expression de la *dulcedo* « une formule de style cérémonieuse ».

III, 57

PL : III, 60 et *MGH* : III, 57 – Août 593

Il écrit à Italica, patricia, *qu'il a prescrit à Cyprien, recteur du patrimoine de Sicile de trouver un accord avec elle dans le conflit sur les affaires des pauvres.*

GRÉGOIRE À ITALICA, *PATRICIA*[1]

Nous avons reçu votre lettre pleine de douceur, et la nouvelle de la bonne santé de Votre Excellence nous a réjoui. À propos de cette lettre, si grande est la sincérité de notre esprit que notre affection paternelle ne nous autorise pas à soupçonner que leur calme cache aucune inimitié. Mais que Dieu tout-puissant fasse que, de même que nous avons envers vous de bons sentiments, de même votre esprit en ait réciproquement de bons envers nous, et que vous manifestiez par des œuvres la douceur que vous mettez dans vos paroles[2]. Car rien ne sert d'avoir une très glorieuse santé et beauté à la surface du corps, si une plaie se cache à l'intérieur. Et il faut éviter plus encore une discorde à laquelle une paix extérieure donne un appui[3]. Or, ce que Votre Excellence s'efforce soigneusement de rappeler à notre mémoire dans ces lettres, à savoir qu'il vous a été écrit que nous voulions, à propos des affaires des pauvres, ne rien régler avec vous dans le scandale, rien dans le tumulte du barreau[4], cela nous nous souvenons l'avoir écrit et nous savons nous tenir nous-même, Dieu aidant, avec une modération ecclésiastique, à l'écart des contestations

3. *Satellitium,* mot rare que Grégoire emprunte sans doute à Augustin.
4. *Foralis* est un hapax, voir *TLL* 6, col. 1032 qui renvoie au concile de Macon de 585 et à Grégoire : I, 60 (*SC* 370, p. 258, li. 16) ; I, 62 (*ibid.*, p. 262, li. 13) ; I, 67 (*ibid.*, p. 270, li. 1). Dans cette dernière lettre, Grégoire parle aussi du *strepitu causarum* (p. 270, li. 14). Avec Italica, comme toujours, il veut éviter un procès devant un tribunal civil.

compescere atque, secundum illum apostolicum sensum,
206 « *rapinam bonorum* nostrorum *cum gaudio sustinere*[a] ». Sed
illud scire uos credimus, taciturnitatem atque patientiam
20 nostram futuris post me pontificibus in rebus pauperum
praeiudicium non facturam. Vnde et nos, explentes supra
memoratam promissionem nostram, iam de causis ipsis
praeuidimus reticendum, nec in his in quibus minus agi
benigne sentimus, desideramus nos per nosmetipsos
25 immiscere negotiis. Sed ne forte ex his coniciatis, gloriosa
filia, ea quae ad concordiam pertinent adhuc nos omnino
rennuere, filio nostro Cypriano diacono uenienti ad Siciliae
partes indiximus ut, si quid de his salubriter et sine peccato
animae uestrae ordinare disponitis, ex nostra uobiscum
30 auctoritate definiat, ut nos non amplius illis uexemur
negotiis, quorum cum mansuetudine est dispensatus
effectus. Deus autem omnipotens, qui ea quae et omnino
impossibilia sunt ad possibilitatem bene nouit inflectere[b],
ille uobis aspiret et causas uestras cum pacis intentione
35 disponere, et pro mercede animae uestrae de rebus eis
competentibus huius ecclesiae consulere pauperibus.

III, 58

GREGORIVS FORTVNATO EPISCOPO NEAPOLIM

Religiosis desideriis sine difficultate praestari decet effectum. Atque ideo Gratiosa abbatissa una cum congregatione sua, oblata petitione quae tenetur in subditis, postulauit quod

58. a. He 10, 34 b. cf. Lc 18, 27 ; Mt 19, 26

1. Fortunat, évêque de Naples de mai 593 à 600 : voir *PCBE* 2, « *Fortunatus* 16 », p. 867-871. Il fut élu après le refus de Florentius, voir III, 15.

procédurières et, selon la pensée de l'Apôtre, « *supporter avec joie le pillage de* nos *biens*[a] ». Mais nous croyons que vous savez que notre silence et notre patience ne constitueront pas pour les pontifes qui viendront après moi un précédent en ce qui concerne les biens des pauvres. C'est pourquoi nous aussi, remplissant notre promesse rappelée plus haut, nous avons déjà décidé de garder le silence sur ces litiges, et nous ne désirons pas nous mêler personnellement de ces affaires où nous sentons que l'on agit avec moins de bienveillance. Mais de peur que par hasard vous concluiez de cela, glorieuse fille, que nous nous refusons encore tout à fait à ce qui tend à la concorde, nous avons notifié à notre fils le diacre Cyprien qui va dans la région de la Sicile, si vous décidez de régler quelque chose à ce sujet sainement et sans péché pour votre âme, d'en décider avec vous, en vertu de notre autorité, pour que nous ne soyons plus ennuyé par ces affaires, dont le règlement a été obtenu par la douceur. Mais que Dieu tout-puissant, qui sait bien infléchir vers le possible les choses qui sont même tout à fait impossibles[b], vous inspire de régler vos litiges dans une intention de paix, et, pour le rachat de votre âme, de prendre soin des pauvres de cette Église dans les affaires qui les concernent.

III, 58

PL : III, 63 et *MGH* : III, 58 – Août 593

Il donne ordre à Fortunat, évêque de Naples, de consacrer le monastère construit dans la maison de Rustica.

Grégoire à Fortunat évêque de Naples[1]

Aux désirs conformes à la religion il convient de donner effet sans faire difficulté. Or l'abbesse Gratiosa, ainsi que sa communauté, en présentant la pétition qui figure dans les annexes, a réclamé le monastère de servantes de Dieu

patriciae recordationis Rustica, per ultimum uoluntatis
5 suae arbitrium, in ciuitate Neapolitana in domo propria
in regione Herculensi in uico qui appellatur Lampadi,
monasterium ancillarum Dei, in quo praefatam Gratiosam
abbatissam praeesse disposuit, simulque et oratorium
exstruxisse dinoscitur, cui et pro uoto suo quattuor uncias
10 totius substantiae suae dimisisse suggessit, quodque in
207 honore beatae Mariae semper uirginis genitricis Dei et
Domini nostri Iesu Christi desiderat consecrari. Et ideo,
frater carissime, praesenti praeceptione dilectionem tuam
duximus adhortandam ut, inspecto primitus testamento, si
15 iure subsistit, et easdem quattuor uncias uerissime eidem
monasterio collatas esse compereris, ad praedictum locum
cum postulauerint ingrauanter accedas, uenerandae
sollemnia dedicationis impendens, ut quotiens necesse fuerit
a presbyteris ecclesiae in superscripto loco deseruientibus
20 celebrentur sacrificia ueneranda missarum, ita ut in eodem
monasterio neque fraternitas tua neque presbyteri praeter

2. Par testament, Rustica a fondé dans sa maison de Naples un monastère que dirigerait l'abbesse Gratiosa et un oratoire dédié à la Vierge. Pour cette fondation (*uoto suo*), elle a légué le tiers de sa fortune. Ici il n'est pas question de son mari. La lettre IX, 165 de juin 599 nous apprend qu'il s'appelait Félix et que, par un testament fait vingt-et-un ans plus tôt et qui n'a toujours pas reçu d'exécution, Rustica l'a institué comme son héritier, à charge pour lui de faire des dons à ses affranchis et de construire un monastère sur ses domaines de Sicile. Félix héritait donc de la part sicilienne de la fortune de sa femme, c'est-à-dire des deux tiers restants. Quand Rustica est-elle morte ? Selon *PCBE* 2, « *Rustica* 3 », p. 1947-1948 : « avant août 593 ». En revanche, *PLRE* III B, p. 1100-1101, date sa mort de 578, ce qui est le plus vraisemblable si, comme le dit IX, 165 en 599, le testament a été fait vingt-et-un ans plus tôt. On objectera peut-être qu'un testament peut être fait longtemps avant la mort. Mais deux choses prouvent que ce n'est pas le cas : d'abord en III, 58, Grégoire dit qu'elle a agi *per ultimum uoluntatis suae arbitrium* ; d'autre part, Grégoire réclame l'exécution d'un testament fait vingt-et-un ans plus tôt, ce qui n'aurait pas de sens si Rustica était morte depuis moins longtemps. Une autre question est celle de l'identité de Félix. La lettre IX, 54 de novembre 598 mentionne un Félix qualifié de *scolasticus* ; dans cette lettre, le nom de Rustica n'apparaît pas. Considérant que Rustica tient son titre de *patricia* de son mari, *PLRE* III A, p. 482, distingue un Félix *?patricius* (*sic*), « *Felix* 6 », et un Félix *scolasticus*, « *Felix* 10 »,

que Rustica, de patricienne mémoire[2], est réputée avoir construit, en même temps qu'un oratoire, par dernière décision de sa volonté, dans sa maison de la ville de Naples, dans la région d'Herculanum, dans le quartier nommé Lampadi, monastère dans lequel elle a établi pour y présider comme abbesse la susdite Gratiosa, auquel aussi en accomplissement de son voeu elle a demandé que fût consacré un tiers de toute sa fortune[3] et qu'elle, Gratiosa[4], désire voir consacré en l'honneur de la bienheureuse Marie toujours vierge mère de Dieu notre Seigneur Jésus-Christ. Donc, frère très cher, par le présent mandement, nous avons estimé devoir exhorter Ta Dilection à examiner préalablement le testament, s'il est conforme au droit, et si tu découvres que ledit tiers de sa fortune a bien été affecté à ce monastère, à te rendre, quand elles le demanderont sans que cela te pèse, au susdit lieu, y accomplissant les solennités de la sainte dédicace, pour que, chaque fois qu'il sera nécessaire, soient célébrés les saints sacrifices des messes par les prêtres de l'église qui desservent le susdit lieu, de sorte que dans ce monastère ni Ta Fraternité ni les prêtres ne

celui de IX, 54, propriétaire d'une maison de Naples, au contraire de *PCBE* 2, « *Felix* 56 », p. 797, n. 2, qui ne reconnaît qu'un seul Félix, le *scolasticus*. Le Félix de IX, 54 est en effet nécessairement le mari de Rustica, car il est question dans cette lettre d'un conflit entre Thècle, abbesse du monastère de Sainte-Marie « dans la maison de feu Félix le scolastique » et Alexandre, *uir magnificus,* son gendre. Il ne pouvait y avoir à Naples plusieurs monastères de ce nom et Thècle devait avoir succédé à Gratiosa. Quant au titre de *patricia* de Rustica, il pouvait lui venir de sa famille. Et l'hypothèse se confirme, si, comme le remarque *PCBE* 2, p. 1947, il est possible de l'identifier avec la Rusticiana mentionnée en I, 42 (*SC* 370, p. 218, li. 228), dont l'argent semble être la cause d'un procès entre un Alexandre *uir magnificus* et l'Église. Elle pourrait être de la famille du patrice Boèce. Enfin, rien n'oblige à penser que Rustica avait laissé l'usufruit de la maison à son mari, comme le suppose *PCBE* 2, p. 1947.

3. Sur le calcul en onces, voir *supra* III, 3, note 9.

4. Le changement de temps (*desiderat* après une série de parfaits exprimant la volonté de Rustica) indique manifestement un changement de sujet. Le style embrouillé de cette longue phrase est le signe d'une dictée hâtive qui aurait mérité une remise en forme. Le cas n'est pas unique dans le *Registrum.*

diligentiam disciplinae aliquid molestiarum inferat, aut si quid pro diuersorum deuotione commoditatis accesserit sibi aestimet uindicandum, cum ancillis Dei in eodem loco 25 deseruientibus debeat proficere, quicquid offerri contigerit.

III, 59

GREGORIVS EVTYCHIO EPISCOPO TYNDARINO

Scripta fraternitatis tuae, Benenato ecclesiae tuae clerico deferente, suscepi, gratiasque omnipotenti Deo retuli quod in causis animae et his, quae ad Deum pertinent, te occupatum esse cognouimus. Scripsisti siquidem nobis 5 quosdam idolorum cultores atque Angelliorum dogmatis in his quibus constitutus es partibus inueniri, de quibus plures asseruisti esse conuersos, aliquos autem potentum nomine atque locorum se qualitate defendere. Auxiliantes igitur

5. *Pro* a ici un sens causal, voir E. LÖFSTEDT, *Philologischer Kommentar*, p. 156.

1. Eutychius, évêque de Tyndare : voir *PCBE* 2, « *Eutychius* 2 », p. 726-727. Tyndare est une ville du nord de la Sicile, en face des îles Lipari.

2. Benenatus, évêque de Tyndare : voir *PCBE* 2, « *Benenatus* 8 », p. 295. D'abord clerc de Tyndare, il succéda sur le siège de cette ville à Eutychius avant juillet 599 (IX, 181).

3. Il faut reconnaître dans les *Angellii* les Ἀγγελῖται que mentionnent TIMOTHÉE DE CONSTANTINOPLE, *De receptione hereticorum* 8 (*PG* 86, 60) et NICÉPHORE CALLISTE, *Ecclesiastica historia* 49 (*PG* 147, 432). Il s'agit d'une tendance issue des divisions du monophysisme. Pour comprendre la controverse théologique, il faut partir du trithéisme, une hérésie consistant à appliquer à chacune des personnes de la Trinité la fusion de la nature et de l'hypostase que les Sévériens reconnaissaient dans le Christ. Cette hérésie apparut vers 557 et trouva un défenseur dans le savant Jean Philopon. Pour le combattre, Damien, patriarche monophysite d'Alexandrie de 578 à 605, soutint que le Père, le Fils et l'Esprit ne sont pas Dieu chacun par soi-même, mais possèdent la divinité indivisément. Maladroitement, Damien aggravait le mal, puisque de trois dieux on passait à quatre, d'où le nom de tétradites donné aux tenants de cette doctrine. Timothée de Constantinople nous

causent aucun dérangement, sauf par souci de la discipline ; et si quelque profit se présente par la dévotion de certains[5], que Ta Fraternité n'estime pas devoir le réclamer pour soi, puisque tout ce qui arrivera comme offrande doit profiter aux servantes de Dieu qui servent en ce lieu.

III, 59

PL : III, 62 et *MGH* : III, 59 – Août 593

Il écrit à Eutychius, évêque de Tyndare, qu'il a demandé au préteur de Sicile de l'aider dans sa lutte contre les adorateurs des idoles et les partisans des doctrines des Angellii.

GRÉGOIRE À EUTYCHIUS ÉVÊQUE DE TYNDARE[1]

J'ai reçu la lettre de Ta Fraternité, apportée par Benenatus, clerc de ton Église[2], et j'ai rendu grâces à Dieu tout-puissant d'apprendre que tu dépenses ton activité dans les choses spirituelles et dans celles qui ont trait à Dieu. Tu nous as, en effet, écrit que l'on rencontre dans les régions où tu as été établi des adorateurs d'idoles et des partisans de la doctrine des *Angellii*[3], dont tu as affirmé que plusieurs sont convertis, mais quelques-uns trouvent un appui dans le titre d'hommes puissants et dans la nature des lieux. Pour aider

apprend qu'on les appelait aussi Damianites ou Angélites du nom d'un quartier d'Alexandrie, l'Ἀγγέλιον, où ils se réunissaient. Sur les Angélites, voir A. LEHAUT, dans *DHGE*, t. 3, col. 68 et sur le trithéisme et Damien d'Alexandrie, P. MARAVAL, *HC* 3, p. 462-481. On pourra consulter aussi l'article « Trithéisme » de C. VIOLA, dans *Dictionnaire critique de théologie*, dir. J.-Y. Lacoste, coll. *Quadrige*, Paris 2002, p. 1197-1199. ~ La désignation de ces hérétiques par le terme, sans doute d'origine populaire, d'*Angellii* suppose que Grégoire connaissait bien ce groupe monophysite et on peut supposer qu'il avait été renseigné sur lui lors de son séjour à Constantinople et peut-être directement par le prêtre Timothée dont P. MARAVAL, *HC* 3, p. 478, précise qu'il écrit « à l'époque de Damien ». On peut aussi se demander si les fidèles de Damien avaient réellement essaimé en Sicile. Enfin, la transcription du grec Ἀγγελῖται par *Angellii* est surprenante et, plus précisément, le génitif *Angelliorum* est peut-être une faute de copiste pour *Angelitarum*.

bonis tuae caritatis operibus, uiro glorioso praetori Siciliae
10 nostra scripta transmisimus quatenus, iuuante Domino, qua
208 potest tibi uirtute concurrat, ut quod laudabiliter coeptum
est ualeat salubriter adimpleri. Oportet ergo fraternitatem
tuam maximam in hoc sollicitudinem gerere. Vere enim
episcopalem uiam sequeris, si per zelum linguamque tuam
15 hos qui a fidei ueritate dissentiunt in ecclesiae unitatem
reduxeris.

III, 60

GREGORIVS FORTVNATO EPISCOPO NEAPOLITANO

Scripta tuae caritatis accepimus, quibus nobis indicasti,
Deo te propitio bene a filiis tuis Neapolitanis ciuibus esse
susceptum. De quibus gratias omnipotenti Deo retulimus.
Oportet igitur affectui eorum te tuis moribus compensare,
5 malos cohercere, bonis te discrete atque benignissime
relaxare, ad sequendas eos meliores partes frequentius
admonere, quatenus et illi paternos in te mores inuenisse
se gaudeant, et tu creditam tibi regiminis curam, cooperante
Domino, studiosius exsequaris.

4. Le préteur de Sicile était alors Libertinus, voir *supra* III, 37, note 1.

le bon travail de Ta Charité, nous avons fait parvenir des lettres de nous au glorieux préteur de Sicile[4] de sorte que, avec l'aide du Seigneur, il joigne toutes ses forces aux tiennes, pour que ce qui a été commencé de façon louable puisse être accompli sainement. Il faut donc que Ta Fraternité apporte à cela la plus grande sollicitude. Tu suivras en effet véritablement la voie épiscopale si par ton zèle et ta parole tu ramènes dans l'unité de l'Église ceux qui s'éloignent de la vérité de la foi.

III, 60

PL : III, 61 et *MGH* : III, 60 – Août 593

Il félicite l'évêque Fortunat bien accueilli par les Napolitains.

GRÉGOIRE À FORTUNAT ÉVÊQUE DE NAPLES

Nous avons reçu la lettre de Ta Charité, où tu nous fais savoir qu'avec la grâce de Dieu, tu as été bien reçu par tes fils les citoyens de Naples. À leur sujet nous avons rendu grâces à Dieu tout-puissant. Il faut donc que tu répondes à leur affection par ta conduite, que tu réprimes les méchants, que tu te déraidisses avec discernement[1] et grande bienveillance envers les bons, que tu les avertisses assez fréquemment de suivre le meilleur parti, de sorte qu'eux-mêmes se réjouissent de trouver en toi la conduite d'un père et que toi tu mettes tous tes efforts, avec l'assistance de Dieu, à prendre soin du gouvernement qui t'est confié.

1. *Discrete* est un mot rare. D. NORBERG, *Studia critica*, t. 1, p. 14, renvoie à *TLL* 6/1, col. 1308, li. 49 qui cite GRÉG., *Mor.* 3, 68 ; 7, 61 ; *Epist.* III, 60 et VIII, 7. Ce serait la preuve que ce mot est du style propre à Grégoire et qu'il a écrit lui-même cette lettre. En IV, 1, on trouve *discreta indignatio*.

209

III, 61

GREGORIVS MAVRICIO AVGVSTO

Omnipotenti Deo reus est, qui serenissimis dominis in omne, quod agit et loquitur, purus non est. Ego autem indignus pietatis uestrae famulus in hac suggestione mea neque ut episcopus neque ut seruus iure reipublicae sed 5 iure priuato loquor, quia, serenissime domine, et illo iam tempore dominus meus fuisti, quando adhuc dominus omnium non eras.

Longino uiro clarissimo stratore ueniente, dominorum legem suscepi, ad quam fatigatus tunc aegritudine corporis 10 respondere nil ualui. In qua dominorum pietas sanxit ut quisquis publicis administrationibus fuerit implicatus, ei ad ecclesiasticum officium uenire non liceat. Quod ualde laudaui, euidentissime sciens quia, qui saecularem habitum deserens ad ecclesiastica officia uenire festinat, mutare uult 15 saeculum, non relinquere. Quod uero in eadem lege dicitur

1. Sur les relations de Grégoire avec l'Orient, voir C. FRAISSE-COUÉ, *HC* 3, p. 885-914 ; avec Maurice, voir *ibid.*, p. 890-895. Cette lettre marque le début d'un désaccord qui ne fit que grandir, quand l'empereur reprocha au pape sa politique jugée par lui trop conciliante à l'égard des Lombards. Ici, Grégoire prend vivement position contre la loi promulguée l'année précédente (592) qui interdisait aux soldats et aux fonctionnaires l'entrée dans la vie monastique avant la fin de leur service. Par délicatesse ou par prudence, le pape n'envoya pas sa lettre par la voie officielle, mais la fit remettre à l'empereur par son médecin Théodore, voir III, 64. L'empereur donna finalement satisfaction à la protestation du pape, voir *infra* note 17.

2. *Iure priuato* : depuis Auguste, le mot *priuatus* désigne tous les citoyens, fussent-ils revêtus d'une magistrature. Sous le Bas-Empire, on peut dire que c'est un simple sujet, ni évêque, ni fonctionnaire, comme le dit Grégoire. Il indique ainsi qu'il ne s'agit pas d'une lettre officielle. *Priuatus* s'oppose ici à *dominus,* titre de l'empereur ; mais, par un jeu d'une certaine préciosité, Grégoire fait remonter ses rapports de *priuatus* / *dominus* à l'époque de 579-582 où il était apocrisiaire à Constantinople et où Maurice n'était pas encore empereur.

3. Longin, *strator* : voir *PLRE* III B, « *Longinus* 6 », p. 797 ; *PCBE* 2,

III, 61

PL : III, 63 et *MGH* : III, 61 – Août 593

Il demande à l'empereur Maurice d'abroger, par interprétation ou modification, la loi qui prescrit d'interdire l'entrée dans la vie monastique aux fonctionnaires des administrations de l'État et aux soldats ; comme il en a reçu l'ordre, il a fait envoyer cette loi dans toutes les contrées.

GRÉGOIRE À L'EMPEREUR MAURICE[1]

Il est coupable envers Dieu tout-puissant, celui qui n'est pas irréprochable, dans tous ses actes et ses paroles, envers les Sérénissimes Seigneurs. Or moi, indigne serviteur de Votre Piété, dans la réclamation que je vais faire, je ne parle pas en tant qu'évêque, ni en tant que serviteur au nom de l'État, mais à titre de sujet parce que, Sérénissime Seigneur, tu étais déjà mon seigneur naguère, lorsque tu n'étais pas encore le seigneur de tous[2].

Dès l'arrivée du clarissime Longin, écuyer[3], j'ai eu en mains la loi de mes Seigneurs à laquelle, épuisé que j'étais alors par la maladie, je n'ai rien pu répondre. Dans cette loi, la piété de l'empereur a décrété qu'il est interdit à quiconque est chargé d'une fonction publique d'accéder à un office ecclésiastique. Ce que j'ai loué sans réserve, sachant de toute évidence que celui qui, en quittant l'état séculier, se hâte d'accéder à des offices ecclésiastiques, veut changer sa façon d'être dans le siècle, non quitter celui-ci[4]. Mais,

p. 1311 ; JEAN DIACRE, *Vita Greg.* II, 15 (*PL* 75, 93). Les *stratores* étaient des « palefreniers » impériaux, fonctionnaires de rang élevé, sous les ordres du tribun des écuries, lui-même dépendant du *magister officiorum*, voir AMMIEN MARCELLIN, *Res gestae* XIV, 10, 8 (éd. E. Galletier – J. Fontaine, *CUF*, t. 1, p. 93 et p. 221, n. 109).

4. La même idée se trouve déjà dans une loi de Théodose, qui demande aux curiales qui veulent entrer dans le clergé d'abandonner leur patrimoine, « car il ne convient pas que des âmes attachées au service de Dieu soient prisonnières des convoitises d'un patrimoine » (*Cod. Theod.* XII, 1, 104).

ut ei in monasterio conuerti non liceat, omnino miratus sum, dum et rationes eius possunt per monasterium fieri, et agi potest, ut ab eo loco in quo suscipitur eius quoque debita suscipiantur. Nam etsi quisquam deuota mente
20 conuerti noluisset, prius res male ablatas redderet, et de sua anima tanto uerius, quanto expeditior, cogitaret. In qua lege subiunctum est ut nulli qui in manu signatus est conuerti liceat. Quam constitutionem ego, fateor dominis meis, uehementer expaui. Quia per eam caelorum
25 uia multis clauditur, et quod nuncusque licuit, ne liceat prohibetur. Multi enim sunt qui possunt religiosam uitam etiam cum saeculari habitu ducere. Et plerique sunt qui, nisi omnia reliquerint, saluari apud Deum nullatenus
210 possint. Ego uero haec dominis meis loquens, quid sum
30 nisi puluis[a] et uermis[b] ? Sed tamen quia contra auctorem omnium Deum hanc intendere constitutionem sentio, dominis tacere non possum. Ad hoc enim potestas super omnes homines pietati dominorum meorum caelitus data est, ut qui bona appetunt adiuuentur, ut caelorum uia largius
35 pateat, ut terrestre regnum caelesti regno famuletur. Et ecce aperta uoce dicitur ut ei, qui semel in terrena militia signatus

61. a. cf. Gn 3, 19 ; Gn 28, 14 b. cf. Gn 18, 27 ; Jb 25, 6 ; Ps 21, 7

---

5. C. DAGENS, *Saint Grégoire le Grand*, p. 293-294, souligne la distinction établie ici par Grégoire entre l'accès aux fonctions ecclésiastiques et la vocation monastique et il y voit le reflet de l'expérience personnelle du pape qui a d'abord connu la vie monastique avant d'être plongé dans les soucis de la charge épiscopale. C'est peut-être aussi, plus simplement, parce qu'il n'ignore pas les nombreuses lois antérieures qui limitent l'entrée dans le clergé, voir *infra* note 15. En tout cas, Grégoire a toujours été soucieux de bien distinguer les clercs et les moines, voir IV, 11, § 3.

6. Le pape répond en premier lieu au souci de l'empereur d'éviter l'évasion fiscale.

7. Les manuscrits *R* et *r* donnent *uoluisset*, leçon retenue par Ewald – Hartmann, (*MGH, Epist* 1, p. 221, li. 1). Mais alors, *etsi* n'est pas clair. Avec

lorsqu'il est dit, dans la même loi, qu'il ne lui est pas permis de se faire moine[5], je me suis étonné grandement, puisque ses comptes peuvent être établis par le monastère, et on peut faire en sorte que ses dettes soient aussi prises en charge par l'endroit où il est pris en charge[6]. En effet, même si quelqu'un n'avait pas voulu[7] se faire moine dans un esprit d'abandon, il commencerait par restituer ce qu'il a mal acquis, et le souci qu'il aurait de son âme serait d'autant plus sincère qu'il serait plus dépouillé. Cette loi ajoute qu'il est interdit de se faire moine à quiconque est marqué sur la main[8]. Cette constitution, je l'avoue à mes Seigneurs, m'a fait grand peur. C'est que par elle le chemin du ciel est fermé à un grand nombre et on empêche que soit permis ce qui était permis jusqu'à présent. En effet il en est beaucoup qui peuvent mener une vie de piété même dans l'état séculier. Et il y en a un grand nombre qui ne peuvent absolument pas faire leur salut devant Dieu s'ils n'abandonnent pas tout. Que suis-je, moi, pour dire cela à mes Seigneurs, sinon ver[a] et poussière[b] ? Cependant, parce que je pense que cette constitution va contre Dieu, auteur de toutes choses, je ne puis m'en taire à mes Seigneurs. Si le pouvoir sur tous les hommes a été donné par le ciel à la piété de mes Seigneurs, c'est pour que soient aidés ceux qui aspirent au bien, que soit plus largement ouvert le chemin des cieux, que le royaume de la terre soit au service du royaume des cieux[9]. Et voici qu'il est dit à haute voix : une fois qu'un homme aura été marqué du signe de la

noluisset le sens est satisfaisant, sauf que l'on comprend mal comment quelqu'un dont la vocation ne serait pas sincère (*deuota mente*) se soucierait du salut de son âme. Voir *infra* note 13.

8. *In manu signatus*, façon imagée de désigner ceux qui sont enrôlés dans l'armée. Cf. AMBROISE DE MILAN, *De obitu Valentiniani* 58 : « Les soldats sont marqués du nom de l'empereur. »

9. Cette phrase exprime en quelques mots toute la théorie ministérielle du pouvoir que Grégoire a plusieurs fois développée ailleurs, voir M. REYDELLET, *La royauté*, p. 474-479.

fuerit, nisi aut expleta militia, aut pro debilitate corporis repulsus, Christo militare non liceat.

Ad haec ecce per me seruum ultimum suum et uestrum 40 respondit Christus, dicens : « Ego te de notario comitem scubitorum, de comite scubitorum caesarem, de caesare imperatorem, nec solum hoc, sed etiam patrem imperatorum feci. Sacerdotes meos tuae manui commisi, et tu a meo seruitio milites tuos subtrahis. » Responde rogo, piissime 45 domine, seruo tuo, quid uenienti et haec dicenti responsurus es in iudicio domino tuo ?

Sed fortasse creditur quia nullus eorum puro animo conuertatur. Ego indignus famulus uester scio quanti diebus meis in monasterio milites conuersi miracula fecerunt, signa 50 et uirtutes operati sunt. Sed per hanc legem iam ne quisquam talium conuerti ualeat prohibetur.

Requirat rogo dominus meus quis prior imperator talem legem dederit, et subtilius aestimet si debuit dari. Et

10. *Christo militare* est une expression ancienne et courante pour désigner la vie du chrétien en général. Mais ici, il s'agit plus particulièrement de la vie monastique comme, au début de la règle, Benoît s'adresse à son disciple : « à toi qui vas t'engager (*militaturus*) au service du Christ roi ».

11. Pour la carrière de Maurice, voir *PLRE* III B, « *Flauius Mauricius Tiberius* 4 », p. 855-860. Il fit toute sa carrière dans le sillage de Tibère avant même que celui-ci devînt empereur. Il était *notarius* de Tibère quand il devint César en 574. De 574 à 582 environ, il fut *comes excubitorum*, chef de ce corps de la garde impériale créé à la fin du ve siècle par Léon Ier, voir E. STEIN, *Histoire du Bas-Empire,* t. 1, p. 358-359. En même temps il exerça un important commandement en Orient comme *magister utriusque militiae per orientem* et remporta des succès contre la Perse. À son retour à Constantinople en 582, il fut désigné comme successeur par Tibère II qui le fiança à sa fille Constantina. Tibère, sur son lit de mort, le nomma César le 5 août 582 et Auguste le 13 août. Peu après son avènement, il épousa Constantina dont il eut neuf enfants, voir le tableau généalogique dans *PLRE* III B, p. 1541. L'aîné, Théodose (voir *PLRE* III B, p. 1293-1294), né en 585, fut proclamé Auguste le 26 mars 590. G. OSTROGORSKY, *Histoire de l'État byzantin*, Paris 1956, p. 110-111, rappelle que, dans son testament écrit

milice terrestre, il ne lui est plus permis de militer sous le Christ[10] sinon après la fin de son service, ou s'il est réformé pour débilité physique.

À cela, voici que le Christ répond par moi, le dernier de ses serviteurs et des vôtres, en disant : « Je t'ai fait, de notaire, comte de la garde ; de comte de la garde, César ; de César, empereur, et non seulement cela, mais encore, père d'empereurs[11]. J'ai confié mes évêques à ton autorité[12], et toi, tu soustrais tes soldats à mon service. » Réponds à ton serviteur, je t'en prie, très pieux Seigneur : lors du jugement que répondras-tu à ton Seigneur, lorsqu'il viendra et te dira ces choses ?

Mais peut-être croit-on qu'aucun d'eux ne se fait moine d'un cœur sincère[13]. Moi, votre serviteur indigne, je sais combien de soldats devenus moines au temps où j'étais au monastère ont fait des merveilles, ont opéré des signes et des miracles[14]. Mais par cette loi désormais tous leurs semblables se voient interdire de se faire moines.

J'en prie mon Seigneur : qu'il recherche quel empereur, dans le passé, a promulgué une loi semblable ; et qu'il

en 597, lors d'une grave maladie, Maurice avait prévu que Théodose règnerait sur Constantinople et l'Orient ; Tibère, le second fils, sur Rome, l'Italie et les îles occidentales ; les deux plus jeunes fils obtiendraient l'un l'Illyricum et l'autre l'Afrique. À la date de cette lettre, seul Théodose était *imperator*. Le pluriel *imperatorum* est donc une simple formule, à moins que Maurice n'eût déjà fait part à Grégoire de ses intentions.

12. *Manus* est à prendre au sens juridique. La formule mérite d'être soulignée. Mais il ne faut peut-être pas en exagérer la portée dans un sens contraire à la doctrine d'Ambroise.

13. *Puro animo* répond à *deuota mente* plus haut, voir *supra* note 7. Grégoire refuse l'idée qu'on devienne moine par calcul.

14. Il est difficile de mettre des noms sous cette allusion. Dans GRÉG., *Dial.* IV, 36, 7, on trouve bien deux sous-officiers (*optiones*), mais dont la vie est peu édifiante.

considerandum ualde est quia eo iam tempore prohibentur
55 quique relinquere saeculum, quo appropinquauit finis ipse
saeculorum. Ecce enim mora non erit, et ardente caelo,
ardente terra, coruscantibus elementis, cum angelis et
archangelis, cum thronis et dominationibus, cum principatibus et potestatibus[c] tremendus iudex apparebit. Si omnia
60 peccata dimiserit, et solum hanc legem contra se dixerit
prolatam, quae rogo erit excusatio ? Vnde per eundem
tremendum iudicem deprecor ne illae tantae lacrimae,
tantae orationes, tanta ieiunia tantaeque elemosynae
domini mei ex qualibet occasione apud omnipotentis Dei
65 oculos fuscentur, sed aut interpretando pietas uestra, aut
immutando uigorem eiusdem legis inflectat. Quia tunc magis
dominorum exercitus contra hostes crescit, quando Dei
exercitus ad orationem creuerit.

Ego quidem iussioni subiectus eandem legem per diuersas
70 terrarum partes feci transmitti, et quia lex ipsa omnipotenti
211 Deo minime concordet ecce per suggestionis meae paginam
serenissimis dominis nuntiaui. Vtrobique ergo quae debui
exsolui, qui et imperatori oboedientiam praebui, et pro Deo
quod sensi minime tacui.

c. cf. Col 1, 16 ; Ep 1, 21

15. Dans la lettre III, 64, il dénonce nommément Julien, voir note 4 *ad loc.* En réalité, les immunités concédées au clergé dès Constantin entraînèrent des abus, particulièrement pour fuir les charges municipales. Il fallut réagir contre ces abus et c'est l'objet d'un grand nombre de lois du *Cod. Theod.* XII, 1 *de decurionibus* et XVI, 2 *de episcopis, ecclesiis, et clericis*, notamment XVI, 2, 3 et 2, 6 de 320 et 329 (voir l'introduction de R. Delmaire à *SC* 497, p. 56 s.). En ce qui concerne la législation de Julien, Grégoire pourrait faire allusion à *Cod. Theod.* XII, 1, 50 de 362 qui renvoie dans les curies, les décurions « qui, en qualité de chrétiens, esquivent les charges » – *christiani* signifiant « clercs » selon Godefroid.

16. Hiérarchie des anges selon Paul (Ep 1, 21 et Col 1, 16), que Grégoire cite dans un long développement sur les anges dans *Hom. in Euang.* II, 34, 7-14 (*PL* 76, 1249-1255).

17. En novembre 597, Grégoire, par la lettre VIII, 10 (*CCL* 140 A, p. 527), informa tous les archevêques et évêques sous son autorité directe que l'empereur avait donné une interprétation de la loi qui allait dans le sens souhaité par

considère plus minutieusement si elle devait être promulguée[15]. Il faut aussi bien remarquer que c'est précisément à l'époque où la fin même des siècles s'est rapprochée que nul n'est plus autorisé à quitter le siècle. Voici en effet qu'il n'y aura plus alors de délais ; et, dans l'embrasement du ciel et dans l'embrasement de la terre, dans l'ébranlement des éléments, avec les anges et les archanges, avec les trônes et les dominations, avec les principautés et les puissances[16], le Juge terrible apparaîtra. S'il remet tous les péchés et dit que cette loi seulement a été promulguée contre Lui, quelle sera l'excuse, je vous le demande ? Je vous en supplie donc par ce Juge terrible, que tant de larmes, tant de prières, tant de jeûnes, tant d'aumônes de mon Seigneur ne soient pas obscurcis à quelque occasion aux yeux du Dieu tout-puissant, mais que Votre Piété infléchisse la force de cette loi en l'interprétant ou en la modifiant[17]. Car l'armée de mes Seigneurs grandit contre les ennemis, lorsque l'armée de Dieu grandit pour la prière.

Pour moi, soumis à votre ordre, j'ai fait envoyer cette loi par toute la terre ; et voici que[18] j'ai fait connaître aux Sérénissimes Seigneurs par la page de cette réclamation que la loi elle-même n'est pas selon le Dieu tout-puissant. Dans les deux cas, j'ai donc rempli mon devoir : envers l'empereur, j'ai fait preuve d'obéissance et devant Dieu, je n'ai pas gardé le silence sur ce que je pensais.

lui : l'entrée dans le clergé reste interdite ; pour l'entrée dans un monastère, il faudrait obtenir le quitus de l'administration des finances ; les militaires feront l'objet d'une enquête sur leur vie et seront soumis à une probation de trois années. ~ L'*interpretatio iuris* est une partie importante du droit romain, voir CICÉRON, *De or.* I, 140 ; *Off.* I, 33 où il justifie la nécessité de l'interprétation par le proverbe : *summum ius, summa iniuria*. Dans le *Code Théodosien*, on trouve parfois après le texte d'une loi son *interpretatio*, par exemple en XVI, 2, 2 (*SC* 497, p. 124) ; 2, 23 (*ibid.*, p. 166).

18. Même si l'emploi de *ecce* n'est pas rare en latin pour dramatiser le récit, on verra plutôt ici une influence biblique qui donne au texte une valeur prophétique d'avertissement. C'est d'ailleurs le quatrième emploi de cet adverbe dans cette seule lettre.

III, 62

GREGORIVS DOMITIANO METROPOLITANO

Scripta dulcissimae et suauissimae beatitudinis uestrae suscipiens, ualde gauisus sum quia multa mihi de sacra scriptura loquebantur. Et quia dilectas in eis epulas repperi, eas auide comedi. In quibus quaedam quoque de causis
5 exterioribus et necessariis sunt permixta. Et quasi menti conuiuium praeparantes egistis, ut oblatae epulae ex diuersitate melius placerent. Et siquidem exteriores causae uelut inferiores et abiecti cibi minus sapiunt, ita tamen a uobis prudenter dictae sunt, ut libenter sumantur. Quia et cibi
10 contemptibiles plerumque dulces ex condimento bene coquentis fiunt. Seruata autem ueritate historiae, hoc quod dudum de diuinae significatione dixeram respui nullomodo debuit. Nam etsi mihi, quoniam ita uultis, significatio eius non congruit, ex ipsis tamen locis suis circuminstantibus,
15 hoc quod ex ea dictum est teneri incunctanter potest. Nam et corruptor eius « *princeps terrae*[a] » dicitur, per quem aperte

62. a. Gn 34, 2

1. Domitien, évêque de Mélitène : voir *PLRE* III A, « *Domitianus* », p. 411. Il était le fils de Pierre, le frère de l'empereur Maurice, voir *PLRE* III B, « *Petrus* 55 », p. 1009-1011. En 580, deux ans avant son avènement, Maurice le nomma évêque de Mélitène dans la partie de la Cappadoce rattachée à la petite Arménie. Fervent chalcédonien, il persécuta les jacobites de Mésopotamie et de Syrie entre 599 et 601. Mais il joua aussi un rôle politique comme conseiller de son oncle. En 587, Childebert II lui recommanda les ambassadeurs qu'il envoyait à l'empereur pour conclure une alliance entre l'Empire et le royaume d'Austrasie (*Epist. austr.* 33, éd. E. Malaspina, p. 178). Il œuvra aussi en 590 au rétablissement par l'empereur du roi Chosroès II sur le trône de Perse dont son père avait été évincé par un usurpateur. On voit plus loin dans cette lettre qu'il tenta en vain de le convertir au christianisme. Il mourut le 12 janvier 602. Grégoire avait fait sa connaissance au temps de sa nonciature à Constantinople. Il lui écrivit aussi les lettres V, 43 et IX, 4. Voir E. HONIGMANN, *Two Metropolitans, Relatives of the Emperor Maurice : Domitianos of Melitene (about 580 – January 12 602) and Athenogenes of Petra, Patristic Studies,* coll. *Studi e Testi* 173, 1953, p. 217-223 ; et B. PARET, « Domitianus de Melitène et la

III, 62

PL : III, 67 et *MGH* : III, 62 – Août 593

Il répond à Domitien, métropolite d'Arménie, évêque de Mélitène, à propos de l'interprétation de l'Écriture sainte. Il le loue d'avoir essayé de convertir à la foi chrétienne l'empereur de Perse.

Grégoire au métropolite Domitien [1]

Nous nous sommes beaucoup réjoui en recevant la lettre de Votre très douce et très aimable Béatitude, parce qu'elle m'entretenait abondamment de la sainte Écriture. Et parce que j'ai trouvé là des mets que j'aime, je les ai avidement dévorés. Mêlés à ceux-ci, il y en a aussi qui concernent des affaires extérieures et inévitables. Comme préparant un banquet à l'esprit, vous avez fait en sorte que les mets présentés eussent plus d'attrait par leur diversité. Et si les affaires extérieures ont moins de goût, comme des aliments inférieurs et de basse qualité, vous en avez cependant parlé avec une telle compétence qu'on en prend volontiers. Car même des aliments méprisables deviennent ordinairement doux grâce à l'assaisonnement d'un bon cuisinier. Or, en maintenant la vérité de l'histoire, ce que j'avais dit naguère sur le sens spirituel ne devait nullement être rejeté [2]. Car même si ce sens de l'histoire, puisque vous le voulez ainsi, ne me convient pas, cependant à cause de son contexte ce qui en a été tiré peut être gardé sans hésiter. En effet, même son corrupteur est dit « *prince de la terre* [a3] », qui

politique religieuse de l'empereur Maurice », *Revue d'Études byzantines* 15, 1957, p. 42-72.

2. Deux des quatre sens de l'Écriture : l'*historia* ou *littera* et le sens *spirituel*, voir H. de Lubac, *Exégèse médiévale. Les quatre sens de l'Écriture*, 4 vol., Paris 1959-1964. Les deux autres sens sont le sens moral (*quid agas*) et le sens anagogique (*quo tendas*). ~ *Diuinae* n'est pas clair : on peut sous-entendre *ueritatis*.

3. Le texte dont il est question ici est le chapitre 34 de la *Genèse* qui raconte le rapt de Dina, fille de Jacob, par Sichem. Voir en particulier Gn 34, 2 : « Sichem, le fils de Hemor l'Hévéen, prince de cette terre, l'ayant vue, l'aima et l'enleva. »

diabolus designatur. Quia et redemptor noster ait : « *Nunc princeps huius mundi eicitur foras*[b]. » Qui etiam uxorem petit, quia malignus uidelicet spiritus festinat, ut licenter
20 possideat animam, quam prius occulta seductione corruperit. Vnde Iacob filii uehementer irati contra omnem
212 Sichem domum eiusque patriam gladios sumunt[d], quia a cunctis zelum habentibus ipsi quoque insequendi sunt qui maligni spiritus adiutores fiunt. Quibus prius circum-
25 cisionem praecipiunt[e], quos in dolore postmodum positos occidunt[f]. Quia plerumque seueriores magistri si zelum suum moderari nesciunt, quamuis per praedicationem uitia corruptionis resecent, cum iam a delinquentibus plangitur quod fuerat perpetratum, adhuc tamen ipsi per asperitatem
30 disciplinae saeuiunt, et duriores exsistunt. Qui enim iam praeputia et absciderant, mori minime debebant, quia qui culpam plangunt luxuriae et uoluptatem carnis in dolorem uertunt, a magistris sentire non debent asperitatem disciplinae, ne ipse humani generis redemptor minus
35 ametur, si pro eo anima plus quam debet atteritur. Vnde et eisdem filiis Iacob dicit : « *Turbastis me et odiosum fecistis Cananeis*[g]. » Quando enim hoc quod iam delinquentes plangunt adhuc magistri crudeliter insequuntur, infirmae menti ipse redemptoris sui amor tepescit, quia ibi se affligi
40 considerat, ubi sibi et ipsa non parcit.

Haec igitur dixerim, ut intellectum quem protuli non esse improbabilem ex locis circuminstantibus demonstrarem. Ea uero quae ex eodem loco a uestra sanctitate in mea consolatione dicta sunt, libenter accipio, quia in intellectu
45 sacrae scripturae respui non debet, quicquid sanae fidei non

b. Jn 12, 31 c. cf. Gn 34, 4 ; Gn 34, 8 d. cf. Gn 34, 25 e. cf. Gn 34, 15 f. cf. Gn 34, 25 g. Gn 34, 30

4. La méthode allégorique permet d'éclairer l'Ancien Testament (Gn 34, 2) par le Nouveau (Jn 12, 31).

désigne ouvertement le diable, puisque notre Rédempteur dit aussi : « *Maintenant le prince de ce monde est chassé dehors*[b 4]. » Il la demande aussi pour épouse, parce que l'esprit malin assurément se hâte pour posséder en toute licence l'âme qu'il a auparavant corrompue par une séduction cachée. C'est pourquoi les fils de Jacob fortement irrités prennent leurs glaives contre toute la maison et la nation de Sichem[d], parce que c'est par tous ceux qui sont possédés du zèle que doivent aussi être poursuivis ceux qui se font les aides de l'esprit malin. Ils leur ordonnent d'abord de se faire circoncire[e], puis les tuent lorsqu'ils sont dans la douleur[f]. Car très souvent les maîtres trop sévères, s'ils ne savent modérer leur zèle, ont beau retrancher les vices de la corruption par leur prédication, quand déjà les coupables déplorent ce qui a été perpétré, eux n'en continuent pas moins à se déchaîner dans la rigueur de la discipline et se montrent trop durs. Ceux, en effet, qui avaient déjà coupé leurs prépuces n'auraient pas dû mourir, parce que ceux qui pleurent la faute de luxure et tournent en douleur la volupté de la chair, ne doivent pas sentir de la part des maîtres la rigueur de la discipline, de peur que le Rédempteur du genre humain ne soit lui-même moins aimé, si pour lui une âme est écrasée plus qu'elle ne doit. C'est pourquoi Jacob dit à ces mêmes fils : « *Vous m'avez troublé et rendu odieux aux Cananéens*[g]. » En effet, quand les maîtres poursuivent encore cruellement ce que les coupables déplorent déjà, dans l'âme malade l'amour de son Rédempteur s'attiédit, parce qu'elle considère qu'elle est frappée alors qu'elle-même non plus ne s'épargne pas.

Voilà donc ce que je pourrais dire pour montrer que l'interprétation que j'ai avancée n'est pas insoutenable, du fait de son contexte. Or ce que Votre Sainteté m'a dit pour ma consolation à propos de ce passage, je l'accepte volontiers, parce que l'on ne doit rien rejeter dans l'interprétation de la sainte Écriture de ce qui ne contredit pas la saine foi.

resistit. Sicut enim ex uno auro alii murenas, alii anulos, alii dextralia ad ornamentum faciunt, ita ex una scripturae sacrae scientia expositores quique per innumeros intellectus quasi uaria ornamenta componunt, quae tamen omnia ad
50 decorem caelestis sponsae proficiunt. Valde autem gaudeo, quod dulcissima beatitudo uestra, etiam causis saecularibus occupata, ad intellectum sacri eloquii uigilanter ingenium reducit. Sic quippe necesse est ut, si illa omnimodo caueri non possunt, ista non omnimodo postponantur. Sed per
55 omnipotentem Dominum rogo, mihi in tantis tribulationum fluctibus laboranti tende orationis manum[h], ut ex uestra intercessione ad summa releuer, qui culparum mearum pondere ad profundum premor.

Imperatorem uero Persarum etsi non fuisse conuersum
60 doleo, uos tamen ei Christianam fidem praedicasse
213 omnimodo exsulto. Quia etsi ille ad lucem uenire non meruit, uestra tamen sanctitas praedicationis suae praemium habebit. Nam et Aethiops in balneum niger intrat et niger egreditur[i], sed tamen balneator nummos accipit.

65 De Mauricio autem bene dicitis ut in actione eius ab umbra statuam cognoscam, id est, in minimis maiora perpendam. In hoc tamen ei credimus, quia eius nobis animam sacramenta et obsides ligant.

h. cf. Mt 14, 31 i. cf. Jr 13, 23

5. *Caelestis sponsa* : l'Église.

6. Thème cher à Grégoire de la nécessité d'associer la vie active et la vie contemplative.

7. Il s'agit de Chosroès II Parwez.

8. Formule proverbiale qui vient de Jr 13, 23 : « Si un Éthiopien peut changer de peau ou une panthère de pelage… ». L. CRACCO RUGGINI, « Grégoire le Grand et le monde byzantin », dans *Grégoire le Grand, Colloque de Chantilly*, p. 89, n. 5, croit à un emprunt à LUCIEN, *Adversus indoctum et libros multos ementem* 28.

Comme d'un même or, les uns font des colliers, d'autres des anneaux, d'autres des bracelets pour l'ornement, semblablement, d'une même connaissance de la sainte Écriture, chacun des commentateurs compose en des interprétations innombrables comme des ornements variés ; et tous cependant servent à la parure de l'épouse céleste[5]. Mais je me réjouis beaucoup de ce que Votre très douce Béatitude, tout occupée qu'elle est par des affaires séculières, ramène son esprit de façon vigilante à l'interprétation de la parole sacrée. Car il est ainsi nécessaire que, si les premières ne peuvent en aucune façon être évitées, la seconde ne soit nullement négligée[6]. Mais je le demande, au nom du Seigneur tout-puissant tends-moi la main de la prière[h], à moi qui suis harassé au milieu de tels flots de tribulations, pour que par votre intercession je me relève vers les cimes, poussé que je suis vers l'abîme sous le poids de mes fautes.

Quant à l'empereur des Perses[7], même si je m'attriste qu'il ne se soit pas converti, cependant, que vous lui ayez prêché la foi chrétienne me transporte de joie en tous points. Parce que même s'il n'a pas mérité de venir à la lumière, Votre Sainteté recevra cependant la récompense de sa prédication. Car l'Éthiopien entre noir dans le bain et en sort noir[i], mais cependant le maître des bains reçoit son argent[8].

Au sujet de Maurice, vous dites bien que dans son action, je dois discerner la statue d'après son ombre, c'est-à-dire apprécier les grandes choses d'après les plus petites. En cela cependant nous lui faisons confiance parce que les saints mystères et des otages[9] tiennent son âme attachée à nous.

9. L. PIETRI, *HC* 3, p. 891, qualifie cette fin de la lettre de « phrase quelque peu sibylline ». Elle traduit d'ailleurs *sacramenta* par « serments », ce qui semble un sens trop classique pour l'époque. V. Recchia traduit par « i giuramenti e le garanzie ». Il s'agit plutôt des croyances religieuses : union du pape et de l'empereur dans la foi chalcédonienne. Quant aux *obsides*, ce sont l'impératrice Constantina et ses enfants – en particulier l'Auguste Théodose, filleul du pape – ainsi que la sœur de l'empereur, Théoctiste, toutes personnes dévouées à Grégoire.

III, 63

Gregorivs Narsae

Multa mihi dulcissima caritas uestra per epistulas suas in bonae operationis laudibus est locuta, ad quae omnia breuiter ego respondeo : « *Nolite uocare me Noemi, id est pulchram, sed uocate me Mara, id est amaram, quia amaritudine plena sum*[a]. »

De causa uero presbyterorum quae cum fratre et coepiscopo meo uiro reuerentissimo Iohanne patriarcha agitur, ipsum puto aduersarium patimur quem asseris uelle canones custodire. Caritati autem tuae breuiter fateor quia omni uirtute et omni pondere eandem causam, auxiliante omnipotente Deo, exire paratus sum. In qua si uidero sedi apostolicae canones non seruari, dabit omnipotens Deus quid contra contemptores eius faciam.

Quod autem scripsit mihi caritas uestra ut filio meo domno Theodoro archiatro et expraefecto pro uobis gratias agerem, feci. Et quantum potui commendare minime cessaui. Peto autem ut mihi ignoscas, quod epistulis tuis sub breuitate respondeo, quia tantis tribulationibus premor, ut mihi neque legere, neque multa per epistulas loqui liceat.

63. a. Rt 1, 20

1. Narsès : voir *PLRE* III B, « *Narses* 9 », p. 932-933. Destinataire de plusieurs lettres de Grégoire : I, 6 ; III, 63 ; VI, 14 ; VII, 27. Selon T. S. Brown, *Gentlemen and Officers,* p. 29, il serait le mari de Dominique, voir aussi I, 6 (*SC* 370, p. 88).

2. Rt 1, 20 : *Ne uocetis me Noemi, id est Pulchram, sed uocate me Mara, id est Amaram, quia amaritudine ualde repleuit me Omnipotens* (texte de la Vulgate). La même citation figure dans la lettre I, 6 au même Narsès (*SC* 370, p. 86, li. 18).

3. Voir *supra* III, 52, note 5.

III, 63

PL : III, 32 et *MGH* : III, 63 – Août 593

À son ami Narsès de Constantinople il écrit qu'il est prêt à mettre fin, avec le patriarche Jean, à l'affaire des prêtres ; il a remercié pour lui le médecin Théodore. Il salue ses amis de Constantinople.

Grégoire à Narsès[1]

Votre Charité m'a dit beaucoup de choses très douces dans ses lettres à la louange de ma bonne action ; à tout cela je réponds brièvement : « *Ne m'appelez pas Noémie, c'est-à-dire la belle, mais appelez-moi Mara, c'est-à-dire l'amère, car je suis remplie d'amertume*[a][2]. »

Sur le litige concernant les prêtres[3], que j'ai avec mon frère et collègue dans l'épiscopat, le révérendissime patriarche Jean, nous souffrons, je le vois, que soit notre adversaire celui que tu affirmes vouloir observer les canons. En peu de mots, j'avoue à Ta Charité que de toute ma force et de tout mon poids, je suis prêt à mettre un terme à cette affaire, avec l'aide de Dieu tout-puissant. Si je vois que les canons n'y sont pas observés à l'égard du Siège apostolique, Dieu tout-puissant me donnera le moyen d'agir contre ceux qui le méprisent[4].

Quant à ce que m'a écrit Votre Charité, de remercier pour vous mon fils le seigneur Théodore, premier médecin et ancien préfet, je l'ai fait[5]. Et autant que je l'ai pu, je n'ai point cessé de vous recommander. Mais je te demande de me pardonner de répondre brièvement à tes lettres, parce que je suis accablé de tant de tribulations, qu'il ne m'est permis ni de lire ni de dire beaucoup de choses par lettres.

4. Affirmation appuyée de la primauté juridictionnelle du siège romain.
5. Théodore, médecin et ancien préfet : voir *PLRE* III B, « *Theodorus* 44 », p. 1259. La lettre suivante III, 64 lui est adressée. Grégoire lui écrivit aussi V, 46 et VII, 25.

20 Hoc solum tibi breuiter dico quia : « *Oblitus sum manducare panem meum a uoce gemitus mei*[b]. »

Omnes qui uobiscum sunt mea peto uice salutari. Domnae Dominicae salutes meas dicite, cui minime respondi, quia cum sit latina graece mihi scripsit.

III, 64

GREGORIVS THEODORO MEDICO

Quanta bona omnipotentis Dei et serenissimi domini mei imperatoris habeam, lingua mea non sufficit explere. Pro quibus donis quid est meum retribuere[a], nisi eorum uestigia pure amare[b] ? Peccatis autem meis facientibus, ex 5 quorum suggestione uel consilio nescio, transacto anno talem in republica sua legem protulit, ut quisquis eum pure amat flere uehementer debeat. Ad quam legem tunc respondere non potui, quia aegrotus fui. Modo autem eidem domno aliqua suggessi. Praecepit enim ut nullus qui

63. b. Ps 101, 5
64. a. cf. Ps 115, 12 b. cf. Est 13, 13 ; Is 60, 14

6. Ps 101, 5. Le même texte sert à Grégoire pour dire son désespoir devant les atrocités de l'invasion lombarde dans *Hom. in Ez.* II, 10, 24 (*SC* 360, p. 530, li. 14).

7. Dominica : voir *PLRE* III A, « *Dominica* 2 », p. 410. Elle est mentionnée aussi à la fin de I, 6. J.R. Martindale émet l'hypothèse qu'elle était fille de Narsès et d'Hesychia. Ici elle est seule mentionnée à la fin de la lettre, parce qu'elle a écrit au pape. Mais à la fin de I, 6, elle vient en dernier, après Hesychia et Eudochia, parmi les personnes que Narsès est chargé de saluer au nom de Grégoire. Il est donc probable qu'Hesychia est la mère et qu'Eudochia et Dominique sont les deux filles. De plus, en VII, 27, Grégoire parle d'Hesychia comme morte, et d'Eudochia et de Dominique comme toujours vivantes (*CCL* 140, p. 484, li. 36-40). ~ Naturellement, si Grégoire ne répond pas, ce n'est pas parce qu'il ignorerait le grec. La raison est dans les mots *cum sit latina* : le pape condamne le snobisme de Dominica. L. PIETRI, *HC* 3, p. 847-848, à propos de Dominica et de cette lettre, relève que le pouvoir impérial « est souvent vécu comme une sujétion imposée par les Grecs aux vrais Romains de langue et de culture

Je te dis brièvement ceci seulement : « *J'ai oublié de manger mon pain à force de gémir*[b 6]. »

Je demande que soient salués de ma part tous ceux qui sont avec vous. Dites mes salutations à Madame Dominique, à laquelle je n'ai pas répondu parce que, bien que latine, elle m'a écrit en grec[7].

III, 64

PL : III, 66 et *MGH* : III, 64 – Août 593

Il se plaint auprès de Théodore, médecin de l'empereur, de la loi qui interdit l'entrée dans un monastère avant l'expiration de leur temps de service à ceux qui ont exercé une fonction publique, qui ont été sous-officiers ou marqués à la main ou soldats du rang. Il désire que la lettre III, 61 soit remise en privé à l'empereur au moment opportun.

GRÉGOIRE AU MÉDECIN THÉODORE[1]

Tous les biens que je reçois de Dieu tout-puissant et de mon sérénissime seigneur l'empereur, ma langue ne suffit pas à les énumérer[2]. Pour ces dons, que puis-je donner en retour qui m'appartienne[a], sinon purement aimer la trace de leurs pas[b] ? Mais à cause de mes péchés, à la suggestion et sur le conseil de je ne sais qui, il a publié l'an passé dans son État une loi telle, que quiconque l'aime purement doit pleurer très fort. Sur cette loi, je n'ai pu protester alors, car j'étais malade. Mais maintenant j'ai donné au même seigneur quelques avis. Il a en effet ordonné qu'à

latine... » Sur Grégoire et le grec, voir L. CRACCO RUGGINI, « Grégoire le Grand et le monde byzantin », dans *Grégoire le Grand, Colloque de Chantilly*, p. 83-94 et spécialement p. 92, n. 32. V. Recchia (éd. *Lettere*, t. 1, p. 496, n. 7) observe que les œuvres exégétiques et les *Dialogues* supposent la connaissance de la tradition orientale.

1. Voir *supra* III, 63, note 5.
2. VIRGILE, *Aen.* XII, v. 911-912 : ... *non lingua ualet, non corpore notae / sufficiunt uires...*

10 actionem publicam egit, nullus qui optio uel manu signatus uel inter milites fuit habitus, ei in monasterio conuerti liceat, nisi forte si militia eius fuerit expleta. Quam legem primum, sicuti dicunt qui leges ueteres nouerunt, Iulianus protulit, de quo scimus omnes quantum Deo aduersus fuit. 15 Quod si ideo serenissimus dominus noster fecit, quia fortasse multi milites conuertebantur et exercitus decrescebat, numquid per uirtutem militum subiugauit ei omnipotens Deus imperium Persarum ? Numquid non solae lacrimae illius auditae sunt, et eo ordine quem ipse nesciuit eius 215 20 imperio Persarum imperium subdidit ? Valde mihi durum uidetur ut ab eius seruitio milites suos prohibeat qui et omnia tribuit, et dominari eum non solum militibus sed etiam sacerdotibus concessit. Numquid si intentio seruandarum rerum est, non poterant ea ipsa monasteria quae milites 25 suscepissent alienas res reddere, atque ad conuersionem homines tantummodo habere ? Haec quia mihi ualde dolent, eidem domno suggessi. Sed uestra gloria oportuno tempore secrete suggestionem meam ei offerat. Nolo eam a responsali meo publice dari, quia uos qui ei familiarius 30 seruitis loqui ei apertius et liberius potestis quae pro eius sunt anima, quoniam in multis est occupatus, et uix eius animus inuenitur a curis maioribus uacuus. Tu quidem, gloriose fili, pro Christo loquere. Si auditus fueris, lucrum est animae praedicti domini et tuae. Si uero auditus non 35 fueris, lucrum solummodo tuae fecisti.

3. Voir *supra* III, 61, note 8.

4. Il n'y a, *stricto sensu,* aucune trace de cette loi de Julien. Voir *supra* III, 61, note 15.

5. En 591, Chosroès II, grâce à l'aide de Maurice, put recouvrer le trône de son grand-père et, en échange, il céda une partie de l'Arménie perse à

toute personne ayant exercé une fonction publique, à toute personne qui a été sous-officier, ou a été marqué à la main[3] ou a fait partie de l'armée, il ne soit permis de se convertir dans un monastère que si justement son temps de service a été achevé. Cette loi fut d'abord, disent ceux qui connaissent les lois anciennes, publiée par Julien dont nous savons tous combien il fut ennemi de Dieu[4]. Que si notre sérénissime seigneur a fait cette loi, parce que peut-être beaucoup de soldats se convertissaient et que l'armée diminuait, est-ce par la valeur des soldats que Dieu tout-puissant lui a soumis l'empire des Perses[5] ? Ne sont-ce pas ses seules larmes qui ont été entendues, et n'est-ce pas selon un ordre que lui-même ignorait qu'il a soumis à son empire l'empire des Perses ? Il me semble très dur qu'il interdise à ses soldats le service de celui qui à la fois lui a tout donné, et lui a accordé d'être le maître non seulement des soldats, mais aussi des évêques. Est-ce que, si l'intention est de conserver des biens, ces monastères qui auraient reçu des soldats ne pourraient pas rendre ce qui ne leur appartiendrait pas, et n'admettre que les hommes à la conversion ? Voilà ce que j'ai demandé à ce même seigneur, parce que ces choses me peinent beaucoup. Que Votre Gloire lui présente donc en privé ma requête au moment opportun. Je ne veux pas qu'il soit remis officiellement par mon représentant, parce que vous qui êtes à son service plus personnellement pouvez lui parler plus ouvertement et plus librement de ce qui concerne le bien de son âme, car il a de multiples occupations et son esprit se trouve difficilement libre de soucis plus importants. Mais toi, glorieux fils, parle pour le Christ. Si tu es écouté, ce sera un gain pour l'âme du susdit seigneur et pour la tienne. Et si tu n'es pas écouté, tu as acquis un gain seulement pour la tienne.

l'Empire. Voir G. OSTROGORSKY, *Histoire de l'État byzantin*, p. 110. L'expression dont use Grégoire est d'ailleurs exagérée.

III, 65

GREGORIVS THEOTIMO MEDICO

Fuerunt quidam ueteres philosophorum, qui in duobus corporibus unam esse animam dicerent, non affectu iungentes duos, sed unam in duobus animae substantiam partientes. At contra nos esse in mentes unam animam dicimus, non
5 diuidendo substantiam, sed corda iungendo. Nam de illis primis fidelibus scriptum est : « *Erat in eis cor unum et anima una*[a]. » Quod ego sic in Actibus apostolorum lego, ut
216 in me et domno Theotimo recognoscam. Quia sic unanimis mecum est, ut mihi et praesens corpore numquam defuerit,
10 et absens corpore semper per spiritum praesens fiat. Ago autem omnipotenti Deo gratias, qui caritatis suae gratia mentis uestrae uiscera infundit, et deprecor ut magis magisque in uobis dona sua augeat, et hic bona uobis praesentia et in futuro saeculo gaudia aeterna concedat.
15 Filium meum Sabinianum diaconem uenientem caritati uestrae commendo, petens ut eo amore quo me diligitis etiam nostros ametis.

65. a. Ac 4, 32

---

1. Seule mention de ce personnage.
2. CICÉRON, *Lae.* 81 : « Combien ce sentiment est-il plus naturel dans l'homme, qui s'aime lui-même et qui cherche un autre homme dont il mêle l'âme avec la sienne au point de ne faire, pour ainsi dire, des deux, qu'une seule âme. » *Ibid.* 92 : « Car, puisque l'amitié consiste à faire, pour ainsi dire, de plusieurs âmes, une seule, comment cela sera-t-il possible, si même en chacun, l'âme n'est pas une et toujours la même… ».
3. Sur ce thème, voir *supra* III, 47, note 2.
4. Sur Sabinien, voir *supra* III, 51, note 6.

III, 65

PL : III, 54 et *MGH* : III, 65 – Août 593

Il écrit à Théotime, médecin de Constantinople, sur la charité mutuelle. Il recommande Sabinien son représentant.

Grégoire au médecin Théotime [1]

Il y eut d'anciens philosophes pour dire qu'en deux corps n'était qu'une seule âme [2], non pas unissant deux êtres par l'affection, mais partageant entre les deux l'unique substance de l'âme. Mais nous au contraire, nous disons qu'il y a une seule âme entre les esprits, non en divisant la substance mais en unissant les cœurs. Car au sujet de ces premiers fidèles il est écrit : « *Il n'y avait entre eux qu'un seul cœur et une seule âme* [a]. » Cela, moi je le lis dans les *Actes* des apôtres de telle façon que je le reconnais en moi et dans le seigneur Théotime. En effet, il n'a qu'une seule âme avec moi si bien que lorsqu'il était présent physiquement il ne m'a jamais fait défaut et absent de corps il se fait toujours présent par l'esprit [3]. Mais je rends grâces à Dieu tout-puissant qui pénètre les entrailles de votre esprit de la grâce de sa charité, et je le supplie d'augmenter de plus en plus en vous ses dons, et de vous concéder ici-bas les biens présents, et dans le siècle futur les joies éternelles.

Je recommande à votre charité mon fils le diacre Sabinien [4] qui est en route, demandant que de cet amour que vous avez pour moi, vous aimiez aussi les nôtres.

217

LIVRE IV

MENSE SEPTEMBRIO INDICTIONE XII

IV, 1

GREGORIVS CONSTANTIO EPISCOPO MEDIOLANENSI

Scripta fraternitatis uestrae suscipiens magnas omni potenti Deo gratias retuli, quia ordinationis uestrae merui celebratione releuari. Quod uero ex superno munere in electione uestra concorditer omnium conuenit assensus, hoc fraternitas tua cum summa debet consideratione pensare, quia post Deum ualde est debitrix eis, qui sibi uos praeferri tam subdita mente uoluerunt.

Decet igitur uos sacerdotali benignitate eorum moribus in omnibus respondere eorumque necessitatibus pia compassione concurrere, si quorum fortasse sunt uitia, haec maturis obiurgationibus increpare, ut ipsa quoque sacerdotalis indignatio uirtuti sit admixta dulcedinis, quatenus et tunc a subiectis amari debeat, etiam cum grauiter metuetur. Quae res personam uestram apud eorum iudicium ad magnam quoque reuerentiam adducet. Quia sicut praeceps furor usitatusque despicitur, ita contra culpas discreta indignatio plerumque quo tarda fuerit, eo amplius fit timenda.

1. Les trois premières lettres de ce livre ont été envoyées à Gênes où l'évêque et une partie du clergé et de la population de Milan s'étaient réfugiés depuis l'invasion lombarde de 569. ~ Sur Constance de Milan, voir *supra* III, 29, note 3.

2. Sur l'élection de Constance, voir III, 26 ; 29 ; 30.

LIVRE IV

SEPTEMBRE 593. INDICTION XII

IV, 1

PL et *MGH* : IV, 1 – Septembre 593

Il félicite Constance, consacré archevêque de Milan, et lui envoie le pallium.

GRÉGOIRE À CONSTANCE ÉVÊQUE DE MILAN [1]

À la réception de la lettre de Votre Fraternité, j'ai rendu grandes grâces à Dieu tout-puissant d'avoir mérité d'être réconforté par la célébration de votre ordination [2]. Que par un don d'en haut, lors de votre élection, le consentement de tous se soit rencontré d'un commun accord, à cela Ta Fraternité doit réfléchir avec la plus grande attention parce qu'après Dieu elle est grandement débitrice envers ceux qui, d'un esprit si soumis, ont voulu que vous fussiez placé à leur tête.

Il convient donc qu'en toutes choses vous vous accordiez avec une bonté sacerdotale à leur façon de vivre, que vous alliez au-devant de leurs besoins avec une pieuse compassion, que vous les repreniez par des objurgations mûries, si par hasard il y a chez certains des vices, pour que l'indignation sacerdotale elle-même soit aussi unie à la vertu de douceur, de sorte qu'elle doive être aimée de ceux qui lui sont soumis alors même qu'elle est fort crainte. Cela amènera aussi votre personne, dans leur jugement, à être grandement respectée. Parce que de même qu'une colère brutale et habituelle est méprisée, de même, contre les fautes, une indignation faite avec discernement est d'ordinaire d'autant plus à craindre qu'elle se sera fait attendre.

Iohannes uero subdiaconus noster multa nobis bona tuae fraternitatis rediens nuntiauit. De quibus omnipotentem
20 Dominum petimus ut haec qui coepit ipse perficiat, quatenus te interius exteriusque profecisse et nunc inter homines et post inter angelos ostendat.

218 Praeterea pallium ad sacra missarum sollemnia utendum ex more transmisimus. Sed peto ut, dum hoc suscipitis,
25 eius honorem ac genium ex humilitate uindicetis.

IV, 2

Gregorivs Constantio episcopo Mediolanensivm

Dilectissimus filius meus Bonifatius diaconus quaedam mihi ex scripto fraternitatis tuae secreto nuntiauit, quod, exquisita occasione potius quam inuenta, tres se episcopi a fraternitatis uestrae communione separauerint, dicentes uos
5 in damnatione trium capitulorum consensisse atque cautionem fecisse. Et si quid de tribus capitulis in quocumque uel uerbo uel scripto nominatum est, bene fraternitas uestra reminiscitur, quamuis decessor fraternitatis tuae Laurentius districtissimam cautionem sedi apostolicae emisit, in qua
10 uiri nobilissimi et legitimo numero subscripserunt. Inter

3. Sur le sous-diacre Jean, voir *supra* III, 29, note 12.

4. Voir III, 54, note 5. Il est bien précisé ici que le port du pallium se limite à la célébration de la messe.

1. Boniface, diacre de Rome : voir *PCBE* 2, « *Bonifatius* 30 », p. 338-339.

2. Par la lettre IV, 37, on sait au moins que l'un de ces trois évêques était celui de Brescia.

Notre sous-diacre Jean[3], à son retour, nous a rapporté beaucoup de bien de Ta Fraternité. À ce sujet nous demandons au Seigneur tout-puissant de parfaire ce qu'il a commencé, de sorte qu'il fasse voir que tu as progressé intérieurement et extérieurement, maintenant parmi les hommes et ensuite parmi les anges.

En outre, nous envoyons le pallium pour vous en servir aux saintes solennités de la messe selon l'usage. Mais je demande qu'en le recevant, vous en revendiquiez l'honneur et le caractère par l'humilité[4].

IV, 2

PL et *MGH* : IV, 2 – Septembre 593

Il annonce à Constance, archevêque de Milan, qu'il joint deux lettres, l'une à remettre à Théodelinde, reine des Lombards, l'autre pour les trois évêques avec lesquels la reine s'est séparée de la communion de Constance en raison de la condamnation des Trois Chapitres. Il lui demande de lui faire savoir ce que font Agilulfe, roi des Lombards, et les rois des Francs et de négocier la paix avec Agilulfe.

GRÉGOIRE À CONSTANCE ÉVÊQUE DE MILAN

Mon très cher fils le diacre Boniface[1] m'a fait savoir, le tenant d'un écrit secret de Ta Fraternité, que, en ayant recherché plutôt que rencontré l'occasion, trois évêques se sont séparés de la communion de Votre Fraternité, disant que vous vous êtes prononcé pour la condamnation des Trois Chapitres et que vous en avez pris l'engagement[2]. S'il a été question des Trois Chapitres de vive voix ou par écrit de quelque façon que ce soit, Votre Fraternité s'en souvient bien, quoique le prédécesseur de Ta Fraternité, Laurent, ait fourni au Siège apostolique l'engagement le plus rigoureux, qu'ont signé les personnes les plus nobles

quos ego quoque tunc urbanam praefecturam gerens pariter subscripsi, quia, postquam talis scissura pro nulla re facta est, iustum fuit ut sedes apostolica curam gereret, quatenus unitatem in uniuersalis ecclesiae sacerdotum mentibus per
15 omnia custodiret.

Quod autem dicitur filiam nostram Theodelindam reginam sese a communione, hoc audito nuntio, suspendisse, constat per omnia quia, etsi prauorum hominum uerbis ad paulutum seducta est, uenientibus tamen Yppolito notario
20 et Iohanne abbate, erit modis omnibus uestrae fraternitatis communionem quaesitura. Cui etiam meas epistulas direxi, quas fraternitas uestra sine dilatione transmittat. De episcopis uero qui se suspendere uisi sunt aliam epistulam feci, quam
219 cum eis ostendi feceris eos non ambigo de superstitione
25 suae superbiae apud fraternitatem uestram paenitentiam acturos.

3. Sur Laurent, voir *supra* III, 26, note 2. ~ Sur les relations de Grégoire avec les Églises du schisme des Trois Chapitres, voir L. PIETRI, *HC* 3, p. 860-863. L'affaire des Trois Chapitres avait semé le trouble en Illyricum et en Italie du Nord, à Aquilée et à Milan. Laurent avait mis fin au schisme à Milan. Pour Aquilée, dont le clergé était réfugié à Grado, le schisme dura jusqu'en 607. ~ Hartmann (*MGH, Epist* 1, p. 234, n. 6) s'interroge sur le sens de l'expression *legitimo numero*, étant donné qu'il n'y a, dans les lois de l'époque, aucune règle sur les « signatures » de tels actes. C'est bien pourquoi il nous semble que la traduction par « en nombre légal » est peu vraisemblable. Que pourrait bien signifier l'idée d'un quorum ? Nous proposons donc de comprendre *numerus* au sens de rang, catégorie : à côté de Grégoire, préfet de la Ville, devaient avoir signé des personnalités de haut rang.

4. Sur la carrière de Grégoire avant son pontificat, voir L. PIETRI, *HC* 3, p. 841 s. Elle relève que la fonction exercée alors par Grégoire n'est pas assurée. L'indécision vient de ce que, à cet endroit de notre lettre, comme l'indique l'apparat critique de Norberg, on a la leçon *praefecturam* dans *R*1, le meilleur témoin selon Norberg (*CCL* 140, p. x) et la leçon *praeturam* dans *r.* Bien que JEAN DIACRE, *Vita Greg.* I, 4, parle de *praetor urbanus*, J.R. MARTINDALE (*PLRE* III A, « *Gregorius* 5 », p. 550) considère qu'il s'agit plutôt de la préfecture, parce que la préture était devenue une fonction peu importante, alors que GRÉG. T., *Hist. Franc.* X, 1 décrit ainsi le costume arboré

et du rang requis[3]. Parmi celles-ci, j'ai pareillement souscrit moi aussi, qui exerçais alors la charge de préfet de la Ville[4], parce que, après qu'eut été faite sans motif une telle rupture, il était juste que le Siège apostolique se préoccupât de conserver de toutes les façons l'unité dans les esprits des évêques de l'Église universelle.

Quant à ce que l'on dit, que notre fille la reine Théodelinde[5] s'est séparée de la communion en apprenant la nouvelle, il est tout à fait évident que, même si elle s'est un peu laissée entraîner par les paroles de mauvaises gens, cependant, lorsque viendront le notaire Hippolyte et l'abbé Jean[6], elle sera amenée à rechercher par tous les moyens la communion de Votre Fraternité. Je lui ai également adressé une lettre que Votre Fraternité doit lui transmettre sans délai[7]. Quant aux évêques que l'on a vus se séparer, je leur ai fait une autre lettre[8] ; lorsque tu la leur auras fait voir, je ne doute pas qu'ils se repentiront auprès de Votre Fraternité pour les scrupules de leur orgueil[9].

par Grégoire dans l'exercice de ses fonctions : « … lui qui était accoutumé à se promener à travers la ville, vêtu d'une trabée en tissu de soie et ornée de pierres précieuses étincelantes ».

5. Théodelinde, reine des Lombards : voir *PLRE* III B, « *Theodelinda* », p. 1235-1236 et *PCBE* 2, p. 2162-2163. Fille de Garibald, roi des Bavarois, elle fut fiancée à Childebert II. Mais, emmenée par son frère Gondoald en Italie, elle y épousa en 589 le roi des Lombards Authari et, après la mort de celui-ci, Agilulfe en 590.

6. Hippolyte, notaire : voir *PCBE* 2, « *Yppolitus* », p. 2371. ~ Jean, abbé : voir *PCBE* 2, « *Iohannes* 74 », p. 1111.

7. C'est la lettre suivante IV, 4, malgré le pluriel *epistulas*.

8. La lettre IV, 3, adressée à Constance et destinée à ses suffragants. L. PIETRI, *HC* 3, p. 860, souligne que le pape contrôle les évêchés par l'intermédiaire des Églises archiépiscopales.

9. Pour Grégoire, les partisans des Trois Chapitres sont coupables d'orgueil. Dans la lettre II, 43 (*SC* 371, p. 414-416), il les invitait à revenir à l'Église *mentis tumore deposito*.

Subtiliter autem mihi et breuiter indicastis uel de Agone rege uel de Francorum regibus quae gesta sunt. Peto ut fraternitas uestra quae adhuc cognouerit mihi modis
30 omnibus innotescat. Si autem uidetis quia cum patricio nihil facit Ago Langobardorum rex, de nobis ei promittite, quia paratus sum in causa eius me impendere, si ipse aliquid utiliter cum republica uoluerit ordinare.

IV, 3

GREGORIVS CONSTANTIO EPISCOPO MEDIOLANENSI

Peruenit ad nos quod quidam episcopi uestrae dioceseos, exquirentes occasionem potius quam inuenientes, sese scindere a fraternitatis uestrae unitate temptauerint, dicentes te apud Romanam urbem in trium capitulorum damnatione
5 cautionem fecisse. Quod uidelicet idcirco dicunt, quia quantum fraternitati tuae etiam sine cautione credere soleam nesciunt. Si enim hoc esset necessarium fieri, uerbis uobis nudis credi potuisset. Ego tamen nominata inter nos neque uerbo neque scripto tria capitula recolo. Sed eis, si citius
10 reuertuntur, de suo errore parcendum est, quia iuxta Pauli apostoli uocem : « *Non intellegunt neque quae loquuntur, neque de quibus affirmant*[a]. » Nos enim, auctore Veritate,

3. a. 1 Tm 1, 7

10. Ago, autre nom du roi Agilulfe : voir *PLRE* III A, « *Agilulfus qui et Ago* », p. 27-29 ; *PCBE* 2, « *Agilulfus* », p. 56-57. Roi des Lombards de 590 à 616.

11. Le patrice Romanus, voir *supra* III, 31, note 1. *PCBE* 2, p. 1906, considère comme certain que le *patricius* désigné ici est bien Romanus. ~ Sur la politique de Grégoire à l'égard des Lombards, voir L. PIETRI, *HC* 3, p. 853-855 ; P. GOUBERT, *Byzance et l'Occident* ; O. BERTOLINI, *Roma di fronte a Bisanzio*, p. 241 s. À la suite de l'accord conclu entre l'empereur et les rois Gontran et Childebert II, les Francs en 590 s'étaient avancés jusqu'à Milan et Vérone. Mais le roi Authari avait fait la paix avec eux les amenant à se retirer, GRÉG. T., *Hist. Franc.* X, 3 et PAUL DIACRE, *Hist. Langob.* IV, 1.

Tu m'as minutieusement et brièvement informé de ce qui a été fait pour le roi Ago[10] et les rois francs. Je demande à Votre Fraternité de me faire savoir par tous les moyens ce qu'elle connaîtra encore. Mais si vous voyez qu'Ago roi des Lombards ne fait rien avec le patrice[11], promettez-lui de notre part que je suis prêt à me dépenser en sa faveur, s'il veut faire un utile arrangement avec la République.

IV, 3

PL et *MGH* : IV, 3 – Septembre 593

Afin que Constance, métropolitain de Milan, réconcilie les évêques qui suscitent une rupture avec lui, il atteste que celui-ci n'a pas pris d'engagement à Rome au sujet de la condamnation des Trois Chapitres. Il met le concile de Chalcédoine sous la protection de l'anathème.

GRÉGOIRE À CONSTANCE ÉVÊQUE DE MILAN

Il est venu à notre connaissance que certains évêques de votre diocèse, recherchant une occasion plutôt que l'ayant rencontrée, ont essayé de rompre l'unité avec Votre Fraternité, disant que tu as pris, dans la ville de Rome, un engagement pour la condamnation des Trois Chapitres[1]. Ils disent évidemment cela pour la raison qu'ils ignorent combien j'ai coutume de faire confiance à Ta Fraternité même sans engagement. En effet, si cela était nécessaire, on aurait pu vous croire sur une simple déclaration. Or je ne me souviens pas, moi, qu'entre nous il ait été question des Trois Chapitres, ni de vive voix ni par écrit. Quant à eux, s'ils reviennent vite, ils doivent être tenus quittes de leur erreur, parce que selon la parole de Paul : « *Ils ne comprennent ni ce qu'ils disent ni ce qu'ils proclament*[a][2]. »

1. Sur l'affaire des Trois Chapitres, voir C. SOTINEL, *HC* 3, p. 451-454.
2. Même citation en III, 10, voir note 2 *ad loc.*

teste conscientia, fatemur fidem sanctae Chalcedonensis synodi illibatam per omnia custodire nihilque eius definitioni
15 addere, nihil subtrahere audere. Sed si quis contra eam eiusdem synodi fidem siue plus minusque ad sapiendum usurpare appetit, eum omni dilatione postposita anathema-
220 tizamus, atque a sinu matris ecclesiae alienum esse decernimus. Quem igitur ista mea confessio non sanat non
20 iam Chalcedonensem synodum diligit, sed matris ecclesiae sinum odit. Si ergo ea ipsa quae audere uisi sunt zelo loqui animae praesumpserunt, superest ut, hac satisfactione suscepta, ad fraternitatis tuae unitatem redeant, seque a *Christi corpore, quod est* sancta uniuersalis *ecclesia*[b], non diuidant.

IV, 4

GREGORIVS THEODELINDAE REGINAE LANGOBARDORVM

Quorundam ad nos relatione peruenit ab aliquibus episcopis gloriam uestram usque ad hoc scandalum contra sanctam ecclesiam fuisse perductam, ut sese a catholicae unanimitatis communione suspenderet. Quod quantum uos
5 pure diligimus tantum de uobis fortius dolemus, quia uos imperitis stultisque hominibus creditis, qui non solum ea

b. Col 1, 24

3. Habilement, Grégoire s'abrite derrière le concile de Chalcédoine et se garde de polémiquer sur la validité du concile de Constantinople II de 553. Même attitude en II, 43 (*SC* 371, p. 411 et spécialement p. 412, n. 4).

1. Cette lettre adressée à Théodelinde est envoyée avec les précédentes à Constance de Milan pour qu'il la remette à la reine. Mais la lettre IV, 37 nous apprend que Constance refusa de le faire, de peur que la reine ne se scandalisât de voir mentionné le cinquième concile. On verra pourtant plus loin que Grégoire ne parle qu'en termes voilés de ce concile. En tout cas, il refit sa lettre, voir IV, 33 de juillet 594.

2. Formule alambiquée qui trahit la volonté de ne compromettre personne dans une dénonciation de la reine.

Quant à nous, avec le soutien de la Vérité et le témoignage de notre conscience, nous confessons garder en toutes choses la foi intégrale du saint synode de Chalcédoine et ne rien oser ajouter à sa définition ni rien en soustraire[3]. Mais si quelqu'un cherche à s'en prendre à la foi de ce même synode pour interpréter en plus ou en moins, celui-là nous l'anathématisons sans plus attendre, et nous décidons qu'il est hors du sein de l'Église notre mère. Celui donc que ma confession de foi ne ramène pas à la santé non seulement n'aime plus le synode de Chalcédoine, mais hait le sein de l'Église notre mère. Si donc c'est par un zèle de leur âme qu'ils se sont permis ce qu'on les a vu oser dire, il leur reste, après avoir reçu cette satisfaction, à revenir à l'unité avec Ta Fraternité et à ne pas se séparer du *corps du Christ, qui est la* sainte *Église*[b] universelle.

IV, 4

PL et *MGH* : IV, 4 – Septembre 593

Il invite Théodelinde, reine des Lombards, à revenir dans l'Église catholique, en reconnaissant l'ordination de Constance, archevêque de Milan, puisque rien n'a été fait au temps de Justinien contre le concile de Chalcédoine. Il déclare que l'abbé Jean et le notaire Hippolyte ont été envoyés pour lever ses doutes.

GRÉGOIRE À THÉODELINDE REINE DES LOMBARDS[1]

Sur le rapport de certains, il est parvenu à notre connaissance de la part de quelques évêques[2] que Votre Gloire[3] a été amenée à ce point de scandale contre la sainte Église qu'elle se serait séparée de la communion de l'unanimité catholique. Nous déplorons cela d'autant plus fortement à votre sujet que nous vous aimons sincèrement, parce que vous faites confiance à des hommes ignorants et stupides qui non

3. *Gloria uestra* : titulature officielle pour les rois et quelques très hauts dignitaires de l'Empire.

quae loquuntur nesciunt, sed uix ea percipere quae audierint possunt[a].

Dicunt enim piae memoriae Iustiniani temporibus aliqua
10 contra Chalcedonensem synodum fuisse constituta. Qui dum neque legunt neque legentibus credunt in ipso errore manent, quem sibi de nobis ipsi finxerunt. Nos enim, teste conscientia, fatemur de fide eiusdem sancti Chalcedonensis concilii nihil motum, nihil esse uiolatum. Sed quicquid
15 praedicti Iustiniani temporibus actum est ita actum est, ut fides Chalcedonensis concilii in nullo uexaretur. Si quis autem contra eiusdem synodi fidem aliquid loqui praesumit uel sapere, nos eius sensum sub interpositione anathematis detestamur. Cum ergo integritatem nostram ex conscientiae
20 nostrae attestatione cognoscitis, superest ut uos numquam
221 a catholicae ecclesiae communione separetis, ne tot uestrae lacrimae tantaque bona opera pereant, si a fide uera inueniuntur aliena[b]. Decet ergo gloriam uestram ad reuerentissimum fratrem et coepiscopum meum Constantium,
25 cuius et fides et uita olim mihi bene est approbata, sub omni celeritate transmittere eique directis epistulis indicare ordinationem eius quam benigne suscepistis, et quia ab eius ecclesiae communione in nullo separamini. Quamuis et haec me uobis dicere superflue arbitror, quia etsi quid in
30 uestro animo dubietatis fuit, iam ueniente filio meo Iohanne abbate atque Yppolito notario, ex corde uestro arbitror fuisse sublatum.

4. a. cf. 1 Tm 1, 7 b. cf. Ga 2, 16 ; Rm 3, 20 ; Rm 3, 27-28

4. Grégoire se contente de reprendre librement le texte paulinien cité littéralement dans la lettre précédente. La même idée se trouve déjà au début de III, 10 et sera reprise en IV, 33.

5. *Quicquid Iustiniani temporibus actum est* : ces mots désignent aussi discrètement que possible le cinquième concile œcuménique. Ces mots étaient de trop pour la reine aux yeux de Constance. Il est vrai qu'il connaissait trop bien la susceptibilité des partisans des Trois Chapitres.

6. *Transmittere* est employé, ici et plus loin (IV, 15 ; 33), sans complément. La même construction existe en français avec le verbe « envoyer ». Cet usage

seulement ne savent pas ce qu'ils disent, mais peuvent à peine comprendre ce qu'ils ont entendu[a][4].

Ils disent en effet qu'au temps de Justinien de pieuse mémoire des décisions ont été prises contre le synode de Chalcédoine. Ces gens qui ne lisent ni ne font confiance à ceux qui lisent, demeurent dans l'erreur qu'ils se sont forgée eux-mêmes à notre sujet. Quant à nous, sur le témoignage de notre conscience, nous confessons qu'au sujet de la foi de ce saint concile de Chalcédoine, rien n'a été changé, rien n'a été altéré. Mais tout ce qui fut fait au temps dudit Justinien le fut de telle sorte que la foi du concile de Chalcédoine n'a subi d'atteinte en rien[5]. Or si quelqu'un se permet de dire ou de penser quelque chose contre la foi de ce synode, nous repoussons son opinion en portant l'anathème. Donc comme vous connaissez notre intégrité par le témoignage de notre conscience, il vous reste maintenant à ne vous séparer jamais de la communion de l'Église, afin que ne se perdent tant de vos larmes et tant de bonnes œuvres, si elles sont trouvées étrangères à la vraie foi[b]. Il convient donc que Votre Gloire envoie[6] en toute hâte chez mon révérendissime frère et collègue dans l'épiscopat Constance, dont la foi et la vie depuis longtemps ont toute mon approbation, et lui fasse savoir par lettres à lui adressées que vous avez accueilli avec bienveillance son ordination et que vous ne vous séparez en aucune façon de la communion de son Église. Cependant j'estime superflu de vous dire ces choses, parce que, même si quelque doute a pu se trouver en votre âme, je pense que désormais, avec la venue de mon fils l'abbé Jean et du notaire Hippolyte[7], il aura été enlevé de votre cœur.

était courant dans l'ancienne langue (nombreux exemples dans le *Littré*). Mais le *Dictionnaire* de Robert donne une référence à Proust et le *Dictionnaire historique de la langue française*, *s.u.*, t. 1, p. 703, précise que « le verbe ne se construit plus sans complément direct, sauf dans un contexte littéraire. »

7. Déjà mentionnés en IV, 2.

IV, 5

GREGORIVS BONIFATIO EPISCOPO REGIO

Contumelia quidem sacerdotum est de diuinis cultibus admoneri. Quod enim ipsi debent exigere turpiter exiguntur. Tamen ne, quod non aestimamus, in aliquo fraternitas tua ea quae ad opus Dei pertinent neglegat, de hoc ipso 5 specialiter te praeuidimus exhortandum. Admonemus itaque ut nullatenus clerus Regitanae ciuitatis, in causis quas eorum poscit officium, fraternitatis tuae remissione laxetur. Sed in his quae ad Deum pertinent instantissime atque studiosissime compellantur. Opinionem quoque praedicti 10 cleri tui studere te uolumus, ut nihil de his prauum, nihil quod contra ecclesiasticam disciplinam pertinet audiatur; ad ornatum quippe eius, non ad foeditatem actuum eorum pertinere debet officium.

Subdiaconibus uero tuis hoc quod de Siculis statuimus 15 decernimus obseruari, nec illam definitionem nostram cuiusquam contumacia sinas aut temeritate corrumpi, quatenus, dum praedicta omnia per te fuerint districtissime 222 conseruata, nec admonitionis nostrae, sicut et credimus, transgressor exsistas, nec in quolibet reum te remissionis 20 accuset pastoralis tibi commissus ordo regiminis.

1. Voir *supra* III, 4, note 1.
2. Sur l'expression *opus Dei*, voir III, 56, note 3.
3. Les consignes du pape sur l'observance de la chasteté par les sous-diacres en Sicile se trouvent dans la lettre I, 42 (*SC* 370, p. 217). Il précise que c'est la règle de l'Église romaine et qu'elle a été étendue à la Sicile trois ans plus tôt, c'est-à-dire en 588. Reggio, bien qu'elle soit dans le Bruttium, est considérée comme un évêché de Sicile.

IV, 5

PL et *MGH* : IV, 5 – Septembre 593

Il prescrit à Boniface, évêque de Reggio, de ne pas permettre que les clercs manquent à l'office ; il l'invite à faire observer par ses sous-diacres les même règles que ceux de Sicile.

GRÉGOIRE À BONIFACE ÉVÊQUE DE REGGIO [1]

C'est un affront, certes, pour des évêques que de recevoir un avertissement à propos du culte divin, car ce qu'ils doivent eux-mêmes exiger, il leur est honteux de se le voir exiger. Cependant de peur que, ce que nous ne pensons pas, Ta Fraternité ne néglige en quelque chose ce qui concerne l'œuvre de Dieu [2], nous avons prévu de t'exhorter spécialement à ce sujet. Nous t'avertissons donc de ne laisser en aucune façon le clergé de la cité de Reggio se relâcher dans les affaires que réclame son office, par une faiblesse de Ta Fraternité. Mais qu'ils soient contraints très instamment et avec le plus grand zèle à ce qui tend vers Dieu. Nous voulons aussi que tu aies souci de la réputation de ton susdit clergé pour qu'on n'entende rien dire de mauvais à ce sujet ni rien de contraire à la discipline ecclésiastique ; l'accomplissement de ses devoirs doit en effet tendre à son honneur, non à la honte de ces actes.

Pour tes sous-diacres, nous décrétons que soit observé ce que nous avons établi pour ceux de Sicile [3] et ne permets pas que ce que nous avons défini alors soit contrecarré par la résistance ou la témérité de qui que ce soit, de sorte que, quand tu auras observé très rigoureusement tout ce qui vient d'être dit, tu ne te montres pas, comme nous le croyons, transgresseur de notre avertissement, et que l'ordre du gouvernement pastoral qui t'est confié ne te fasse accuser en rien d'être coupable de faiblesse.

IV, 6

GREGORIVS CYPRIANO DIACONO NOSTRO ET RECTORI SICILIAE

Perlatum est ad nos Petronellam nomine, de prouincia Lucania genitam, per exhortationem Agnelli episcopi fuisse conuersam, resque suas omnes quas habere potuit, licet iure potuissent competere, tamen eidem monasterio in quo ingressa est etiam specialiter donationis titulo contulisse. Moriensque praedictus episcopus dimidiam partem substantiae suae Agnello cuidam, filio suo, qui notarius nostrae esse fertur ecclesiae, atque dimidiam eidem monasterio reliquisse, sed cum propter irruentem Italiae cladem Siciliam refugissent, dicitur eam saepe nominatus Agnellus, corruptis eius moribus, instuprasse atque sentiens grauidam de monasterio seduxisse, resque eius omnes tam proprias, quam <quas> pro parte patris ipsius habere poterat, abstulisse, ac post perpetratum tale tantumque facinus in sui eas dominii iure defendere. Hortamur igitur dilectionem tuam ut praedictum

1. Sur Cyprien, voir III, 55, note 1.

2. Pétronelle, riche dame de Lucanie : voir *PLRE* 3 B, « *Petronella* », p. 992 et *PCBE* 2, p. 1721.

3. Agnellus, évêque, probablement de Lucanie, comme Pétronelle : voir *PCBE* 2, « *Agnellus* 12 », p. 69.

4. Les *Novelles* V, 5 et CXXIII, 38 ordonnent que les biens de qui entre au monastère reviennent à celui-ci : « Nous ordonnons que les biens aussi de celui-ci soient dévolus (*competere*) au monastère dans lequel il entre » (CXXIII, 38). Notre lettre porte *competere* sans complément, mais il est clair qu'il faut comprendre : *monasterio,* qui est exprimé juste après. La lettre IX, 198 (*CCL* 140 A, p. 755), qui traite encore des biens des « convertis » emploie l'expression : *res monasterio competentes* (li. 9-10). Ewald et Norberg ont donc eu raison de ne pas retenir l'addition de *sibi* au-dessus de la ligne après *licet* qui figure dans *R*1. Donc, en vertu du droit, les biens de la moniale seraient de toute façon revenus à son monastère. Mais elle a préféré faire une donation, ce qui aggrave son cas et celui de son séducteur.

5. Cette phrase ne comporte pas de verbe principal. On peut penser que *fertur* qui appartient à la relative a entraîné, par distraction, l'infinitif *reliquisse.*

IV, 6

PL et *MGH* : IV, 6 – Septembre 593

Il donne ordre à Cyprien, recteur du patrimoine de Sicile, de punir sévèrement la moniale Pétronelle et le notaire Agnellus qui l'a séduite ; qu'il veille à ce que soient restitués au monastère de Pétronelle les biens qui lui ont été enlevés.

Grégoire à Cyprien notre diacre et recteur de Sicile [1]

Il nous a été rapporté que la dénommée Pétronelle [2], originaire de la province de Lucanie, était entrée en religion sur les exhortations de l'évêque Agnellus [3], et que tous les biens qu'elle pouvait avoir, quoiqu'ils eussent pu être dévolus par droit, elle les avait cependant tous remis expressément à titre de donation au monastère dans lequel elle était entrée [4]. En mourant, l'évêque susdit avait laissé la moitié de sa fortune à un certain Agnellus, son fils, qui, dit-on, est notaire de notre Église, et l'autre moitié à ce même monastère [5] ; mais comme, à cause de la catastrophe qui fondait sur l'Italie [6], ils s'étaient réfugiés en Sicile, on dit qu'Agnellus, souvent nommé, ayant corrompu les mœurs de celle-ci, la séduisit, et, s'apercevant qu'elle était enceinte, il l'arracha au monastère et emporta tous les biens de celle-ci, tant personnels que ceux qu'elle pouvait avoir sur la part de son père ; et après avoir perpétré un si grand crime, il revendiquait ces biens comme relevant de son droit de propriété. C'est pourquoi nous exhortons Ta Dilection à

Mais, d'un autre côté, *fertur* s'explique mal : comment le pape peut-il s'en rapporter à l'opinion sur la fonction d'un serviteur de l'Église de Rome ? Nous avons cru devoir aussi modifier la ponctuation de Norberg qui met une virgule après *Agnello* et rattache ainsi *cuidam filio suo*. Enfin il est surprenant que, plus loin, Agnellus – qui n'a été nommé qu'une fois avant – soit qualifié de *saepe nominatus*.

6. Dans cette région, il s'agit plus particulièrement de l'extension du duché de Bénévent.

uirum uel ante fatam feminam sub districta ad te facias exsecutione perduci, causamque ipsam secundum sui meritum cum summa subtilitatis examinatione perquiras. Et si ita inueneris ut nobis nuntiatum est, negotium quod 20 iniquitatibus inquinatum est cum summae purgationis seueritate determina, quatenus et in ante fatum uirum, qui 223 neque suum, neque illius attendit habitum et tantorum causa fuit scelerum, ultio districta proueniat et illa prius procedente uindicta, atque in monasterio sub paenitentia 25 redacta, omnes res quae de saepedicto loco ablatae fuerant cum omnibus suis illic fructibus atque accessionibus reuertantur.

IV, 7

GREGORIVS GENNADIO PATRICIO ET EXARCHO AFRICAE

Satis credimus religiosae excellentiae uestrae mentes aduersus ea maxime quae in ecclesiis geruntur incongrua diuini amoris aemulatione succendi. Tanto igitur ecclesiasticarum correptionem causarum uobis libenter ingerimus, quanto 5 de pia uestrae mentis intentione confidimus. Cognoscat siquidem excellentia uestra, quibusdam de Africanis partibus uenientibus, ad nos fuisse perlatum plura in concilio Numidiae contra patrum tramitem atque canonum statuta committi. Quarum rerum frequentes querelas quia diutius

1. Gennade, patrice et exarque d'Afrique : voir *PLRE* III A, « *Gennadius* 1 », p. 509-511. Il fut d'abord *magister militum Africae* de 578 à 585. Ensuite il fut nommé exarque d'Afrique, premier détenteur de cette fonction, au moins à partir de juillet 591, date de la lettre I, 59 que lui adressa Grégoire (*SC* 370, p. 254). Dans les lettres I, 72 et 73, le pape le félicite de ses victoires et lui demande de protéger les Églises d'Afrique. P. GOUBERT, *Byzance et l'Occident*, p. 223-225, montre comment les pouvoirs civils et religieux interfèrent dans les relations de Grégoire avec l'exarque de Carthage : le pape charge l'exarque

faire conduire devant toi l'homme en question et la susdite femme, par une rigoureuse poursuite judiciaire, et à enquêter par un examen minutieux sur l'affaire elle-même, comme elle le mérite. Si tu trouves qu'il en est comme on nous l'a annoncé, règle avec la sévérité du plus grand châtiment une affaire qui a été souillée de ces iniquités, de sorte que sur l'homme susdit, qui n'a eu égard ni à son propre état ni à celui de cette femme, et qui est responsable de tant de crimes, s'abatte une punition rigoureuse ; et que, cette femme ayant d'abord été châtiée et ramenée au monastère pour faire pénitence, tous les biens qui avaient été enlevés de l'endroit souvent cité, y fassent retour avec tous leurs revenus et acquisitions.

IV, 7

PL et *MGH* : IV, 7 – Septembre 593

Il exhorte Gennade, exarque d'Afrique, à corriger, avec l'évêque Columbus, ce qui a été fait de contraire aux canons lors du concile de Numidie.

GRÉGOIRE À GENNADE PATRICE ET EXARQUE D'AFRIQUE [1]

Nous sommes bien certain que l'esprit religieux de Votre Excellence est embrasé de la jalousie de l'amour divin, surtout contre ce qui est fait indûment dans les Églises. Nous vous confions donc d'autant plus volontiers la correction des affaires ecclésiastiques, que nous avons confiance en la pieuse disposition de votre esprit. Or Votre Excellence doit savoir que, par certaines gens venant des contrées africaines, il nous a été rapporté que plusieurs choses, au concile de Numidie, vont contre la voie des Pères et contre les statuts des canons. Comme nous ne pouvions nullement tolérer plus longtemps les plaintes fréquentes à propos de ces

Gennade – ou le *ppo* Pantaléon – de missions religieuses et lui-même se mêle de politique. Voir *infra* IV, 32.

10 nullatenus tolerare potuimus Columbo fratri et coepiscopo nostro, de cuius grauitate ipsa eius quae percrebuit dubitare iam nos non permittit opinio, commisimus perquirendas. Quamobrem paterno salutantes affectu, excellentiam uestram rogamus ut in cunctis quae ad ecclesiasticam correptionem 15 pertinent uestri robur ei subrogetis auxilii, ne, si quod male geritur quaesitum uel uindicatum non fuerit, longorum usurpatione temporum cum maiori licentia in futuris grassetur excessibus. Scito autem, excellentissime fili, si uictorias quaeritis, si de commissae uobis prouinciae securitate 20 tractatis, nihil magis uobis aliud ad haec proficere, quam zelari sacerdotum uitas et intestina ecclesiarum, in quantum possibile est, bella compescere.

224

IV, 8

GREGORIVS IANVARIO EPISCOPO CARALIS SARDINIAE

Theodosia religiosa femina, in construendo monasterio uoluntatem Stephani quondam uiri sui complere desiderans, petiit a nobis ut ad fraternitatem tuam nostras transmitteremus epistulas, quibus per commendationem nostram 5 tuum facilius mereretur auxilium. Asserit siquidem hoc a suo coniuge constitutum ut in praedio quod appellatur Piscenas, quod ad xenodochii Thomae quondam episcopi iura peruenit, monasterium construi debuisset. Quia igitur

2. Sur Colombus, voir III, 47 et l'Introduction, p. 24, note 3. ~ Y. DUVAL, *Grégoire et l'Église d'Afrique*, p. 140, n. 27, relève que le concile de Numidie mentionné ici ne peut être le concile annoncé en III, 47 et 48, les délais étant trop courts entre juillet et septembre. Il s'agit plutôt d'un des conciles qui eurent à connaître des affaires d'Argentius et de Maximien entre l'automne 591 et l'été 593 (cf. I, 72 et II, 39 ; *SC* 370, p. 306, p. 371 et p. 396). C'est aussi l'avis de V. Recchia, éd. *Lettere*, t. 2, p. 28, n. 2.

1. Sur Janvier de Cagliari, voir *supra* III, 36, note 2. Les lettres IV, 7, 9 et 10 qui lui sont adressées constituent un dossier sur la remise en ordre des affaires de l'Église de Sardaigne.

2. Sur Théodosia, voir *supra* III, 36, note 3. Sur son mari Étienne : voir

irrégularités, nous les avons confiées pour enquête à notre frère et collègue dans l'épiscopat Columbus, du sérieux même duquel l'opinion répandue à son sujet ne nous permet plus de douter[2]. C'est pourquoi, la saluant d'une affection paternelle, nous prions Votre Excellence qu'en tout ce qui concerne les sanctions ecclésiastiques vous mettiez à sa disposition la force de votre aide, de peur que, si ce qui se fait de mal n'est pas recherché et puni, cela ne se développe par une pratique de longue durée, avec une licence plus grande, par des fautes nouvelles. Sache donc, fils très excellent, que, si vous recherchez des victoires, si vous travaillez à la sécurité de la province qui vous est confiée, rien d'autre n'y contribue plus pour vous que d'être zélé pour la vie des évêques et d'arrêter les guerres intestines des Églises dans la mesure du possible.

IV, 8

PL : IV, 15 et *MGH* : IV, 8 – Septembre 593

À Janvier, archevêque de Cagliari, il recommande Théodosia qui désire fonder un monastère.

GRÉGOIRE À JANVIER
ÉVÊQUE DE CAGLIARI EN SARDAIGNE[1]

Théodosia, une pieuse femme qui désire accomplir les volontés de son défunt époux Étienne en faisant construire un monastère, nous a demandé de remettre nos lettres à Ta Fraternité afin d'obtenir plus facilement ton aide grâce à notre recommandation[2]. Elle affirme en effet que son époux a décidé qu'un monastère dût être construit sur le domaine appelé Piscenas, sur lequel l'hospice du défunt évêque Thomas[3] a des droits. Parce que donc elle semble répugner

PLRE 3 B, « *Stephanus* 24 », p. 1188-1189 et *PCBE* 2, « *Stephanus* 40 », p. 2127.

3. Thomas, évêque de Sardaigne : voir *PCBE* 2, « *Thomas* 7 », p. 2196. ~ Sur le *xenodochium*, voir *SC* 370, p. 96, n. 5.

in alienis hoc fundare rebus, licet possessionis permitteret
10 dominus, tamen uidetur cum ratione refugere, petitionem
eius praeuidimus annuendam, id est ut in domo iuris sui,
quam Caralis asserit se habere, ancillarum Dei monasterium
debeat Domino adiuuante construere. Sed quia praedictam
domum suam dicit ab hospitibus atque superuenientibus
15 onerari, hortamur fraternitatem tuam ut studeas ei in cuncta
concurrere deuotionique eius tuae praebeas tuitionis
auxilium, ut mercedis defuncti atque huius studii tuus te
concursus faciat et sollicitudo participem.

Reliquiae uero, quas ibidem postulat collocandas,
20 uolumus ut a fraternitate tua sub debita ueneratione
condantur.

225

IV, 9

GREGORIVS IANVARIO EPISCOPO CARALITANO

Satis quidem te ipse pastoralis zelus instigare debuerat, ut
gregem quem susceperas etiam sine nostro solacio salubriter
ac prouide tuereris et a callidis inimicorum subreptionibus
cum diligenti circuminspectione seruares. Sed quia caritatem
5 tuam pro suae firmitatis augmento nostrae quoque paginam
auctoritatis indigere comperimus, necessarium nobis fuit
titubantes animos tuos ad religiosi uigoris studium fraternae
dilectionis exhortatione firmare.

avec raison à faire cette fondation sur les biens d'autrui, même si le possesseur y consent, nous avons prévu d'approuver sa demande, c'est-à-dire qu'elle ait à construire avec l'aide du Seigneur un monastère de servantes de Dieu dans une maison lui appartenant, qu'elle affirme avoir à Cagliari. Mais comme elle dit que sa susdite maison est grevée de la charge d'hôtes et de gens qui surviennent à l'improviste, nous exhortons Ta Fraternité à faire ton possible pour lui procurer en tout ton concours, et à offrir à sa dévotion l'aide de ta protection, afin que ton aide et ta sollicitude te fassent participer à la récompense du défunt comme au zèle de celle-ci.

Quant aux reliques qu'elle demande qu'on y place, nous voulons qu'elles y soient déposées par Ta Fraternité avec la vénération requise.

IV, 9

PL et *MGH* : IV, 9 – Septembre 593

Il donne ordre à Janvier, archevêque de Cagliari, de faire observer plus strictement la discipline des moniales, de réunir un concile deux fois par an, de faire rendre la liberté aux esclaves des juifs qui se sont refugiés dans les églises, de faire oindre les petits-enfants au baptême sur la poitrine par les prêtres, sur le front par les évêques, de faire construire un monastère selon les volontés de Pierre.

Grégoire à Janvier évêque de Cagliari

Ton zèle pastoral aurait dû être suffisant à lui seul pour t'inciter à veiller, même sans notre assistance, sainement et avec prévoyance, sur le troupeau que tu avais reçu et à le protéger des tromperies rusées des ennemis par une surveillance diligente. Mais puisque nous découvrons que Ta Charité a besoin aussi pour accroître sa fermeté d'un écrit de notre autorité, il nous a été nécessaire par l'exhortation d'une dilection fraternelle d'encourager tes esprits chancelants à cultiver une religieuse vigueur.

Peruenit siquidem ad nos minus te monasteriis ancillarum
10 Dei Sardinia sitis tuitionis impendere, et cum dispositum prudenter a tuis fuisset decessoribus, ut quidam de clero probati uiri curam gerentes earum se necessitatibus adhiberent, nunc ita funditus esse neglectum, ut, per publicas personas, pro tributis aliis muniis ipsae per se principaliter Deo
15 dicatae feminae compellantur necessitatemque habeant pro supplendis fiscalibus per uillas praediaque discurrere atque uirilibus incompetenter se miscere negotiis. Quod malum fraternitas tua facili correctione remoueat, et unum probatum uita moribusque cuius aetas atque locus nihil de se prauae
20 suspicionis obiciat, sollicite deputet, qui sic monasteriis ipsis cum Dei timore possit assistere, quatenus ulterius eis pro quibuslibet causis priuatis publicis extra uenerabilia loca contra regulam uagare non liceat. Sed quicquid pro his agendum est per eum quem deputaueris rationabiliter
25 peragatur. Ipsae uero referentes Deo laudes atque coercentes semetipsas in monasteriis suis nullam occasionem ulterius
226 fidelium mentibus prauae suspicionis iniciant. Si qua autem earum, uel per anteriorem licentiam uel per impunitatis prauam consuetudinem, ad lapsus aut olim deducta est aut
30 in futurum fuerit perducta uoraginem, hanc, post competentis seueritatem uindictae, in alio districtiori uirginum monasterio in paenitentia uolumus redigi, ut illic orationibus atque ieiuniis et sibi paenitendo proficiat, et metuendum ceteris artioris disciplinae praestet exemplum. Is autem qui cum
35 huiusmodi feminis in aliqua fuerit iniquitate repertus, communione priuetur si laicus, si uero clericus est a suo

1. Le manuscrit *r*1 donne *priuatis et publicis*. D. NORBERG, *Studia critica*, t. 1, p. 127, a défendu la leçon *priuatis publicis* donnée par *R*1 et *r*2.

Il est en effet parvenu à notre connaissance que tu accordes trop peu de protection aux monastères des servantes de Dieu situés en Sardaigne et que, tandis qu'il avait été sagement établi par tes prédécesseurs que quelques membres éprouvés du clergé s'employassent à prendre soin de leurs nécessités, aujourd'hui la négligence est si complète que des femmes, de soi entièrement consacrées à Dieu, sont appelées à d'autres devoirs par les pouvoirs publics en raison des taxes et autres charges, et se trouvent dans la nécessité, pour remplir leurs obligations fiscales, de courir çà et là par fermes et domaines, et de se mêler, d'une façon qui ne convient pas, d'affaires qui sont celles des hommes. Ce mal, que Ta Fraternité le supprime par une facile correction et délègue avec sollicitude un homme de vie et de mœurs éprouvées, dont l'âge et le rang ne laissent peser contre lui aucun mauvais soupçon, qui puisse assister ces monastères dans la crainte de Dieu de telle sorte qu'elles n'aient plus ensuite permission d'aller çà et là, contre la règle, hors des lieux vénérables pour quelques affaires que ce soit, privées ou publiques[1]. Mais que tout ce qui doit être fait pour elles soit accompli raisonnablement par celui que tu y auras délégué. Quant à elles, rendant grâces à Dieu et se renfermant dans leurs monastères, qu'elles ne suscitent plus ensuite dans l'esprit des fidèles aucune occasion de mauvais soupçon. Mais si l'une d'elles, soit à cause d'une permission antérieure, soit par une mauvaise habitude d'impunité, était dans le passé tombée dans le gouffre d'une chute, ou bien y était amenée dans l'avenir, nous voulons qu'après la sévère punition qui convient, elle soit envoyée en pénitence dans un autre monastère de vierges plus rigoureux, afin qu'elle y progresse par les prières et les jeûnes et en se repentant, et qu'elle offre l'exemple, redoutable pour les autres, d'une discipline plus étroite. Et que celui qui aura été trouvé en quelque faute avec des femmes de cette sorte soit privé de la communion s'il s'agit d'un laïc, mais s'il est clerc, qu'il

quoque remotus officio pro suis continue lugendis excessibus in monasterio detrudatur.

Episcoporum etiam concilia, sicut tam tuae mos dicitur fuisse prouinciae quam quod sacrorum canonum auctoritate praecipitur, bis in anno celebrare te uolumus, ut et si quis inter eos a sui forma propositi actionis atque morum qualitate discordat, sociali fratrum possit increpatione redargui, et pro securitate commissi gregis animarumque statu paterna ualeat circuminspectione tractari.

Peruenit etiam ad nos seruos ancillasque Iudaeorum fidei causa ad ecclesiam refugientes aut infidelibus restitui dominis, aut eorum ne restituantur pretium dari. Hortamur igitur ut nullatenus tam prauam consuetudinem manere permittas. Sed quilibet Iudaeorum seruus ad uenerabilia loca fidei causa confugerit, nullatenus eum patiamini praeiudicium sustinere. Sed siue olim Christianus, siue nunc fuerit baptizatus, sine ullo pauperum damno religioso ecclesiasticae pietatis patrocinio in libertatem modis omnibus defendatur.

Episcopi baptizandos infantes signare in frontibus bis chrismate non praesumant, sed presbyteri baptizandos tangant in pectore, ut episcopi in postmodum tangere debeant in fronte.

Pro fundandis etiam monasteriis quae a diuersis iussa sunt construi, si iniusta perspicis haec aliquos quibus indicta sunt excusatione differre, sollerter secundum quod leges praecipiunt imminere te uolumus, ne piae defunctorum

2. *Cod. Theod.* XVI, 9, repris par *Cod. Iust.* I, 10, donne plusieurs lois interdisant aux juifs de posséder et, plus encore, de circoncire des esclaves chrétiens. Ici Grégoire condamne le mépris du droit d'asile invoqué par des esclaves chrétiens. Voir *infra* IV, 21, note 3.

3. Voir l'article « Onction » dans *DACL* 12/2, col. 2119-2120. Une lettre d'Innocent Ier à Decentius, évêque de Gubbio (*PL* 20, 555 ; *Regesta*, éd. Jaffé, n° 311 (108), t. 1, p. 47) précise que les prêtres ont le droit d'oindre les baptisés du chrême, mais que l'onction sur le front est réservée aux évêques « quand ils transmettent l'Esprit Paraclet ». Il s'agissait de bien distinguer

soit écarté aussi de son office et soit enfermé dans un monastère pour y pleurer sans cesse ses fautes.

Au sujet encore des conciles des évêques, tant selon ce que l'on dit avoir été la coutume de ta province que ce qui est prescrit par l'autorité des saints canons, nous voulons que tu les célèbres deux fois l'an, afin que si l'un de ces évêques est en désaccord par la nature de ses actes et de ses mœurs avec l'idéal de sa profession, il puisse être repris par un blâme collectif de ses frères, et soit susceptible d'être traité par une surveillance paternelle, pour la sécurité du troupeau qui lui est confié et le bien des âmes.

Il est aussi parvenu à notre connaissance que des esclaves et servantes de juifs ayant demandé refuge à l'Église en raison de leur foi, ou bien sont rendus à leurs maîtres infidèles, ou bien on en paye le prix pour qu'ils ne soient pas rendus. Nous t'exhortons donc à ne permettre aucunement que subsiste une coutume si mauvaise[2]. Mais tout esclave de juifs qui se réfugiera pour motif de foi dans les lieux vénérables, ne souffrez pas qu'il subisse préjudice. Mais, qu'il soit chrétien de longue date ou qu'il ait été baptisé à ce moment, que, sans porter aucun dommage aux pauvres, il soit soutenu par tous les moyens pour obtenir la liberté par l'appui religieux de la charité ecclésiastique.

Que les évêques ne se permettent pas de marquer du chrême deux fois sur le front les petits enfants à baptiser, mais que les prêtres touchent ceux-ci sur la poitrine pour que les évêques aient ensuite à les toucher sur le front[3].

Pour la fondation des monastères dont la construction a été ordonnée par diverses personnes, si tu t'aperçois que quelques-uns de ceux auxquels ils sont commandés tardent sous un injuste prétexte, nous voulons que tu les presses

l'onction baptismale de l'onction de la confirmation. La lettre IV, 26 fait état de critiques suscitées par cette décision du pape, qui se montre dès lors moins intransigeant.

uoluntates tua, quod absit, remissione cassentur. De monasterio
65 autem quod in domo sua construendum quondam Petrus
asseritur praecepisse, praeuidimus ut fraternitas tua subtiliter
227 requirat relictorum illic redituum quantitatem. Et si quidem
modus habet substantiae, recollectis omnibus quae de rebus
ipsis imminuta uel dicuntur esse dispersa, cum omni studio
70 hoc et sine aliqua dilatione fundetur. Sin autem uel minus
idonea uel damnosa facultas est, omnibus ut dictum est
subtiliter inquisitis, nobis renuntiare te uolumus, ut sciamus
quid deliberare, iuuante Domino, de eius constructione
possimus.

75 Fraternitas igitur tua ita in cunctis praedictis capitulis se
sollerter impendat, ut nec nostrae admonitionis seriem
inueniatur fuisse transgressa, nec diuino rea iudici de minori
zelo pastoralis exsistat officii.

IV, 10

GREGORIVS IANVARIO EPISCOPO CARALIS

Nos quidem arbitramur quod ad imminentiam expletionis
piarum rerum ipse te tuus satis ordo compellat. Sed ne
zelum tuum cuiuslibet interuentus remissionis emolliat, de
his etiam te specialiter iudicauimus exhortandum. Peruenit
5 siquidem ad nos Stephanum uirum magnificum de hac luce

4. Voir *Cod. Iust.* I, 3, 45.
5. Pierre, habitant de la Sardaigne : voir *PCBE* 2, « *Petrus* 77 », p. 1775.
6. Passage délicat grammaticalement. *Substantiae* est un génitif partitif, complément de *habet*. Sur ce tour et ses origines archaïques, voir E. LÖFSTEDT, *Philologischer Kommentar*, p. 106-109.

1. Cette lettre est un complément à l'affaire évoquée en IV, 7.

habilement en accord avec ce que les lois prescrivent[4], afin que les volontés pieuses des défunts ne soient rendues vaines – ce qu'à Dieu ne plaise – par ton laisser-aller. Au sujet du monastère que feu Pierre[5], dit-on, avait ordonné de construire dans sa maison, nous avons prévu que Ta Fraternité s'enquière minutieusement de la quantité des revenus disponibles là-bas. Et si le montant offre de la ressource[6], après avoir rassemblé tout ce que l'on dit avoir été soustrait à sa fortune elle-même ou avoir été dispersé, que la fondation soit faite avec tout le soin voulu et sans aucun délai. Mais si la fortune est insuffisante ou en déficit, toutes choses ayant été, comme on l'a dit, recherchées minutieusement, nous voulons que tu nous le rapportes pour que nous sachions ce que nous pouvons décider avec l'aide de Dieu au sujet de sa construction.

Donc, que Ta Fraternité s'emploie habilement sur tous les sujets ci-dessus afin qu'on ne puisse la trouver en faute sur l'ensemble de mon admonition, et qu'elle ne se rende coupable aux yeux du divin Juge pour manque de zèle dans son office pastoral.

IV, 10

PL et *MGH* : IV, 10 – Septembre 593

Il exhorte Janvier, archevêque de Cagliari, à veiller à ce que Théodosia, veuve d'Étienne, fonde un monastère selon le testament de son mari.

Grégoire à Janvier évêque de Cagliari

Nous estimons certes que l'ordre lui-même qui est le tien suffit à t'inviter à la promptitude dans l'accomplissement d'œuvres pies. Mais pour que quelque relâchement intervenant n'amollisse ton zèle, nous avons jugé même en ces matières devoir t'exhorter spécialement. Il est en effet parvenu à notre connaissance que le magnifique Étienne[1]

migrantem supremae uoluntatis elogio monasterium praecepisse fundari. Cuius desiderium Theodosiae honestae feminae, heredis eius, fertur quod hactenus dilatione protrahitur. Quamobrem hortamur fraternitatem tuam ut
10 maximum de praedicta causa studium geras, atque ante nominatam feminam commoneas, quatenus intra annuale spatium monasterium ut iussa est debeat ordinare, et cuncta secundum defuncti uoluntatem sine altercatione construere. Quod si intra praedictam temporis metam aliqua perficere
228 15 neglegentia uel calliditate distulerit, ut siue in loco eo quo constitutum fuerat, seu certe ibi non potest et alibi placet ordinari et dilatione interueniente neglegitur, tunc uolumus ut per tuae fraternitatis aedificetur studium, ordinatisque omnibus, res atque reditus qui relicti sunt per te loco ipsi
20 uenerabili sine imminutione aliqua socientur. Sic enim et ante tremendum iudicem tuae sententiam remissionis effugies, et secundum piissimas leges dilatas defunctorum pias uoluntates episcopali supples studio.

2. Pour le sens d'*elogium*, voir CICÉRON, *Clu.* 135.

3. *Honesta femina*, au sens social et non moral ; elle appartient à la classe des *honestiores*, par opposition aux *humiliores*, voir E. STEIN, *Histoire du Bas-Empire*, t. 1, p. 33.

émigrant de cette lumière, a prescrit dans une disposition[2] de ses dernières volontés que soit fondé un monastère. Le désir de celui-ci, dit-on, est différé jusqu'à présent par les atermoiements de l'honorable dame Théodosia son héritière[3]. C'est pourquoi nous exhortons Ta Fraternité à apporter le plus grand soin à ladite affaire ; et à avertir la susdite femme de se faire un devoir d'établir ce monastère d'ici un an comme il lui a été commandé et à faire tout construire selon la volonté du défunt, sans discussion. Que si, dans le laps de temps susdit, elle a par quelque négligence ou artifice différé de l'accomplir, de sorte que[4], soit au lieu où cela avait été fixé, soit que du moins ce ne soit pas possible là, et que l'on choisisse de l'établir ailleurs et que l'on ait, sous l'effet d'atermoiements, négligé de le faire, alors nous voulons qu'il soit édifié par les soins de Ta Fraternité et, toutes choses réglées, que les objets et les revenus qui restent soient joints à ce lieu vénérable sans aucune diminution. Ainsi donc tu éviteras, devant le Juge terrible, une sentence pour ton relâchement ; et selon les très pieuses lois tu accomplis dans ton zèle épiscopal les volontés pieuses des défunts qui ont été différées.

4. Cette phrase est mal construite, mais son sens reste très clair, ce qui laisse à penser qu'on est en présence d'une faute de celui qui a dicté la lettre, plutôt que celle d'un scribe. La longueur des deux propositions *siue* … *seu* lui a fait oublier le premier *ut* qui reste en suspens sans verbe.

IV, 11

GREGORIVS MAXIMIANO EPISCOPO SYRACVSANO

Olim quidem fraternitati tuae nostra fuerat auctoritate commissum, si qua in Siciliae excederentur ecclesiis ceterisque uenerabilibus locis uel incongrue gererentur, nostra uice corrigeres. Sed quia post haec de quibusdam neglectis 5 hactenus capitulis ad nos querela peruenit, rursus ad eorum correctionem tuam fraternitatem specialiter praeuidimus excitandam.

Cognouimus namque de reditibus ecclesiis nouiter acquisitis canonicam dispositionem quartarum minime 10 prouenire, sed episcopos locorum tantummodo distribuere quartam antiquorum redituum, nunc uero quaesita suis usibus retinere. Quamobrem prauam subintroductamque consuetudinem fraternitas tua uiuaciter emendare festinet, 229 ut, siue de praeteritis reditibus, siue de his quae nunc 15 obuenere uel obuenientibus, quartae secundum distributionem canonicam dispensentur. Incongruum namque est unam eandemque ecclesiae substantiam duplici quodammodo iure censeri, id est usurpationis et canonum.

Presbyteros, diacones ceterosque clericos qui ecclesiis 20 militant abbates fieri per monasteria non permittas, sed aut, omissa clericatus militia, monachicis prouocentur ordinibus,

1. Sur Maximien, voir *supra* III, 12, note 1. ~ Cette lettre est commentée dans *PCBE* 2, « *Maximianus* 5 », p. 1455.

2. Par la lettre II, 5 d'octobre 591 (*SC* 371, p. 316).

3. Les revenus ecclésiastiques étaient divisés en quatre parts : celle de l'évêque, celle du clergé, celle des pauvres et celle de l'entretien des biens. Voir *Regesta*, éd. Jaffé, t. 1, p. 78, n° 570, lettre du pape Simplice, de 475 ; *ibid.* p. 85, n° 636, lettre de Gélase, de 494. Grégoire revient sur cette question, en V, 12 ; 48 ; VIII, 7 ; XIII, 45.

4. *Vsurpatio* est à prendre ici au sens juridique et positif. Sinon comment le pape pourrait-il considérer que l'*usurpatio* est une forme du *ius* ? C'est l'usage que l'on fait d'un bien alors qu'on n'en a pas la *possessio*. À l'usufruit des revenus de l'Église, que l'évêque se réserve exclusivement, s'oppose le droit canon qui en exige la répartition.

IV, 11

PL et *MGH* : IV, 11 – Septembre 593

Il donne ordre à Maximien, évêque de Syracuse, de répartir en quatre parts tous les revenus des églises, même récemment acquis ; que les clercs ne soient pas faits abbés sans avoir déposé la cléricature ; qu'en cas de mort ou de mise à l'écart d'un évêque soit dressé un inventaire des biens de l'Église ; qu'aux visiteurs des Églises et à leurs clercs soient versés des honoraires ; qu'une vierge ne soit pas instituée abbesse avant l'âge de soixante ans.

GRÉGOIRE À MAXIMIEN ÉVÊQUE DE SYRACUSE [1]

Depuis un certain temps il avait été confié à Ta Fraternité par notre autorité le soin de corriger en notre nom les fautes commises dans les Églises de Sicile et autres lieux vénérables, ou les actions indues [2]. Mais comme, depuis lors, une plainte nous est parvenue à propos de certaines questions négligées jusqu'à présent, de nouveau nous avons prévu que Ta Fraternité fût spécialement incitée à les corriger.

Car nous avons appris, à propos des revenus nouvellement acquis par l'Église, que la disposition canonique sur les quarts ne se fait pas du tout, mais que les évêques des lieux distribuent seulement le quart des revenus anciens, et retiennent à leur propre usage ce qui a été acquis maintenant. C'est pourquoi Ta Fraternité doit se hâter d'apporter une correction énergique à une coutume mauvaise et introduite subrepticement, afin que, tant pour les revenus passés, que pour ceux qui sont échus ou échoient maintenant, les quarts soient répartis selon la distribution canonique [3]. Il est indu, en effet, qu'un seul et même bien d'Église soit d'une certaine façon estimé selon un double droit, celui de l'usage [4] et celui des canons.

Ne permets pas que les prêtres, diacres et autres clercs qui desservent les Églises soient faits abbés des monastères, mais qu'ils abandonnent le service clérical pour être appelés aux ordres monastiques, ou, s'ils décident de conserver le

aut, si in abbatis loco permanere decreuerint, clericatus nullatenus permittantur habere militiam. Satis enim incongruum est si, cum unum ex his pro sui magnitudine 25 diligenter quis non possit explere, ad utrumque iudicetur idoneus, sicque inuicem et ecclesiasticus ordo uitae monachicae, et ecclesiasticis utilitatibus regula monachatus impediat.

Illud quoque caritatem tuam commonere curauimus ut, 30 si quispiam episcoporum de hac luce migrauerit, uel, quod absit, pro suis fuerit remotus excessibus, conuenientibus ieraticis cunctisque cleri prioribus atque sui praesentia inuentarium ecclesiae rerum facientibus, omnia quae reperta fuerint subtiliter describantur, nec, sicut antea fieri dicebatur, 35 species quaedam aut aliud quodlibet de rebus ecclesiae quasi pro faciendi inuentarii labore tollatur. Sic namque ea quae ad munitionem facultatis pauperum pertinent desideramus expleri, ut nulla penitus in rebus eorum ambitiosis hominibus uenalitatis relinquatur occasio.

40 Visitatores ecclesiarum clericique eorum, qui cum ipsis per non suae ciuitatis parroechias fatigantur, aliquod laboris sui capiant, te disponente, subsidium. Iustum namque est ut et illic consequantur stipendium quo pro tempore suum commodare repperiuntur obsequium.

45 Iuuenculas fieri abbatissas uehementissime prohibemus. Nullum igitur episcopum fraternitas tua nisi sexagenariam uirginem cuius uita hoc atque mores exegerint uelare permittat, quatenus, tam prioribus quam praesenti capitulo tuae districtionis instantia Domino adiuuante correctis, et 230 50 diu dissolutum rerum uenerabilium statum canonicis nexibus religare festines, et diuina negotia non per incongruas uoluntates hominum sed cum competenti possint discretione disponi.

5. Grégoire revient sur cette incompatibilité dans la lettre V, 1 à Jean de Ravenne.

6. *Ieratici* : « évêques visiteurs », selon Hartmann (*MGH, Epist* 1, p. 244, n. 5).

rang d'abbé, qu'on ne leur permette plus en aucune façon d'être dans le service clérical[5]. Il est tout à fait indu, puisque nul ne peut remplir parfaitement une seule de ces fonctions à cause de son importance, qu'on juge quelqu'un apte à l'une et à l'autre et qu'ainsi se nuisent mutuellement l'ordre ecclésiastique et la vie monastique, la règle monastique et les intérêts de l'Église.

Nous avons aussi pris soin d'avertir Ta Charité de ceci : si l'un des évêques émigre de cette lumière ou – ce qu'à Dieu ne plaise – a été écarté à cause de ses fautes, que se rassemblent les évêques visiteurs[6] et tous les clercs supérieurs, et qu'en leur présence soit fait un inventaire des biens de l'Église ; que tout ce qui aura été trouvé soit minutieusement enregistré ; et que, comme l'on dit que cela se faisait auparavant, un objet ou quoi que ce soit des biens de l'Église n'en soit pas soustrait, comme pour payer le travail de l'inventaire. C'est donc ainsi que nous désirons que soit accompli ce qui concerne la protection de la fortune des pauvres, pour qu'à propos des biens de ceux-ci, absolument aucune occasion de vénalité ne soit laissée à des hommes avides.

Que les visiteurs des Églises et leurs clercs qui se fatiguent avec eux dans les diocèses qui ne sont pas ceux de leur cité, reçoivent une indemnité pour leur labeur, selon ton estimation. Car il est juste qu'ils obtiennent là aussi un salaire pour le temps où ils se trouvent rendre service.

Nous interdisons très vigoureusement que des jouvencelles soient faites abbesses. Que Ta Fraternité ne permette donc à aucun évêque de donner le voile sinon à une vierge sexagénaire dont la vie et les mœurs le justifient ; de sorte que, ayant corrigé avec la force de ta rigueur, le Seigneur aidant, tant les points précédents que le présent, tu te hâtes de renouer sous les liens canoniques l'état longtemps relâché de ce qui est vénérable, et que les affaires divines puissent être réglées non par les décisions indues des hommes mais avec le discernement convenable.

MENSE OCTOBRIO INDICTIONE XII

IV, 12

Gregorivs Maximiano episcopo Syracvsano

Tanta nobis subinde mala quae aguntur in illa prouincia nuntiantur, ut peccatis facientibus, quod auertat omnipotens, celere eam perituram credamus. Praesentium namque portitor ueniens lacrimabiliter questus est ante plurimos annos ab
5 homine nescio quo de possessione Messanensis ecclesiae de fontibus se susceptum, et uiolenter diuersis persuasionibus puellae ipsius iunctum, ex qua re filios iam iuuenculos habere se asseruit. Et qui nunc uiolenter huic disiunctam abstulisse dicitur atque cuidam alii uenundasse. Quod si
10 uerum est, quam sit inauditum atque crudele malum, et tua dilectio prospicit. Ideoque admonemus ut hoc tantum nefas, sub ea uiuacitate quam te in causis piis habere certissime scimus, requiras atque discutias. Et si ita ut supradictus portitor insinuauit esse cognoueris, non solum
15 quod male factum est ad statum pristinum reuocare curabis, sed et uindictam, quae Deum possit placare, exhibere modis omnibus festinabis. Episcopum uero, qui homines suos talia agentes corrigere neglegit atque emendare, uehementer aggredere, proponens quia, si denuo talis ad nos de
20 quoquam qui ad eum pertinent querela peruenerit, non in eo qui excesserit sed in ipso canonice uindictam procedere.

1. Cette lettre est commentée dans *PCBE* 2, « *Maximianus* 5 », p. 1455.
2. L'évêque de Messine, Félix : voir *PCBE* 2, « *Felix* 61 », p. 801-802.

OCTOBRE 593. INDICTION XII

IV, 12

PL et *MGH* : IV, 12 – Octobre 593

Il engage Maximien, évêque de Syracuse, à punir un homme de l'Église de Messine qui a vendu à un autre la jeune esclave donnée en mariage au porteur de cette lettre.

Grégoire à Maximien évêque de Syracuse [1]

On nous annonce coup sur coup tant de méfaits qui surviennent dans cette province que nous croyons – le Tout-Puissant nous en garde – qu'elle ne va pas tarder à périr sous l'effet de ses péchés. De fait, le porteur des présentes est venu en larmes se plaindre d'avoir été tenu sur les fonts baptismaux il y a de nombreuses années par je ne sais quel homme appartenant à l'Église de Messine et d'avoir été uni de force, par divers arguments, à une jeune esclave de celui-ci, à la suite de quoi il assurait avoir des fils déjà grands. Et cet homme maintenant, dit-on, la lui a arrachée de force, enlevée et vendue à un autre. Si donc cela est vrai, Ta Dilection aussi voit combien le méfait est inouï et cruel. C'est pourquoi nous t'engageons à enquêter sur un si grand crime et de l'examiner avec cette énergie dont nous savons très certainement que tu es pourvu dans les affaires pieuses. Et si tu reconnais qu'il en est comme le susdit porteur l'a fait savoir, non seulement tu prendras soin de ramener à l'état antérieur ce qui a été fait de mal, mais encore tu te hâteras par tous les moyens de rendre public un châtiment qui puisse apaiser Dieu. Quant à l'évêque [2] qui néglige de corriger et de punir ses gens qui font de telles choses, tance-le vertement en lui faisant voir que si de nouveau une telle plainte nous parvient au sujet de quelqu'un de ceux qui relèvent de lui, ce n'est pas sur celui qui aura fait la faute, mais sur lui-même que le châtiment retombe selon les canons.

231

IV, 13

Gregorivs Clementio episcopo primati Bizaceno

Praesentium latoris Adeodati querellam, qui se sui presbyteratus loco incongrue dicit expulsum, licet subditae tibi textus petitionis explanet, tamen paulo iudicauimus apertius retexendam. Asserit namque a Quintiano fratre
5 atque coepiscopo nostro in loco suo pro quibusdam se suis ordinandis negotiis relaxatum aegritudinisque causa per duorum mensium spatium suae se ecclesiae defuisse ; cuius rei occasionem captantem praedictum fratrem nostrum alium loco eius illic presbyterum ordinasse. Hortamur igitur
10 fraternitatem tuam ut causam eius sollicite districteque perquiras. Et si manifeste aegritudinis sicut dicitur causa ecclesiae suae eum defuisse reppereris, nullum ei ex ordinatione alterius presbyteri permittas praeiudicium generari. Sed in loco suo sine aliqua eum fac dubietate restitui. Sin autem
15 aliter se res habere dicitur, quam porrecta ab eo uidetur continere suggestio, causam eiusdem legitime canoniceque perquire, et quicquid secundum Deum tibi uisum fuerit, iuuante Domino, ita stude decernere, ut nulla de hac re ad nos ulterius questio reuertatur. Illud autem caritatem
20 tuam specialiter admonemus ut, si uera fuerit suggestio atque in suo fuerit ordine restitutus, de presbytero qui in loco eius ordinatus est subtiliter districteque debeas esse sollicitus. Et siquidem sine datione aliqua ad eundem ordinem uenit, ut in simoniacam haeresem non potuisset

1. La Byzacène est une des six provinces ecclésiastiques d'Afrique, voir l'Introduction, p. 24. ~ Sur Clementius, voir IX, 24 ; 27 ; XII, 12 où il apparaît sous le nom de Crementius. Il y est question d'un procès à lui intenté dont l'empereur voulait confier la décision à Grégoire.

IV, 13

PL et *MGH* : IV, 13 – Octobre 593

Il écrit à l'évêque Clementius, primat de la Byzacène, au sujet de la réintégration du prêtre Adéodat qui a été écarté pour raison de santé par l'évêque Quintianus.

Grégoire à Clementius
évêque primat de la Byzacène [1]

Bien que le texte de la réclamation qui t'a été soumise expose la plainte d'Adéodat, porteur des présentes, qui dit avoir été indûment évincé de son lieu d'exercice de la prêtrise, cependant nous avons jugé devoir l'exposer de nouveau plus clairement. Il affirme en effet avoir été déchargé de sa paroisse par notre frère et collègue dans l'épiscopat Quintianus pour régler quelques affaires personnelles et, pour cause de maladie, avoir été absent de son Église pendant deux mois ; saisissant cette occasion, notre frère susdit y avait ordonné à sa place un autre prêtre. Nous exhortons donc Ta Fraternité à faire une enquête soigneuse et rigoureuse sur son cas. Et si tu trouves que c'est manifestement à cause d'une maladie, comme cela est dit, qu'il a été absent de son église, ne permets pas que lui soit causé un préjudice par l'ordination d'un autre prêtre. Mais fais en sorte qu'il soit sans aucune hésitation réintégré dans son office. Mais si l'on dit que les choses se présentent autrement que la réclamation apportée par lui semble l'indiquer, examine sa cause selon les lois et les canons, et tâche de décider, avec l'aide du Seigneur, ce qui te semblera être selon Dieu, de telle sorte qu'aucune plainte ne nous revienne plus tard à ce sujet. Nous engageons spécialement Ta Charité, si sa réclamation se trouve vraie et s'il a été réintégré dans son office, à te faire un devoir d'exercer minutieusement et rigoureusement ta sollicitude envers le prêtre qui a été ordonné à sa place. Si toutefois il a été promu à cet ordre sans quelque don de sa part, de sorte qu'il n'ait pas pu tomber

25 incidere, in aliam quamcumque uacantem ecclesiam eum uolumus ordinari. Sin autem in eum quippiam, quod auertat Dominus, fuerit tale repertum, ipso etiam presbyteratus priuetur ordine, quem non causa replendae necessitatis ecclesiae sed sola comprobatur ambitione sumpsisse.

232

IV, 14

GREGORIVS MAXIMIANO EPISCOPO SYRACVSIS

Praesentium lator Felix diaconus cum nullatenus in haereticorum dogmate lapsus sit, nec a catholica fide discesserit, prauis illectus aduersus Constantinopolitanam synodum suspicionibus, Istricorum se separatione remouerat.
5 Qui cum Romam uenisset, recepta a nobis iuuante Domino ratione, excessum suum recepta dominici corporis communione correxit. Quia ergo ut dictum est non in haeresim incidit, sed a sacris generalis ecclesiae mysteriis quasi rectae studio intentionis errauit, imbecillitati eius atque necessitatibus
10 consulentes, maximeque sustentationi eius pietatis intuitu prouidentes, in tua Syracusana ecclesia eum praeuidimus cardinandum, siue ut officium diaconatus expleat, seu certe

1. Félix : voir *PCBE* 2, « *Felix* 70 », p. 806. Vu les soupçons qui avaient pesé sur lui, ce diacre devait appartenir à une Église d'Istrie-Vénétie.

2. Le schisme d'Istrie-Vénétie fomenté par les défenseurs des Trois Chapitres hostiles au concile de Constantinople de 553 continuait à troubler l'Église d'Occident. Voir C. SOTINEL, *HC* 3, p. 427-455. ~ Cette première phrase est quelque peu obscure : comment peut-on dire que Félix s'est éloigné du schisme, s'il n'y a jamais adhéré ? L'explication vient dans les deux phrases suivantes. Félix n'a pas soutenu les positions hostiles à Rome des schismatiques, mais il s'est écarté de la communion de l'Église universelle (*a sacris generalis ecclesiae mysteriis … errauit*). Et il l'a fait *quasi rectae studio intentionis* ; encore la *rectitudo*. Grégoire manifeste ici la volonté d'apaisement qui avait été celle de Pélage II, lorsqu'il avait pu, à la faveur de la trêve conclue en 585 par l'exarque Smaragde avec les Lombards, envoyer à Grado au patriarche Hélias une mission de conciliation. La tentative échoua par le refus des gens d'Aquilée d'accepter la communion avec les envoyés du pape.

dans l'hérésie simoniaque, nous voulons qu'il soit ordonné dans une autre église vacante. Au contraire, si l'on trouve contre lui quelque chose de semblable – le Seigneur nous en garde –, qu'il soit aussi destitué de l'ordre sacerdotal lui-même qu'il est convaincu d'avoir assumé, non pour subvenir aux nécessités d'une Église, mais par pure ambition.

IV, 14

PL et *MGH* : IV, 14 – Octobre 593

À Maximien, évêque de Syracuse, il recommande le diacre Félix qui à Rome s'est détourné de l'erreur d'Istrie, afin qu'il soit incardiné dans l'Église de Syracuse.

GRÉGOIRE À MAXIMIEN ÉVÊQUE DE SYRACUSE

Le diacre Félix[1], porteur des présentes, bien qu'il ne soit aucunement tombé dans les croyances des hérétiques et ne se soit pas écarté de la foi catholique, tout en se laissant séduire par de mauvais soupçons contre le concile de Constantinople, s'était tenu éloigné du schisme d'Istrie[2]. Comme il était venu à Rome, ayant, avec l'aide du Seigneur, admis nos raisons, il a corrigé sa faute en recevant la communion du corps du Seigneur. Donc puisque, comme il a été dit, il n'est pas tombé dans l'hérésie, mais était éloigné des saints mystères de l'Église universelle comme par le zèle d'une intention droite, tenant compte de sa faiblesse et des circonstances, et surtout pourvoyant dans un esprit paternel à sa subsistance, nous avons prévu qu'il soit incardiné dans votre Église de Syracuse, soit pour remplir

C. SOTINEL, *HC* 3, p. 447, a finement analysé l'attitude de Rome dès le début de l'affaire : « Le pape agit comme si le schisme était un malentendu involontaire. » L'unité pourrait donc se faire simplement par l'acceptation de la communion. Or c'est précisément ce qui arrive dans notre lettre : *recepta dominici corporis communione.*

ut sola eiusdem officii pro sustentanda paupertate sua commoda consequatur ; in tuae fraternitatis hoc uolumus
15 pendere iudicio. Quod hortamur ut tua fraternitas explere festinet, commendantes etiam personam eius, quatenus nullis eum patiaris molestiis aut necessitatibus subiacere, ne uel nostrae commendationis inueniaris tramitem neglexisse, uel minus exhibuisse quam tuus exigit ordo pauperibus.
20 Quia et nos ei annuum quid de nostra ecclesia dari fecimus, ut eiusdem operis quod te hortamur exhibere participes esse possimus.

233

IV, 15

GREGORIVS CYPRIANO DIACONO RECTORI SICILIAE

Peruenit ad nos diuersos Italiae sacerdotes Siciliam confugientes plurima secum ecclesiarum suarum ministeria detulisse, eaque siue defunctis eis siue male dispergentibus, prope omnia deperisse. Qua in re moti hortamur dilectionem
5 tuam quatenus transmittens per omnia Siciliae loca, sicubi uasa sacra resque ecclesiarum positas incaute reppereris, eas cum summa districtione recolligi facias, atque adunatas sub notitia atque desuscepto apud singularum ecclesiarum deponas episcopos, apud quos, usque dum pacis tempus
10 expoposcerit, iuuante Domino, debeant tutissime conseruari. Omnium autem rerum ipsarum non solum desuscepta eos qui eas tradunt percipere uolumus, sed etiam a te notitias earum subtiliter retineri, ut dum necesse fuerit ex hac

1. Voir *supra* III, 55, note 1.
2. À cause de l'invasion lombarde. *Sacerdos* désigne ici nécessairement des prêtres et non des évêques.
3. Sur l'emploi sans complément de *transmittere*, voir *supra* IV, 4, note 6.
4. Sur le sens de *desusceptum*, voir *supra* III, 49, note 6.

la fonction de diacre, soit au moins pour qu'il obtienne seulement les revenus de cette fonction, afin de subvenir à sa pauvreté ; nous voulons que cela relève du jugement de Ta Fraternité. Nous exhortons donc Ta Fraternité à se hâter d'accomplir ce geste, te recommandant aussi sa personne de sorte que tu ne souffres pas qu'il subisse aucun désagrément ni privation ; de peur que l'on ne trouve que tu as négligé le chemin de notre recommandation et fait preuve de moins que n'exige ton ordre auprès des pauvres. C'est pourquoi nous aussi nous lui avons fait donner une pension sur notre Église afin que nous puissions prendre part à la même bonne œuvre que nous t'exhortons à pratiquer.

IV, 15

PL : IV, 16 ; *MGH* : IV, 15 – Octobre 593

Il donne ordre au diacre Cyprien, recteur du patrimoine de Sicile, de faire rassembler et inventorier le mobilier des églises emporté en Sicile par des prêtres italiens réfugiés.

GRÉGOIRE AU DIACRE CYPRIEN RECTEUR DE SICILE [1]

Il est venu à notre connaissance que divers prêtres d'Italie se réfugiant en Sicile [2] ont emporté avec eux un grand nombre d'objets sacrés de leurs Églises, et que, ceux-ci étant morts ou les ayant malencontreusement dispersés, presque tous se sont perdus. Touché de cela, nous exhortons Ta Dilection à envoyer [3] en tous lieux de la Sicile, et si tu trouves mis quelque part sans précaution des vases sacrés et des biens des Églises, à les faire rassembler avec la plus grande rigueur, et à les faire déposer réunis sous inventaire et avec un reçu [4] chez les évêques de chaque Église, chez qui, jusqu'à ce que le temps de paix l'exige, ils doivent, avec l'aide du Seigneur, être conservés très soigneusement. Et nous voulons non seulement que ceux qui les remettent reçoivent les reçus de tous ces biens, mais aussi que tu gardes minutieusement leurs inventaires, afin que grâce à

cautela, iuuante Domino, possint ab his quibus traduntur
15 sine imminutione restitui.

234 MENSE NOVEMBRIO INDICTIONE XII

IV, 16

GREGORIVS VNIVERSIS EPISCOPIS PER DALMATIAS

Oportuerat quidem fraternitatem uestram diuini respectu
iudicii, clausis carnalibus oculis, nihil quod ad Deum
pertinet ex recta mentis intentione omittere, nec cuiuslibet
hominis faciem rectitudini iustitiaeque praeponere. Sed
5 postquam ita mores uestri saecularibus sunt traducti
negotiis, ut obliuiscentes omnem sacerdotalis in uobis honoris
tramitem cunctumque superni metus intuitum, non quid
Deo sed quid uobis placeat studetis explere, necesse habuimus
haec ad uos districtiora specialiter scripta transmittere, quibus
10 ex beati Petri principis apostolorum auctoritate praecipimus
ut nulli penitus extra consensum permissionemque nostram,
quantum ad episcopatus ordinationem pertinet, in Salonitana
ciuitate manus praesumatis imponere, nec quemquam in
ciuitate ipsa aliter quam diximus ordinare. Quod si contra
15 haec quippiam uel sponte uestra uel a quolibet coacti
praesumpseritis uel temptaueritis agere, decernimus uos

1. Les difficultés relatives à la succession de Natalis de Salone commencent en III, 22.

2. Insistance sur la *rectitudo* qui est exprimée deux fois ici, par le mot lui-même mis en rapport avec *iustitia,* et avant, par l'adjectif, dans l'expression *recta mentis intentio*, comme dans la lettre IV, 14, voir note 2 *ad loc.* et III, 29, note 6.

cette précaution, quand ce sera nécessaire, ils puissent être restitués, avec l'aide du Seigneur, sans perte, par ceux auxquels ils sont remis.

NOVEMBRE 593. INDICTION XII

IV, 16

PL : IV, 10 et *MGH* : IV, 16 – Novembre 593

Il donne ordre aux évêques de Dalmatie de lui rendre compte des mœurs de l'homme à élire évêque de Salone, si le diacre Honorat est récusé. Il leur donne le droit de consacrer, à l'exception de Maxime, celui que tous auront élu.

GRÉGOIRE À TOUS LES ÉVÊQUES DES DALMATIES [1]

Il aurait fallu certes que Votre Fraternité, soucieuse du jugement divin, fermant ses yeux de chair, par une intention droite de son esprit n'oubliât rien de ce qui concerne Dieu et ne préférât pas le visage d'un homme, quel qu'il soit, à la rectitude [2] et à la justice. Mais puisque votre conduite s'est engagée dans les affaires du siècle au point qu'oubliant en vous tout chemin de l'honneur sacerdotal et toute considération de la crainte céleste, vous vous étudiez à réaliser non ce qui plaît à Dieu mais ce qui vous plaît, nous avons jugé nécessaire de vous envoyer cette lettre particulièrement rigoureuse, par laquelle nous prescrivons, en vertu de l'autorité du bienheureux Pierre prince des apôtres, qu'à personne absolument, en dehors de notre consentement et permission, pour ce qui concerne une ordination épiscopale, vous ne vous permettiez d'imposer les mains dans la cité de Salone, ni d'ordonner dans cette cité qui que ce soit autrement que nous l'avons dit. Que si contre cet ordre vous vous permettez ou essayez de faire quelque chose, soit de votre propre initiative, soit contraints par qui que ce soit, nous vous décrétons privés

dominici corporis et sanguinis participatione priuatos, quatenus ex eadem ipsa attrectatione uestra uel uoluntate transgrediendae praeceptionis nostrae, a caelestibus mysteriis
20 alieni, nec eum quem ordinaueritis habeatur episcopus. Nos namque nullum, cuius uita reprehendi potest, temere uolumus ordinari. Et si Honoratus diaconus indignus ostenditur, de uita moribusque eius qui electus fuerit nobis renuntiari uolumus, ut quicquid in hac re agendum est
25 cum consensu nostro salubriter permittamus impleri.

235 Confidimus enim in omnipotentem Dominum quia, quantum ad intentionem nostram pertinet, numquam quod nostram grauare possit animam, numquam fieri sinimus quod uestram grauare possit ecclesiam. Sin uero in qualibet
30 persona ita omnium uoluntarius consensus accesserit, ut auctore Deo digna sit, et non sit qui ab eius ordinatione dissentiat, hanc a uobis in eadem Salonitana ecclesia ex praesentis epistulae nostrae concessa licentia uolumus consecrari, excepta dumtaxat persona Maximi, de qua ad
35 nos multa mala perlata sunt. Quae si ab appetitu maioris ordinis non cessat, restat, ut arbitror, quatenus subtiliter discussa ipso quoque in quo est officio careat.

3. Il y a une anacoluthe qui fait que le nominatif *alieni* ne régit aucun verbe. Comme l'observe E. LÖFSTEDT, *Philologischer Kommentar*, p. 158, il est difficile de dire s'il s'agit, dans un tel cas, d'un nominatif absolu ou d'une anacoluthe. Voir aussi D. NORBERG, *Syntaktische Forschungen*, p. 64 s., sur les emplois du nominatif. En tout cas, il est nécessaire de comprendre *nec* au sens de « non plus ». Sur cet emploi de *nec*, voir E. LÖFSTEDT, *ibid.*, p. 88-89.

4. *Attrectatio* reprend *manus imponere* de la phrase précédente en dépouillant l'acte de toute signification sacramentelle. Si les évêques dalmates imposent les mains à Maxime, ce ne sera qu'un toucher, au sens purement physique du mot, qui ne fera pas de celui-ci un évêque. En IV, 20, après que les évêques dalmates eurent passé outre, le pape écrivit : « Une telle chose, nous ne pouvons l'appeler une consécration, parce qu'elle fut célébrée par des hommes excommuniés. »

5. ***Eum quem ordinaueritis habeatur*** **:** phénomène d'attraction inverse, voir D. NORBERG, *Syntaktische Forschungen*, p. 76. ~ Dans cette affaire de Maxime de Salone, l'affirmation de la primauté de juridiction du pape contre toute ingérence de laïcs, fût-ce l'empereur, est très nette, voir L. GIORDANO,

de la participation au corps et au sang du Seigneur, de sorte que, vous étant écartés[3] des mystères célestes par votre acte lui-même de toucher[4] et par votre volonté de passer outre à notre mandement, celui-là non plus que vous aurez ordonné ne soit pas tenu pour évêque[5]. Nous voulons en effet que nul ne soit ordonné témérairement, dont la vie peut être objet de reproches. Et s'il est démontré que le diacre Honorat[6] est indigne, nous voulons recevoir un rapport sur la vie et les mœurs de celui qui aura été élu, afin que nous permettions que soit accompli sainement avec notre consentement tout ce qui doit être fait dans ce cas.

Le Seigneur tout-puissant en effet nous donne cette assurance que, pour ce qui relève de notre attention, jamais nous ne permettons que se fasse ce qui pourrait être un poids pour notre âme, jamais ce qui pourrait être un poids pour votre Église. Mais si un accord unanime des suffrages se réunit sur le nom d'une personne de sorte qu'elle en soit digne par la volonté de Dieu et qu'il n'y ait personne qui soit opposé à son ordination, nous voulons que celle-là soit consacrée par vous en cette Église de Salone en vertu de la permission concédée par notre présente lettre, exceptée seulement la personne de Maxime, sur laquelle nous ont été rapportées beaucoup de choses mauvaises[7]. Si cette personne ne cesse de désirer un ordre plus élevé, il n'y a plus, je pense, qu'à la priver également, après examen minutieux, de la fonction même qu'elle occupe.

Giustizia e potere, p. 50-51. Elle cite la phrase de V, 6 : « Je suis prêt à mourir plutôt que de voir en mon temps dégrader l'Église du bienheureux Pierre. » On observera l'insistance et la précision du style. Du fait même de l'excommunication, l'*attrectatio* devient nulle de plein droit. Maxime ne pourra se dire ou être dit évêque *ex opere operato*.

6. Sur Honorat, du clergé de Salone, voir III, 32 et III, 46, où il est appelé archidiacre.

7. Maxime, diacre de Salone. Sur la suite de l'affaire, voir III, 54 et la fin de la note 2 *ad loc.* sur Castorius. Malgré l'opposition du pape, Maxime réussit à s'imposer comme évêque de Salone grâce à la protection impériale. Finalement, il fit publiquement pénitence le 25 août, à Ravenne, selon IX, 234.

MENSE DECEMBRIO INDICTIONE XII

IV, 17

Gregorivs Felici episcopo Sipontino

Qualiter succurrendum sit redemptionibus captiuorum, et sanctorum canonum et mundanarum legum sanctio euidenter edocuit. Quod cum omnibus notum sit, mirati sumus ut fraternitas tua in redemptione Tribuni clerici tui praesentium <latoris> nulla mota misericordia subueniret. Quod ergo sponte facere distulisti, nostra saltem festina facere adhortatione commonitus, ne si, quod non credimus, neglegendum putaueris, incipiat tibi necessitas quod uoluntas fugit imponere. Quia igitur suprascriptus Tribunus ab hostibus se praedatum ac duodecim solidis perhibet comparatum, ad quorum se deflet restitutionem urgueri, haec te oportet diligenter inquirere. Et si ita est, nec eum unde pretium in se datum reddere possit habere cognoueris, suprascriptos solidos de ecclesia redemptori eius restitue. Nam ualde durum est si de ecclesia cui militat remedium nullum inueniat. Omissa itaque excusatione, pretium, quod in eo datum manifesta ueritate patuerit, sine aliqua mora sicut sumus praefati restitue, quatenus nec creditorem eius tempore necessitatis afflicto subuenisse paeniteat, et hic onere maeroris exutus, mente libera officii sui ministerium sollicite ac competenter exhibeat.

1. Félix, évêque de Sipontum : voir *supra* III, 40 ; 41.

2. Tribunus : voir *PCBE* 2, « *Tribunus* 2, *clericus* », p. 2213. J.-M. Martin, *La Pouille*, p. 149, suppose que Tribunus s'est fait prendre sur la route de Rome. Voir *supra* III, 40, note 2.

DÉCEMBRE 593. INDICTION XII

IV, 17

PL et *MGH* : IV, 17 – Décembre 593

Il donne ordre à Félix, évêque de Sipontum, de rendre sur les finances de son Église, à celui qui a racheté le clerc Tribunus, les douze sous qu'il a payés pour lui.

Grégoire à Félix évêque de Sipontum [1]

Les décisions des saints canons et des lois civiles ont montré clairement la façon dont il faut venir en aide au rachat des captifs. Comme cela est connu de tous, nous nous sommes étonnés que Ta Fraternité ne se soit laissée émouvoir par aucune pitié pour subvenir au rachat de ton clerc Tribunus, porteur des présentes [2]. Ce que donc tu as différé de faire spontanément, hâte-toi au moins de le faire poussé par notre exhortation, afin que si, ce que nous ne croyons pas, tu as estimé devoir le négliger, ce ne soit pas la nécessité qui commence à t'imposer ce qu'a refusé ta volonté. Comme le susdit Tribunus déclare qu'il a été capturé par les ennemis et racheté pour douze sous qu'il déplore d'avoir à restituer d'urgence, il faut que tu fasses une enquête diligente sur ces faits. Et s'il en est ainsi, et que tu apprennes qu'il ne possède pas de quoi rendre la somme qui a été versée pour lui, restitue sur les fonds de l'Église les sous en question à celui qui l'a racheté. Car il est vraiment dur qu'il ne puisse trouver aucun secours dans l'Église dont il est le desservant. Donc, toute excuse cessante, restitue sans aucun délai, comme nous l'avons dit, le prix qu'une vérité évidente montrera avoir été versé pour lui, de sorte que son créancier ne se repente pas d'être venu en aide à un affligé en temps de difficulté, et que lui, délivré du poids de son affliction, accomplisse avec un esprit libre le ministère de son office avec sollicitude et comme il sied.

MENSE IANVARIO INDICTIONE XII

MENSE FEBRVARIO INDICTIONE XII

MENSE MARTIO INDICTIONE XII

IV, 18

Gregorivs Mavro abbati a sancto Pancratio

Ecclesiarum cura, quae sacerdotalibus officiis euidenter infixa est, ita nos cogit esse sollicitos, ut nulla in eis culpa neglectus appareat. Quoniam uero ecclesiam sancti Pancratii, quae erat commissa presbyteris, frequenter neglectum
5 habuisse cognouimus, ita ut uenientes dominicorum die populi missarum sollemnia celebraturi, non inuento presbytero, murmurantes redirent, hoc matura deliberatione nostro sedit arbitrio ut, eis remotis, monachorum congregationem in monasterio eidem ecclesiae cohaerenti
10 constituere cum Christi gratia deberemus, quatenus abbas, qui illic praeesset, curam et sollicitudinem antefatae ecclesiae habere modis omnibus debuisset. In quo etiam monasterio te Maurum abbatem praeuidimus praeponendum, statuentes
237 ut terras praefatae ecclesiae uel quicquid illic intrauerit
15 seu de reditibus eius accesserit antedicto monasterio tuo debeat applicari atque illic sine diminutione aliqua pertinere,

1. Maur : voir *PCBE* 2, « *Maurus* 7 », p. 1439.

2. La basilique de saint Pancrace, martyrisé à Rome en 304, ainsi que le cimetière du même nom se situent sur la *uia Aurelia*, au pied du Janicule, voir C. Pietri, *Roma christiana*, t. 2, p. 1752, fig. 2. La basilique avait été construite au début du siècle par le pape Symmaque.

3. Grammaticalement, *terras* est le sujet d'*applicari* et *debeat* est employé de façon impersonnelle au sens d'*oportet*. Sur cet emploi, voir E. Löfstedt, *Philologischer Kommentar*, p. 45, qui signale plusieurs emplois dans la latinité tardive et, sur ce passage, voir aussi D. Norberg, *Studia critica*, t. 1, p. 59.

JANVIER 594. INDICTION XII

FÉVRIER 594. INDICTION XII

MARS 594. INDICTION XII

IV, 18

PL et *MGH* : IV, 18 – Mars 594

Il enlève la charge de l'église romaine de Saint-Pancrace aux prêtres et la remet à l'abbé du monastère attenant à cette église ; il nomme Maur abbé.

Grégoire à Maur abbé de Saint-Pancrace [1]

La charge des églises, qui est évidemment inhérente à l'office épiscopal, nous oblige à une telle sollicitude qu'aucune faute de négligence ne s'y manifeste. Or, comme nous avons appris que l'église Saint-Pancrace [2], qui était confiée à des prêtres, a souvent souffert de négligence, au point que le peuple qui venait, le dimanche, pour la célébration des solennités de la messe, n'y trouvait pas de prêtre et s'en retournait en murmurant, après mûre délibération nous avons jugé que nous devions, avec la grâce du Christ, en écarter ces prêtres et établir une communauté de moines dans un monastère attenant à cette église, de sorte que l'abbé qui y présiderait devrait de toutes façons avoir la charge et le soin de ladite église. À la tête aussi de ce monastère, c'est toi, Maur, que nous avons prévu d'établir comme abbé en décidant que les terres de la susdite église, ainsi que tout ce qui viendrait à en faire partie et s'ajouterait à ses revenus, devrait devenir la propriété de ton susdit monastère [3], et lui appartenir sans diminution aucune, à la condition que c'est

ita sane ut, quaecumque in suprascripta ecclesia fienda reparandaque sunt, per te sine dubio reparentur. Sed ne, remotis presbyteris quibus ecclesia ipsa fuerat ante commissa,
20 uacare mysteriis uideatur, idcirco huius tibi auctoritatis tenore praecipimus ut peregrinum illic non desinas adhibere presbyterum, qui sacra missarum possit sollemnia celebrare. Quem tamen et in monasterio tuo habitare, et exinde uitae subsidia habere necesse est. Sed et hoc prae omnibus curae tuae sit
25 ut ibidem ad sacratissimum corpus beati Pancratii cotidie opus Dei proculdubio peragatur. Haec igitur quae tibi huius praecepti fienda serie deputamus non solum te perficere uerum etiam et ab his qui in officio locoque tuo successerint sic in perpetuum seruari uolumus et impleri, ut nullus
30 deinceps in supradicta ecclesia possit inueniri neglectus.

IV, 19

GREGORIVS LEONI ACOLYTHO

Locorum uenerabilium cura nos admonet de eorum utilitate per omnia cogitare. Quia ergo ecclesia sanctae Agathae sita in Subura, quae spelunca fuit aliquando prauitatis haereticae, ad catholicae fidei culturam Deo propitiante
5 reducta est, ideoque huius auctoritatis tenore communitus

4. Pour le sens d'*opus Dei,* voir *supra* III, 56, note 3.

1. Léon, acolyte : voir *PCBE* 2, « *Leo* 19 », p. 1279. Les acolytes sont le quatrième degré de la hiérarchie après les portiers, les lecteurs et les exorcistes. Leur fonction est mal définie. Ils étaient au nombre de quarante-deux.

2. L'église Sainte-Agathe des Gots avait été ornée de mosaïques par le patrice Ricimer vers 470 et dédiée au culte arien, d'où son nom. Elle était située, comme le dit la lettre, dans le quartier de Subure, au nord-est du forum, dans la IVe région ecclésiastique, qui coïncidait d'ailleurs avec la IVe région d'Auguste. Dans *Dial.* III, 30 (*SC* 260, p. 378-384), GRÉGOIRE raconte comment il ouvrit de nouveau Sainte-Agathe des Gots au culte catholique deux ans plus tôt, c'est-à-dire en 591-592, en y déposant des reliques de saint Sébastien et de sainte Agathe. Pendant la célébration de la messe, les assistants eurent la sensation qu'un porc se glissait entre leurs jambes. Mais l'animal ne fut vu de personne : c'était « l'immonde habitant » du lieu qui

à toi obligatoirement qu'incombent tous les travaux et réparations à faire dans la susdite église. Mais afin que la célébration des mystères ne paraisse manquer en ladite église, une fois éloignés les prêtres à qui elle était confiée auparavant, nous te prescrivons pour cette raison, par la teneur de cette instruction, d'y attacher en permanence un prêtre étranger à ta communauté qui puisse y célébrer les saintes solennités de la messe. Il est cependant nécessaire qu'il loge dans ton monastère et qu'il en reçoive sa subsistance. Mais, avant tout, aie soin que toute l'œuvre de Dieu[4] y soit célébrée sans faute chaque jour devant le corps très saint du bienheureux Pancrace. Ces observances dont nous te remettons l'exécution dans le déroulement de cette ordonnance, nous voulons non seulement que tu les accomplisses, mais encore qu'elles soient conservées et respectées à perpétuité aussi par ceux qui te succèderont dans ta charge et à ta place, afin que désormais l'on ne puisse plus trouver aucune négligence dans la susdite église.

IV, 19

PL et *MGH* : IV, 19 – Mars 594

Il confie à Léon, acolyte, l'église de Sainte-Agathe à Subure qui a été un antre de l'erreur hérétique et qui est rendue à la foi catholique.

GRÉGOIRE À LÉON, ACOLYTE[1]

La sollicitude pour les lieux vénérables nous avertit de penser à tout ce qui concerne leurs besoins. Or l'église Sainte-Agathe située dans Subure, qui fut autrefois un antre de l'erreur hérétique, est revenue grâce à Dieu au culte de la foi catholique[2]. C'est pourquoi, fort de la teneur de

s'enfuyait. La nuit suivante, on entendit du vacarme sur le toit de l'église. Quelques jours après, une nuée descendit sur l'autel emplissant l'église d'un parfum délicieux. Enfin, le lendemain, les lampes de l'église s'allumèrent d'elles-mêmes et le sacristain ne put les éteindre.

pensiones omnium domorum in hac urbe constitutarum, quas praedicta ecclesia temporibus habuisse Gothorum constiterit, annis singulis congregare non desinas, et quantum in sarta tecta uel luminaribus aliaque reparatione 10 eiusdem ecclesiae necessarium fuerit, erogare modis omnibus studebis. Quicquid uero exuberare potuerit, fideliter rationibus te ecclesiasticis inferre praecipimus.

238

MENSE APRILI INDICTIONE XII

IV, 20

GREGORIVS MAXIMO PRAESVMPTORI IN SALONA

Licet cetera cuiuspiam talia uitae sint merita, ut nihil sit quod ex sacerdotalibus ualeat ordinationibus obuiare, tamen solius nefas ambitus seuerissima canonum districtione damnatur. Cognouimus itaque quod, uel subrepta uel simulata 5 piissimorum principum iussione, dum uita dignus non fueris, te ad sacerdotii ordinem cunctis uenerabilem prorupisse. Quod nos ideo sine ulla haesitatione credidimus, quia uitam aetatemque tuam non habemus incognitam, ac deinde quia serenissimi domini imperatoris animum non ignoramus 10 quod se in causis sacerdotalibus miscere non soleat, ne nostris in aliquo peccatis grauetur. Additur inauditum nefas, quod post interdictionem quoque nostram, quae sub excommunicatione tua ordinantiumque te facta est, caesis presbyteris,

1. Sur Maxime, voir *supra* IV, 16, note 7.
2. *Subrepta* est repris à la fin de la lettre par *surrepticia*, voir *infra* note 4.

cette instruction, ne cesse pas de collecter chaque année les loyers de toutes les maisons se trouvant en cette ville, dont il sera certain que ladite église était propriétaire du temps des Gots ; et tu t'efforceras par tous les moyens de les affecter à tout ce qui sera nécessaire à l'entretien du bâtiment, en fait de luminaire et autre réparation de cette église. Tout ce qui se trouvera en excédent, nous te prescrivons de le porter fidèlement sur les comptes ecclésiastiques.

AVRIL 594. INDICTION XII

IV, 20

PL et *MGH* : IV, 20 – Avril 594

Il jette l'interdit sur Maxime de Salone et sur ceux qui l'ont ordonné, jusqu'à ce qu'il apprenne qu'il a été ordonné évêque par un ordre authentique de l'empereur.

GRÉGOIRE À MAXIME USURPATEUR À SALONE [1]

La vie d'un homme a beau être pourvue de toutes les vertus au point qu'il n'y ait rien qui puisse faire obstacle à une ordination épiscopale, cependant le seul crime de brigue est condamné par la plus rigoureuse sévérité des canons. Nous avons appris ainsi que, par un ordre extorqué [2] ou falsifié des très pieux Princes, alors que tu n'étais pas digne par ta vie, tu t'es précipité vers l'ordre épiscopal, que tous vénèrent. Ce que nous avons cru sans aucune hésitation, car ta vie et ton âge ne nous sont pas inconnus, et ensuite nous n'ignorons pas l'esprit du Sérénissime Seigneur empereur : il n'a pas coutume de s'immiscer dans les affaires des évêques de peur de se trouver chargé de nos péchés en quelque chose. À cela s'ajoute un crime inouï : après notre interdiction qui t'a été faite sous peine d'excommunication de toi-même et de ceux qui t'ordonneraient, après avoir fait

diaconibus ceteroque clero, manu militari diceris ad
15 medium deductus. Quam rem nos consecrationem dicere
nullomodo possumus, quia ab excommunicatis est hominibus
celebrata. Quia igitur sine ullius exempli forma uiolasti
talem tantamque sacerdotii dignitatem, praecipimus ut,
usque dum dominicis uel responsalis nostri cognouerimus
20 apicibus quod non surrepticia sed uera fueris iussione
ordinatus, nullatenus tu ordinatoresque tui attrectare
quicquam praesumatis sacerdotalis officii, nec usque ad
rescriptum nostrum ad cultum uos sacri altaris accedere. Quod
si contra haec agere praesumpseritis, anathema uobis sit a
25 Deo et a beato Petro apostolorum principe, ut contemplatione
iudicii uestri ceteris quoque catholicis ecclesiis ultionis
uestrae praebeatur exemplum.

239 MENSE MAIO INDICTIONE XII

IV, 21

GREGORIVS VENANTIO EPISCOPO LVNENSI

Multorum ad nos relatione peruenit a Iudaeis in Lunensi
ciuitate degentibus in seruitium Christiana detineri mancipia.
Quae res nobis tanto uisa est asperior, quanto eam
fraternitatis tuae patientia operabatur. Oportebat quippe

3. Le nonce apocrisiaire à Constantinople, le diacre Sabinien : voir III, 51 ; 52 ; 64.

4. L'adjectif *surrepticia* est une correction des Mauristes reprise par Norberg contre la leçon des manuscrits : *resumpticia* dans *R*1 et *r*1 corrigée par *R*1 en *presumticia* et par *r*2 en *resupticia*. D. NORBERG, *Studia critica,* t. 1, p. 15 et surtout p. 42-47, a défendu la leçon *surrepticia*, adjectif dérivé de *surripio* ou de *surrepo*, ce qui ne change pas grand chose pour le sens qui est, dit-il, « *idem fere quod captiosus* ». Certes le mot ne se trouve pas ailleurs chez Grégoire, mais il figure dans le *Code Théodosien* et dans les *Variae* de CASSIODORE. On est donc en présence d'une influence du style des jurisconsultes sur celui du pape et de la chancellerie pontificale.

5. Sur *attrectare*, voir *supra* IV, 16, note 4.

frapper des prêtres, des diacres, et d'autres clercs, on dit que tu as été présenté aux yeux de tous par la force armée. Une telle chose, nous ne pouvons en aucune façon l'appeler une consécration, parce qu'elle fut célébrée par des hommes excommuniés. Donc, puisque tu as fait une violence sans précédent à la dignité si haute et si grande de l'épiscopat, nous prescrivons que, jusqu'à ce que nous sachions par lettres impériales ou de notre représentant[3] que tu as été ordonné, non par un ordre extorqué[4] mais authentique, ni toi ni ceux qui t'ont ordonné ne vous permettiez de toucher[5] à aucun office épiscopal, ni d'accéder au culte du saint autel, jusqu'à ce que nous vous récrivions. Que si vous vous permettez d'agir à l'encontre de cela, anathème soit sur vous de la part de Dieu et du bienheureux Pierre prince des apôtres pour que, par la considération de ce jugement contre vous, l'exemple de votre punition soit apporté aussi aux autres Églises catholiques.

MAI 594. INDICTION XII

IV, 21

PL et *MGH* : IV, 21 – Mai 594

Instruction donnée à Venance, évêque de Luni, sur les esclaves chrétiens des juifs.

Grégoire à Venance évêque de Luni[1]

Par le rapport d'un grand nombre, il est parvenu à notre connaissance que des esclaves chrétiens étaient retenus au service de juifs habitant la cité de Luni. Le fait nous a paru d'autant plus pénible que la tolérance de Ta Fraternité y prêtait la main. Car il aurait fallu qu'en considération

1. Venance, évêque de Luni : voir *PCBE* 2, « *Venantius* 7 », p. 2258-2260. Il était à Rome au moment de la composition de *Dial.* III, 9 et IV, 55. ~ Luni : ville d'Étrurie, aujourd'hui détruite, à l'emplacement de l'actuelle Sarzana.

5 te respectu loci tui atque Christianae religionis intuitu nullam relinquere occasionem, ut superstitioni iudaicae simplices animae non tam suasionibus quam potestatis iure quodammodo deseruirent. Quamobrem hortamur fraternitatem tuam ut, secundum piissimarum legum tra-
10 mitem, nulli Iudaeo liceat Christianum mancipium in suo retinere dominio. Sed si qui penes eos inueniuntur, libertas eis tuitionis auxilio ex legum sanctione seruetur. Hi uero qui in possessionibus eorum sunt, licet et ipsi ex legum districtione sint liberi, tamen quia colendis terris eorum
15 diutius adhaeserunt, utpote condicionem loci debentes, ad colenda quae consueuerant rura permaneant, pensiones praedictis uiris praebeant, cuncta quae de colonis uel originariis iura praecipiunt peragant. Nihil eis extra haec oneris amplius indicatur. Quod si quis quemquam de his uel ad
20 alium migrare locum uel in obsequium suum retinere uoluerit, ipse sibi reputet, qui ius colonarium temeritate sua, ius uero dominii sibi iuris seueritate damnauit. In his ergo omnibus ita te uolumus sollerter impendi, ut nec direpti gregis pastor reus exsistas, nec apud nos minor
25 aemulatio fraternitatem tuam reprehensibilem reddat.

2. Grégoire emploie plusieurs fois *trames* au sens métaphorique, voir l'Index des mots, *s.u.* Mais l'expression *legum tramitem* se trouve aussi dans la grande constitution de 533, *Cod. Iust.* I, 17, 1 *de ueteri iure enucleando* (éd. Krüger, p. 69).

3. Grégoire rappelle d'abord la législation impériale – c'est le sens de *piissimae leges* – qui interdit aux juifs de posséder des esclaves chrétiens. *Cod. Theod.* XVI, 9 donne cinq lois de 336 à 423. Voir le commentaire de R. Delmaire, *SC* 497, Introduction, p. 97-98, et ses notes aux textes législatifs. *Cod. Iust.* I, 9, 10 reprend le rescrit de Constantin de XVI, 9, 2, en le modifiant légèrement : là où Constantin parle seulement d'un « esclave d'une autre secte ou nation (que les juifs) », Justinien ajoute expressément *mancipium christianum*. R. Delmaire fait observer (p. 97) que la loi de Justinien n'a pas retenu la loi XVI, 9, 3 d'Honorius et Théodose II qui autorisait les juifs à posséder des esclaves chrétiens sous réserve de les laisser pratiquer leur religion. Cette interdiction a une valeur générale et elle s'applique dans toute sa rigueur aux esclaves domestiques (*qui penes eos*) qui doivent être libérés.

4. Les esclaves chrétiens qui travaillent sur les domaines des juifs sont traités différemment. Eux aussi sont libres. Mais ils deviennent des *coloni*

de ton rang et par égard pour la religion chrétienne, tu ne laissasses pas l'occasion à des âmes simples de s'asservir à la superstition juive non tant par la persuasion que par le droit de la puissance. C'est pourquoi nous exhortons Ta Fraternité à interdire à tout juif, selon la voie des très pieuses lois[2], de détenir en propriété un chrétien comme esclave. Mais s'il s'en trouve chez eux, que la liberté leur soit garantie avec l'aide de ta protection selon la sanction des lois[3]. Quant à ceux qui sont sur leurs possessions, bien qu'ils soient eux aussi libres en vertu de la rigueur des lois, cependant, parce qu'ils ont été attachés assez longtemps à la culture de leurs terres, en tant qu'assujettis à la condition du lieu, qu'ils demeurent sur les terres qu'ils avaient coutume de travailler, qu'ils paient les redevances aux susdits maîtres, qu'ils remplissent toutes les obligations que le droit prescrit au sujet des colons et des attachés à la glèbe. Qu'aucune charge supplémentaire, en dehors de cela, ne leur soit imposée[4]. Si donc quelqu'un veut faire passer l'un de ceux-ci dans un autre lieu[5] ou le retenir à son service personnel, qu'il ne s'en prenne qu'à lui, de s'être fermé le droit des colons par sa témérité, et le droit de propriété par la sévérité du droit. À tout cela, nous voulons que tu te consacres avec tant de soin que tu ne deviennes pas un pasteur coupable de livrer le troupeau au pillage et que ton manque de zèle ne rende Ta Fraternité répréhensible à nos yeux.

ou *originarii* attachés à la glèbe (*condicionem loci debentes*) et paient une redevance aux propriétaires. C'est le statut des *originarii* tel qu'il est défini par *Cod. Iust.* XI, 48, 7 et XI, 48, 23 où ils sont appelés *adscripticii* (*adscripticia condicione*) et où il est précisé qu'ils restent attachés à la terre (*remaneat et inhaereat terrae*) ; voir V. Recchia, *Gregorio Magno e la società agricola,* p. 68 s. S. Boesch Gajano, « Teoria e pratica pastorale », dans *Grégoire le Grand, Colloque de Chantilly*, p. 183, souligne que le pape essaie de concilier la lettre de la loi avec la sauvegarde des intérêts des propriétaires juifs. Mais, plus généralement, cette législation de Justinien qui reprend des lois antérieures vise à éviter la désertification des campagnes en même temps qu'à garantir la subsistance des ouvriers agricoles.

5. *Cod. Iust.* XI, 48, 2, reprenant un rescrit de Constance II, interdit de déplacer un colon d'un domaine à un autre.

240

IV, 22

GREGORIVS CONSTANTIO EPISCOPO MEDIOLANENSI

Quorundam de Lunensium uenientium partibus ad nos relatione peruenit religionem locorum ipsorum ita ab ecclesiasticae disciplinae tramite deuiasse, ut nullatenus in suis moribus actionibusque canonicae dispositionis statuta
5 respiciant. Quae quia erant et examinanda subtilius et seuerius ulciscenda, praesentium latorem Venantium fratrem et coepiscopum nostrum ut instanter emendarentur admonui. Sed pro magnitudine inquietudinis excedentium personarum solum se non iudicauit in huiusmodi inquisitione sufficere.
10 Ideoque postulauit a nobis ut in eodem examinando negotio fraternitatis tuae ei adiceretur atque auctoritatis auxilium. Quamquam igitur dilectio hoc a te et sine nostris scriptis debeat exigere, tamen praesentibus quoque uos specialiter adhortamur epistulis ut, adhibito uobis praedicto fratre
15 nostro, cunctos clericos ceterosque religiosos praenominatae ciuitatis et territorii eius, de quorum aliquid est suspicionis excessibus, ad te uenire compellas. Atque cuncta secundum Deum propter futuri metum iudicii subtiliter inquirentes, si quem a canonum statutis recessisse reppereritis canonica
20 eum ultione corrigite. Nec patiamini in locis uestris eos, qui non gerunt in moribus quod ostendunt in habitu, per abrupta diutius euagari. Quos oportet ad rectitudinis normam pastorali uos circuminspectione reducere. Ita ergo fraternitas tua, cunctis sollertius indagatis, quae nobis in
25 talibus nuntiata sunt corrigat, ordinet atque in futurum

1. Sur Venance, évêque de Luni, voir *supra* IV, 21, note 1.

2. *Habitus* est plutôt la manière d'être, de se conduite, que l'« habit ». C. DAGENS, *Saint Grégoire le Grand*, p. 301, insiste au contraire sur le sens d'« habit » comme signe de la conversion.

3. *Ad rectitudinis normam* : voir *supra* III, 2, note 2, pour l'importance de cette valeur morale.

IV, 22

PL et *MGH* : IV, 22 – Mai 594

À Constance, archevêque de Milan, il recommande Venance, évêque de Luni, pour réformer la discipline de son clergé.

Grégoire à Constance évêque de Milan

Par le rapport de certaines personnes venant de la région de Luni, il est parvenu à notre connaissance que la religion de ces contrées avait tant dévié du chemin de la discipline ecclésiastique qu'ils ne respectent aucunement les statuts de la règle canonique dans leurs mœurs et leurs actes. Comme cela devait être examiné plus minutieusement et puni avec plus de sévérité, j'ai engagé le porteur des présentes, notre frère et collègue dans l'épiscopat Venance[1], à le corriger sans tarder. Mais vu l'importance du désordre causé par les personnes en faute, il a jugé que, seul, il n'était pas à la hauteur d'une enquête de ce genre. C'est pourquoi il nous a demandé que, pour l'examen même de cette affaire, lui soit adjointe l'aide de Ta Fraternité et de ton autorité. Donc, bien que la charité doive obtenir cela de toi et sans un écrit de nous, cependant par les présentes lettres nous vous exhortons aussi spécialement à faire venir auprès de toi, vous ayant adjoint notre susdit frère, tous les clercs et tous les autres religieux de la cité susnommée et de son territoire, pour lesquels existe quelque soupçon de faute. Et enquêtant minutieusement sur tout selon Dieu par crainte du jugement futur, si vous trouvez que quelqu'un a dévié des statuts des canons, corrigez-le par une punition canonique. Ne souffrez pas que dans vos contrées errent plus longtemps au milieu des abîmes des gens qui ne font pas paraître dans leurs mœurs ce qu'ils montrent dans leur état[2]. Ceux-là, il faut que vous les rameniez à la norme de la rectitude[3] par votre surveillance pastorale. Ainsi donc, que Ta Fraternité, ayant tout recherché avec plus de soin, corrige, remette dans l'ordre et se hâte d'assoupir pour l'avenir ce

sopire festinet, ut animae tuae proficiat, si tui causas uigilanter atque uiuaciter perscrutaris officii, et nostrum minime frustrari permittas quod semper de tuae maturitatis habuimus districtione iudicium.

241

IV, 23

GREGORIVS NOBILIBVS AC POSSESSORIBVS IN SARDINIA INSVLA CONSISTENTIBVS

Fratris et coepiscopi mei Felicis uel filii mei Cyriaci serui Dei relatione cognoui paene omnes uos rusticos in uestris possessionibus idolatriae deditos habere. Et ualde hac de re contristatus sum, quia scio quod subiectorum culpa prae-
5 positorum deprimit uitam, et cum in subiecto peccatum non corrigitur, in his qui praesunt sententia retorquetur. Vnde, magnifici filii, exhortor ut omni cura omnique sollicitudine animarum uestrarum zelum habere debeatis, et quas rationes omnipotenti Deo de subiectis uestris
10 reddituri estis aspicite. Ad hoc quippe illi uobis commissi sunt, quatenus et ipsi uestrae utilitati ualeant ad terrena seruire, et uos per uestram prouidentiam eorum animabus ea quae sunt aeterna prospicere. Si igitur impendunt illi quod debent, uos eis cur non soluitis quod debetis, id
15 est ut assidue illos magnitudo uestra commoneat, ab idolatriae errore compescat, quatenus, eis ad fidem ductis, omnipotentem Deum erga se placabilem faciat ? Ecce enim

4. *Frustrari* est un passif. Salluste, *Iug.* 58, 3, emploie aussi ce verbe au passif. C'est peut-être une influence scolaire.

1. Félix, évêque de siège inconnu : voir *PCBE* 2, « *Felix* 71 », p. 807-808. ~ Cyriaque, abbé : voir *PCBE* 2, « *Cyriacus* 6 », p. 523-525. ~ Sur ces missions confiées par le pape à des proches, voir L. PIETRI, *HC* 3, p. 851, p. 859 et p. 876. Cyriaque fut ainsi envoyé en Sardaigne avec Félix (IV, 23 ; 25 ; 26 et 27) ; puis en Gaule, en juillet 599, pour organiser un concile et remettre le pallium à Syagrius d'Autun. Il fut ensuite envoyé en Espagne auprès de Reccarède (IX, 230).

2. Tout le développement qui précède est caractéristique de la théorie

qui nous a été rapporté sur de telles personnes, pour le profit de ton âme, si tu examines avec vigilance et énergie les affaires de ta charge et ne permets pas que soit déçu[4] le jugement que nous avons toujours eu de la rigueur de ta maturité.

IV, 23

PL : IV, 25 et *MGH* : IV, 23 – Mai 594

Il exhorte les nobles et les propriétaires de Sardaigne à détourner les paysans du culte des idoles, avec l'aide de l'évêque Félix et de Cyriaque serviteur de Dieu.

GRÉGOIRE AUX NOBLES ET AUX PROPRIÉTAIRES QUI VIVENT DANS L'ÎLE DE SARDAIGNE

Par un rapport de mon frère et collègue dans l'épiscopat Félix et de mon fils Cyriaque[1], serviteur de Dieu, j'ai appris que presque tous vous aviez sur vos terres des paysans adonnés à l'idolâtrie. Et j'en ai été vivement contristé, parce que je sais que la faute des sujets rabaisse la vie des maîtres et quand le péché n'est pas corrigé chez le sujet, la condamnation se retourne sur ceux qui commandent. Ainsi donc, fils magnifiques, je vous exhorte à vous faire un devoir d'être jaloux de vos âmes avec tous vos soins et votre sollicitude ; et considérez quels comptes vous devrez rendre de vos sujets à Dieu tout-puissant. En effet, ils vous ont été confiés pour qu'eux, à votre profit, puissent s'attacher aux choses terrestres, et vous, par votre prévoyance, regardiez pour leurs âmes ce qui est éternel[2]. Donc si eux remplissent leur devoir, pourquoi vous, ne vous acquittez-vous pas de ce que vous leur devez, c'est-à-dire que Votre Grandeur les exhorte assidûment, qu'elle les tienne à l'écart de l'erreur de l'idolâtrie, de sorte que, après les avoir conduits à la foi, elle se rende favorable le Dieu tout-puissant ? Voici en effet

théologico-politique de Grégoire, fondée sur une structure hiérarchique d'échanges de services. Voir M. REYDELLET, *La royauté*, p. 492-493.

mundum hunc quam uicinus finis urguet aspicitis. Quod modo in nos humanus, modo diuinus gladius saeuiat
20 uidetis. Et tamen uos ueri Dei cultores a commissis uobis lapides adorari conspicitis et tacetis ? Quid quaeso in tremendo iudicio dicturi estis, quando hostes Dei et sub potestate uestra suscepistis, et tamen eos Deo subdere atque ad eum reuocare contemnitis ?

25 Vnde debitum salutationis alloquium soluens, peto ut magnitudo uestra accendere erga zelum Dei uehementer inuigilet, et quis quantos ad Christum perduxerit suis mihi epistulis indicare festinet. Quod uero uos agere ex aliqua occasione forsitan minime ualetis, praedicto fratri et
242 30 coepiscopo nostro Felici uel filio meo Cyriaco iniungite, eisque ad opus Dei solacium praebete, ut in remuneratione uitae tanto possitis esse participes, quanto nunc bono operi solacium praebetis.

IV, 24

GREGORIVS IANVARIO EPISCOPO SARDINIAE

Oportebat quidem fraternitatem tuam ita de rebus piis esse sollicitam, ut nihil ad explendas eas nostrae admonitionis penitus indigeret. Tamen quia quaedam ad nos peruenerunt quae sunt corrigenda capitula, nihil est incongruum si nostrae
5 quoque uobis pagina auctoritatis accedat. Quamobrem

3. Cette idée d'une répartition des fonctions dans la société chrétienne est déjà dans GRÉG., *Reg. past.* II, 7 (*SC* 381, p. 222, li. 56) : « Aux subordonnés, donc, la gestion des biens inférieurs, à ceux qui dirigent, les hautes méditations, afin évidemment que le souci de la poussière n'obscurcisse pas l'œil qui a la prééminence pour diriger les pas. En effet tous ceux qui commandent sont la tête des subordonnés. »

4. L'emploi sous forme réflexive de *accendere*, qui est la leçon de *r*1, a été défendu par D. NORBERG, *Syntaktische Forschungen*, p. 181-182.

1. Sur Janvier de Cagliari, voir *supra* III, 36, note 2.

que vous considérez combien proche est la fin qui menace ce monde. Vous voyez que contre nous est brandi ici le glaive des hommes, là celui de Dieu. Et cependant, vous, adorateurs du vrai Dieu, vous voyez ceux qui vous sont confiés adorer des pierres, et vous vous taisez. Que direz-vous, je le demande, lors du redoutable jugement, puisque vous avez reçu sous votre pouvoir des ennemis de Dieu et cependant vous dédaignez de les soumettre à Dieu et de les appeler à lui[3] ?

Ainsi donc, nous acquittant du devoir de vous adresser notre salut, je demande que Votre Grandeur veille avec soin à s'enflammer[4] du zèle de Dieu et se hâte de m'indiquer par ses lettres qui en a amené au Christ et combien. Mais si peut-être vous ne pouvez pas le faire pour quelque motif, remettez-vous-en à notre frère et collègue dans l'épiscopat Félix ou à mon fils Cyriaque et prêtez-leur assistance pour l'œuvre de Dieu, afin que vous puissiez avoir d'autant plus part à la récompense de la vie que vous prêtez maintenant assistance à une œuvre bonne.

IV, 24

PL : IV, 27 et *MGH* : IV, 24 – Mai 594

À Janvier, archevêque de Cagliari, il donne des ordres au sujet des hospices, des procès contre le prêtre Épiphane et le clerc Paul, des ordinations, des mariages, des communautés de clercs et de la vie monastique des femmes.

GRÉGOIRE À JANVIER ÉVÊQUE DE SARDAIGNE[1]

Il aurait fallu que Ta Fraternité eût tant de sollicitude pour les œuvres pies qu'elle n'eût aucunement besoin de notre mise en garde pour les accomplir. Cependant, parce que quelques points qui demandent correction sont parvenus à notre connaissance, ce n'est pas une chose indue qu'également un écrit de notre autorité trouve accès auprès

significamus peruenisse ad nos consuetudinem fuisse, ut xenodochia quae sunt in Caralitanis partibus constituta apud episcopum ciuitatis singulis quibusque temporibus suas subtiliter rationes exponerent, eorum uidelicet tuitione
10 atque sollicitudine gubernanda. Quod quia tua hactenus fertur caritas neglexisse, hortamur ut, sicut dictum est, singulis quibusque temporibus rationes suas xenodochi, qui in eis sunt uel fuerint constituti, subtiliter ponant. Atque tales in eis qui praesint ordinentur, qui uita, moribus atque
15 industria inueniantur esse dignissimi, religiosi dumtaxat, quos uexandi iudices non habeant potestatem, ne, si tales personae fuerint quas in suo possint euocare iudicio, uastandarum rerum debilium qui illic reiacent praebeatur occasio. De quibus rebus summam te curam uolumus gerere,
20 ut nulli sine tua dentur notitia, ne usque ad direptionem earum ex fraternitatis tuae perueniatur incuria.

Praeterea nosti praesentium latorem Epiphanium presbyterum quorundam Sardorum litteris criminaliter
243 accusatum. Cuius nos ut ualuimus discutientes causam,
25 nihilque in eo obiectorum repperientes, ut ad locum suum reuerteretur absoluimus. Criminis ergo eius auctores te uolumus perscrutari. Et nisi qui easdem transmisit epistulas paratus fuerit hoc quod obiecit canonicis atque districtissimis probationibus edocere, nullatenus ad sanctae mysterium
30 communionis accedat.

Paulum uero clericum, qui saepe dicitur in maleficiis deprehensus, qui, despecto habitu suo, ad laicam reuersus uitam Africam fugerat, si ita est, corporali prius proueniente

2. Sous le Bas-Empire, *iudices* est un terme générique pour désigner tous les gouverneurs des provinces, voir A. PIGANIOL, *L'empire chrétien (325-395)*, Paris 1947, p. 319. ~ « Les biens des malades » : façon métaphorique courante pour désigner les biens de l'Église, parce qu'ils sont consacrés à soulager les nécessiteux.

3. Sur le prêtre Épiphane, voir *supra* III, 36, note 5.

4. Paul, clerc : voir *PCBE* 2, « *Paulus* 40 », p. 1683-1684.

de vous. C'est pourquoi nous signifions qu'il est parvenu à notre connaissance qu'il était d'usage que les hospices qui sont établis sur le territoire de Cagliari rendissent minutieusement leurs comptes à l'évêque de la cité chacun à sa date, pour être évidemment administrés sous leur protection et leur bienveillance. Mais comme on dit que Ta Charité a négligé cela jusqu'à présent, nous t'exhortons à faire que, comme il a été dit, les préposés des hospices qui y sont et y ont été établis rendent minutieusement leurs comptes chacun à sa date. De plus, qu'on installe pour être à leur tête des hommes tels qu'ils se trouvent être les plus dignes par leur vie, leurs mœurs, leur dévouement, uniquement des religieux que les gouverneurs n'aient pas le pouvoir de maltraiter, de peur que, s'il se trouvait des personnes telles qu'ils pussent les traduire devant leur tribunal, l'occasion ne s'offrît de piller les biens des malades qui y séjournent[2]. De ces biens nous voulons que tu prennes le plus grand soin, qu'ils ne soient confiés à personne sans que tu le saches, de peur qu'on n'en vienne à leur dilapidation par l'incurie de Ta Fraternité.

En outre, tu sais que le porteur des présentes, le prêtre Épiphane[3] a été accusé au criminel par une lettre de certains sardes. Examinant sa cause comme nous l'avons pu et ne trouvant rien en lui de ce qu'on lui reproche, nous l'avons acquitté pour qu'il retournât à ses fonctions. Nous voulons donc que tu sondes les instigateurs de cette accusation. Et si celui qui a envoyé ces mêmes lettres n'est pas disposé à démontrer par les preuves canoniques les plus rigoureuses ce qu'il reproche, qu'il n'ait plus accès en aucune façon au mystère de la sainte communion.

Quant au clerc Paul[4] qui, dit-on, a été souvent surpris à des maléfices, qui, au mépris de son état, retourné à la vie laïque, avait fui en Afrique, s'il en est ainsi, nous avons prévu qu'après avoir subi un châtiment corporel il soit

uindicta, praeuidimus in paenitentiam dari, quatenus et
35 secundum apostolicam sententiam ex carnis afflictione spiritus
saluus fiat[a], et terrenas peccatorum sordes, quas prauis
contraxisse fertur operibus, lacrimarum possit assiduitate
diluere. Eis uero qui ab ecclesiastica communione suspensi
sunt nullus religiosus secundum canonum praecepta
40 iungatur.

De ordinationibus uero uel de nuptiis clericorum aut de
his quae uelantur uirginibus nullus ut nunc fieri dicitur
quicquam praemii praesumat accipere, nisi quippiam sua
sponte offerre maluerit.

45 De mulieribus quae de monasteriis ad laicam uitam sunt
egressae uirosque sortitae, quid fieri debeat cum praedicto
fraternitatis tuae presbytero subtilius sumus locuti. Cuius
relatione uestra sanctitas potest plenius informari.

Religiosi uel clerici conuentus patrociniaque laicorum
50 caueant. Qui tuae modis omnibus secundum canones iuris-
dictioni subdantur, ne remissione fraternitatis tuae eius cui
praees disciplina dissoluatur ecclesiae.

Eos autem qui in praedictas mulieres quae egressae sunt
de monasteriis excesserunt et nunc dicuntur communione
55 suspensi, si fraternitas tua de tali facinore digne paenituisse
praeuiderit, ad sacram communionem te uolumus
reuocare.

24. a. cf. 1 Co 5, 5

soumis à la pénitence, de sorte que, selon la pensée de l'Apôtre, l'esprit soit sauvé par l'affliction de la chair[a] et qu'il puisse effacer par l'abondance de ses larmes les souillures terrestres de ses péchés qu'il a contractées, dit-on, par ses œuvres perverses. Or à ceux qui ont été suspendus de la communion ecclésiastique, aucun religieux ne doit se joindre selon les prescriptions canoniques.

À l'occasion d'ordinations et de mariages de clercs ou bien à propos de vierges qui prennent le voile, que personne n'ose, comme on dit que cela se fait actuellement, recevoir quelque cadeau, à moins qu'on n'ait voulu en offrir spontanément.

Au sujet des femmes qui ont quitté les monastères pour la vie laïque et se sont mises en ménage, nous avons discuté plus minutieusement avec le susdit prêtre de Ta Fraternité de ce qu'il y avait lieu de faire. Par son rapport, Votre Sainteté peut s'informer plus amplement.

Que les religieux et les clercs évitent les associations et les patronages des laïcs[5]. Qu'ils soient de toutes les manières soumis à ta juridiction en vertu des canons, afin que la discipline de l'Église à laquelle tu présides ne se relâche pas par la faiblesse de Ta Fraternité.

Quant à ceux qui ont commis la faute contre lesdites femmes sorties des monastères et sont aujourd'hui, dit-on, suspendus de la communion, si Ta Fraternité voit qu'ils ont fait la pénitence méritée pour une telle faute, nous voulons que tu les rappelles à la sainte communion.

5. Sur les patronages, voir *supra* III, 22, note 3.

244

IV, 25

GREGORIVS ZABARDAE DVCI SARDINIAE

Scriptis fratris et coepiscopi mei Felicis et Cyriaci serui Dei gloriae uestrae bona cognouimus, magnasque omnipotenti Deo gratias agimus, quod talem ducem Sardinia suscepit, qui sic sciat quae terrena sunt reipublicae exsoluere,
5 ut bene etiam nouerit omnipotenti Deo obsequia patriae caelestis exhibere. Scripserunt etenim mihi quod eo pacto cum Barbaricinis facere pacem disponitis, ut eosdem Barbaricinos ad Christi seruitium adducatis. Atque hac de re ualde laetatus sum, et bona uestra, si omnipotenti Deo
10 placuerit, citius serenissimis principibus innotesco. Vos igitur quod coepistis explete, omnipotenti Deo deuotionem uestrae mentis ostendite, eos quos illic ad conuertendos Barbaricinos transmisimus quantum ualetis adiuuate, scientes quia talia opera multum uos et ante terrenos principes et
15 coram caelesti rege praeualent adiuuare.

1. Zabarda, *dux Sardiniae* : voir *PLRE* III B, « *Zabardas* », p. 1409 et *PCBE* 2, p. 2373. ~ Sur la conversion des *Barbaricini* et, en général sur le paganisme en Sardaigne, voir S. BOESCH GAJANO, « Teoria e pratica pastorale », dans *Grégoire le Grand, Colloque de Chantilly*, p. 185.

2. PROCOPE, *De bello Vandalico* IV, 13 (éd. H.B. Dewing, coll. *Loeb Classical Library*, Londres 1916, t. 2, p. 324-326), dit que les *Barbaricini* sont des Maures bannis en Sardaigne par les Vandales. Mommsen (*CIL* X, p. 818) a montré que c'était une erreur en s'appuyant sur une inscription

IV, 25

PL : IV, 24 et *MGH* : IV, 25 – Mai 594

Il félicite Zabarda, duc de Sardaigne, de faire la paix avec les Barbaricins à la condition qu'ils deviennent chrétiens.

GRÉGOIRE À ZABARDA DUC DE SARDAIGNE[1]

Par les lettres de mon frère et collègue dans l'épiscopat Félix et de Cyriaque, serviteur de Dieu, nous savons le bien que fait Votre Gloire et nous rendons grandes grâces à Dieu tout-puissant de ce que la Sardaigne ait reçu un tel duc, qui s'entende à s'acquitter des fonctions terrestres de la République tout en sachant bien rendre au Dieu tout-puissant les devoirs de la patrie céleste. Ils m'ont écrit en effet que vous vous disposiez à faire la paix avec les Barbaricins à la condition d'amener ces mêmes Barbaricins au service du Christ[2]. Et de cela je me suis grandement réjoui et, s'il plaît au Dieu tout-puissant, je fais connaître au plus vite aux Sérénissimes Princes[3] le bien que vous faites. Quant à vous, achevez ce que vous avez commencé, manifestez au Dieu tout-puissant la dévotion de votre âme, aidez autant que vous le pouvez ceux que nous avons envoyés là-bas pour convertir les Barbaricins, sachant que de telles œuvres peuvent beaucoup vous aider devant les princes de la terre et face au roi du ciel.

de Préneste (*CIL* XIV, n° 2954), datant du règne de Tibère, qui mentionne les *ciuitates Barbariae in Sardinia*. Selon Hülsen, *PW* 2, col. 2857, les *Barbaricini* étaient un peuple à l'intérieur de la Sardaigne dont le nom est rappelé encore aujourd'hui par la région appelée Barbagia ou Barbargia entre le cours supérieur du Thyrsus (Tirso) et du Caedris (Cedrino).

3. Association, comme toujours, des deux Augustes : Maurice et son fils Théodose.

IV, 26

Gregorivs Ianvario episcopo Caralitano

Fratris et coepiscopi nostri Felicis et Cyriaci abbatis relatione cognouimus eo quod in insula Sardinia sacerdotes a laicis iudicibus opprimantur et fraternitatem tuam ministri sui despiciant. Dumque solum simplicitati a uobis studetur, quantum uidemus, disciplina neglegitur. Vnde hortor ut, omni excusatione postposita, ecclesiam quam suscepisti auctore Deo regas, disciplinam clericis tenere, nullius uerba metuere studeas. Archidiaconem uero tuum, ut audio, habitare cum mulieribus prohibuisti, et nuncusque in ea prohibitione despiceris. Qui nisi iussioni tuae paruerit, eum a sacro ordine uolumus esse priuatum.

Accidit autem aliud ualde lugendum, quia ipsos rusticos quos habet ecclesia nuncusque in infidelitate remanere neglegentia fraternitatis uestrae permisit. Et quid uos admoneo ut ad Deum extraneos adducatis, qui uestros corrigere ab infidelitate neglegitis ? Vnde necesse est uos per omnia in eorum conuersione uigilare. Nam cuiuslibet episcopi in Sardinia insula paganum rusticum inuenire potuero, in eodem episcopo fortiter uindicabo.

Iam uero si rusticus tantae fuerit perfidiae et obstinationis inuentus, ut ad Deum uenire minime consentiat, tanto pensionis onere grauandus est, ut ipsa exactionis suae poena compellatur ad rectitudinem festinare.

1. Cette lettre traite le même sujet que IV, 23.

2. Sur le double sens de *simplicitas*, voir G. Rapisarda Lo Menzo, « L'écriture sainte comme guide de la vie quotidienne dans la correspondance de Grégoire le Grand », dans *Grégoire le Grand, Colloque de Chantilly*, p. 217.

3. Ce propos surprend de la part d'un homme qui ailleurs dit qu'il veut convertir « par la raison plutôt que par le pouvoir » (IV, 41). On sent ici une certaine exaspération.

IV, 26

PL et *MGH* : IV, 26 – Mai 594

Il prescrit à Janvier, archevêque de Cagliari, de tenir plus serrée la discipline de ses clercs, de convertir les paysans païens, de ne jamais réintégrer les prêtres qui ont failli, et de faire administrer le baptême par des prêtres, en l'absence d'évêques.

Grégoire à Janvier évêque de Cagliari [1]

Par un rapport de notre frère et collègue dans l'épiscopat Félix et de l'abbé Cyriaque, nous avons appris que dans l'île de Sardaigne des évêques subissent des violences de la part des gouverneurs laïcs et que leurs subordonnés méprisent Ta Fraternité. Et tandis que vous ne vous appliquez qu'à la simplicité [2], à ce que nous voyons, la discipline est négligée. C'est pourquoi je t'exhorte, à gouverner, en rejetant toute excuse, l'Église que tu as reçue par la volonté de Dieu, à t'appliquer à maintenir les clercs dans la discipline, à ne craindre les paroles de personne. Or, à ce que j'entends dire, tu as interdit à ton archidiacre d'habiter avec des femmes et, jusqu'à maintenant, on dédaigne ton interdiction. Si donc il ne se conforme pas à ton injonction, nous voulons qu'il soit privé des ordres sacrés.

Il arrive une autre chose tout à fait déplorable, c'est que la négligence de Votre Fraternité a permis que demeurassent jusqu'à maintenant dans l'incroyance même les paysans que possède l'Église. Et pourquoi est-ce que je vous engage à amener à Dieu les étrangers, quand vous négligez de corriger les vôtres de l'incroyance ? Il est donc nécessaire que vous veilliez par tous les moyens à leur conversion. Car tout évêque dans l'île de Sardaigne dont je pourrai trouver un paysan païen, je sévirai avec force contre ce même évêque.

D'ailleurs, s'il se trouve un paysan d'une mauvaise foi et d'un entêtement tels qu'il ne consente pas à venir à Dieu, qu'il soit chargé d'un tel poids de taxe que la peine même de la redevance le force à se hâter vers la rectitude [3].

Peruenit etiam ad nos quosdam de sacris ordinibus lapsos, 25 uel post paenitentiam uel ante paenitentiam, ad ministerii sui officium reuocari. Quod omnino prohibemus, et in hac re sacratissimi quoque canones contradicunt. Qui igitur post acceptum sacrum ordinem lapsus in peccato carnis fuerit, sacro ordine ita careat, ut ad altaris ministerium 30 ulterius non accedat. Sed ne umquam hi qui ordinati sunt pereant, prouideri debet quales ordinentur, ut prius aspiciatur, si uita eorum continens in annis plurimis fuit, si studium orationis, lectionis, si elemosynae amorem habuerunt. Quaerendum quoque est ne fortasse fuerit 35 bigamus. Videndum etiam ne sine litteris, aut ne obnoxius curiae compellatur post sacrum ordinem ad exactionem publicam redire. Haec itaque omnia fraternitas uestra diligenter inquirat, ut, dum diligenter quilibet exquisitus ordinatur, non celeriter post ordinationem deponatur. Ea 40 autem quae fraternitati uestrae scripsimus cunctis sub uos episcopis innotescite, quia ego illis scribere nolui, ne honorem uestrum uiderer imminuere.

Peruenit quoque ad nos quosdam scandalizatos fuisse, quod presbyteros chrismate tangere eos qui baptizandi sunt 246 45 prohibuimus. Et nos quidem secundum usum ueterem ecclesiae nostrae fecimus. Sed si omnino hac de re aliqui contristantur, ubi episcopi desunt, ut presbyteri et in frontibus baptizandos chrismate tangere debeant concedimus.

4. *Pereant* est repris plus loin par *deponatur* : ces prêtres ordonnés trop hâtivement risquent d'être déchus de leurs fonctions ; mais *perire* implique aussi le *periculum animae.* ~ *Lectio* seul est mis ici pour *lectio diuina.* Sur l'importance de la science de l'Écriture, voir C. DAGENS, *Saint Grégoire le Grand*, p. 65 s.

5. Ces règles ont déjà été édictées par le pape dans la lettre II, 31 (*SC* 371, p. 376) à l'adresse de Jean de Squillace. ~ L'incompatibilité entre les charges curiales et le sacerdoce chrétien a déjà été reconnue par Constantin, *Cod. Theod.* XVI, 2, 1 de 313 dont l'*interpretatio* (voir *SC* 497, p. 124), précise que les clercs ne doivent pas être nommés *exactores.* Cette incompatibilité joua d'abord en faveur d'une exemption des clercs et aboutit ensuite, comme on le voit ici, à barrer l'accès au sacerdoce.

Il est aussi parvenu à notre connaissance que certains qui avaient été déchus des ordres sacrés étaient rappelés à remplir leur ministère, soit après une pénitence, soit avant. Nous interdisons cela absolument et, en l'occurrence, les très saints canons aussi s'y opposent. Donc que celui qui après avoir reçu les saints ordres sera tombé dans le péché de la chair, soit privé des saints ordres, de sorte qu'il n'accède plus à l'avenir au ministère de l'autel. Mais, pour éviter qu'un jour ceux qui ont été ordonnés se perdent, il faut examiner la qualité de ceux qui sont ordonnés, afin de voir préalablement si leur vie a été chaste pendant de nombreuses années, s'ils ont eu le goût de la prière, de la lecture sacrée, s'ils ont eu l'amour de l'aumône[4]. Il faut aussi rechercher si peut-être il ne s'est pas remarié. Il faut veiller encore à ce qu'il ne soit pas illettré, ou à ce que, étant attaché à une curie, il ne soit pas forcé d'en revenir, après avoir reçu les saints ordres, à la fonction de percepteur de l'État[5]. De tout cela donc, que Votre Fraternité s'enquière avec soin, de manière que, quelqu'un ayant été ordonné après une enquête faite avec soin ne soit pas déposé rapidement après son ordination. Ce que j'écris[6] à Votre Fraternité, faites-le connaître à tous les évêques qui dépendent de vous, parce que je n'ai pas voulu leur écrire moi-même, pour ne pas paraître porter atteinte à votre dignité.

Il est également parvenu à notre connaissance que certains ont été scandalisés de notre interdiction faite aux prêtres de toucher du chrême ceux qui doivent être baptisés. Et certes nous avons agi selon l'usage ancien de notre Église[7]. Mais si vraiment certains s'attristent de cela, nous consentons que, là où il n'y a pas d'évêques, les prêtres aussi doivent toucher du chrême sur le front ceux qui sont à baptiser.

6. *Scripsimus* est un parfait épistolaire.

7. Le pape revient ici sur l'interdiction qu'il avait faite en IV, 9, voir note 3 *ad loc.*

IV, 27

GREGORIVS HOSPITON DVCI BARBARICINORVM

Cum de gente uestra nemo Christianus sit, in hoc scio quia omni genti tuae es melior, quia tu in ea Christianus inueniris. Dum enim Barbaricini omnes ut insensata animalia uiuant, Deum uerum nesciant, ligna autem et lapides
5 adorent, in eo ipso quod uerum Deum colis, quantum omnes antecedas ostendis. Sed fidem quam percepisti etiam bonis actibus exsequi debebis[a], et Christo, cui credis, offerre quod praeuales, ut ad eum quoscumque potueris adducas eosque baptizari facias, aeternam uitam diligere admoneas.
10 Quod si fortasse ipse agere non potes, quia ad aliud occuparis, salutans peto ut hominibus nostris quos illic transmisimus, scilicet fratri et coepiscopo meo Felici, filio quoque meo Cyriaco seruo Dei, solaciari in omnibus debeas, ut, dum eorum labores adiuuas, deuotionem tuam omnipotenti
15 Domino ostendas, et ipse tibi in bonis actibus adiutor sit, cuius tu in bono opere famulis solaciaris. Benedictionem uero sancti Petri apostoli per eos uobis transmisimus, quam peto ut debeatis benigne suscipere.

27. a. cf. Jc 2, 14-26

1. Hospiton, *dux* : voir *PLRE* III A, p. 605 ; *PCBE* 2, p. 1018.
2. Image traditionnelle du barbare, voir PRUDENCE, *Contra Symmachum* II, v. 716 s. : « Mais il y a la même distance entre le monde romain et le monde barbare, qu'entre le quadrupède et le bipède, qu'entre la brute muette et l'être doué de la parole. » ~ *Insensatus* est assez fréquent dans la Bible, ainsi Ga 3, 1 : *insensati Galatae*.

IV, 27

PL : IV, 23 et *MGH* : IV, 27 – Mai 594

Il recommande à Hospiton, duc des Barbaricins, l'évêque Félix et Cyriaque, serviteur de Dieu, envoyés pour gagner les Barbaricins à la foi chrétienne.

Grégoire à Hospiton duc des Barbaricins [1]

Comme il n'y a personne de votre nation qui soit chrétien, par là je sais que tu es meilleur que toute ta nation, puisque tu te trouves chrétien au milieu d'elle. Tandis qu'en effet tous les Barbaricins vivent comme des animaux sans raison [2], qu'ils ignorent le vrai Dieu, mais adorent du bois et des pierres, par le fait même que tu adores le vrai Dieu, tu fais voir combien tu les surpasses tous. Mais la foi que tu as reçue, tu devras la parfaire encore par de bonnes actions [a] [3] et offrir au Christ en qui tu crois l'autorité qui est la tienne, afin d'amener à lui tous ceux que tu pourras, les faire baptiser et les inciter à aimer la vie éternelle. Et si peut-être tu ne peux le faire toi-même, puisque tu es occupé à autre chose, avec mes salutations je te demande de devoir porter assistance [4] en toutes choses à nos gens que nous avons envoyés là-bas, c'est-à-dire notre frère et collègue dans l'épiscopat Félix ainsi que mon fils Cyriaque, serviteur de Dieu, pour que, en aidant leurs travaux, tu montres ta dévotion pour le Seigneur tout-puissant et pour que celui dont tu assistes les serviteurs dans leur bonne œuvre soit votre secours dans les bonnes actions. Nous vous transmettons par eux la bénédiction de saint Pierre apôtre que je vous demande de vous faire un devoir de recevoir avec reconnaissance.

3. Théologie inspirée de l'épître de Jc 2, 14-26 : la foi sans les oeuvres est vaine.

4. *Solaciari* déponent, voir Niermeyer, *Lexicon, s.u.* « *solatiare* » et « *solatiari* », p. 976.

247 MENSE IVNIO INDICTIONE XII

IV, 28

GREGORIVS CANDIDO DEFENSORI

Necessitatem patientibus pontificale conuenit adesse subsidium. Pro qua re experientiae tuae praesenti auctoritate praecipimus, quatenus Albino priuato luminibus, filio quondam Martini coloni, singulis annis duos tremisses sine 5 aliqua dilatione praestare non desinat, non dubitatura suis hoc sine dubio rationibus imputari.

IV, 29

GREGORIVS IANVARIO EPISCOPO CARALIS SARDINIAE

Peruenit ad nos in loco qui intra prouinciam Sardiniam dicitur Fausiana consuetudinem fuisse episcopum ordinari, sed hanc pro rerum necessitate longis aboluisse temporibus. Quia autem nunc sacerdotum indigentia quosdam illic 5 paganos remanere cognouimus et ferino degentes modo Dei cultum penitus ignorare, hortamur fraternitatem tuam ut illic secundum pristinum modum ordinare festinet antistitem, talem uidelicet qui ad hoc opus moribus ac uerbo aptus

1. Candide, défenseur : voir *PCBE* 2, « *Candidus* 7 », p. 392. Il était attaché au service du patrimoine de l'Église, en Sicile probablement.

1. L'emplacement de ce siège est difficile à préciser. R. AUBERT, dans *DHGE,* t. 16, col. 721-723, exclut Porto-Torres et Fordungiano (*Forum Traiani*). Se fondant sur la répartition des évêchés connus, il considère que Fausiana devait se situer dans le nord-est de l'île, puisqu'il y avait à l'ouest Sulci, *Forum Traiani* et Turris et au sud-est Cagliari. On peut penser à Olbia, sur la côte, ou à Terranova à l'intérieur des terres. Ce siège est mentionné ensuite deux fois : XI, 7 et XI, 15, qui donne le nom de l'évêque : Victor. Celui-ci apparaît sans nom de diocèse en IX, 203 et XI, 12.

2. Voir *supra* IV, 27, note 2.

JUIN 594. INDICTION XII

IV, 28

PL et *MGH* : IV, 28 – Juin 594

Il donne ordre au défenseur Candide d'accorder un secours à Albinus, fils aveugle du colon Martin.

GRÉGOIRE AU DÉFENSEUR CANDIDE [1]

Il convient qu'un secours pontifical soit apporté à ceux qui souffrent d'indigence. Pour cette raison, nous prescrivons à Ton Expérience, par la présente instruction, de continuer à accorder sans retard chaque année deux tiers de sou à Albinus, fils du défunt colon Martin, qui est privé de l'usage de ses yeux, sans hésiter à imputer cela avec assurance à ses comptes.

IV, 29

PL et *MGH* : IV, 29 – Juin 594

Il donne ordre à Janvier évêque de Cagliari en Sardaigne de mettre un évêque à la tête de l'Église de Fausiana.

GRÉGOIRE À JANVIER ÉVÊQUE DE CAGLIARI EN SARDAIGNE

Il est parvenu à notre connaissance qu'au lieu appelé Fausiana, dans la province de Sardaigne [1], la coutume voulait qu'un évêque fût ordonné, mais qu'elle s'était perdue depuis une longue période en raison des circonstances. Mais comme nous avons appris qu'aujourd'hui, à cause du manque de prêtres, certains là-bas restent païens et, vivant à la façon des bêtes sauvages [2], ignorent absolument le culte de Dieu, nous exhortons Ta Fraternité à ordonner bien vite là-bas un évêque selon l'usage ancien, un homme tel évidemment qu'il apparaisse, par ses mœurs et sa parole, apte à cette mission et qui s'attache par son zèle pastoral à

exsistat et aberrantes ad gregem dominicum pastorali studeat
248 10 aemulatione deducere, quatenus, eo illic ad animarum uacante
compendium, nec uos inueniamini superflua poposcisse, nec
olim destructa frustra nos reformasse paeniteat.

IV, 30

Miracvla apostolorvm atqve reliqviae sanctorvm

Gregorivs Constantinae avgvstae

Serenitas uestrae pietatis religionis studio et sanctitatis
amore conspicua, propter eam quae in honore sancti Pauli
apostoli in palatio aedificatur ecclesiam, caput eiusdem
sancti Pauli, aut aliud quid de corpore ipsius, suis ad se
5 iussionibus a me praecepit debere transmitti. Et dum illa
mihi desiderarem imperari de quibus facillimam
oboedientiam exhibens, uestram erga me amplius potuissem
gratiam prouocare, maior me maestitia tenuit, quod illa
praecipitis quae facere nec possum nec audeo. Nam corpora
10 sanctorum Petri et Pauli apostolorum tantis in ecclesiis suis
coruscant miraculis atque terroribus, ut neque ad orandum
sine magno illic timore possit accedi. Denique dum beatae
recordationis decessor meus, quia argentum quod supra

1. Constantina : voir *PLRE* III A, p. 337-339. Fille de l'empereur Tibère II et d'Anastasia. Appelée d'abord Augusta, elle prit le nom de Constantina quand son père la fiança au futur empereur Maurice. Son titre officiel était : Aelia Constantina. Elle entretenait avec Grégoire des relations étroites, voir C. Fraisse-Coué, *HC* 3, p. 890, particulièrement n. 39.

2. La question que soulève cette lettre a été bien analysée par J.M. Mc Cullogh, « The cult of relics in the letters and Dialogues of pope Gregory the Great. A lexicographical study », *Traditio* 32, 1976, p. 147-150. Il s'agit de savoir si les arguments avancés ici par le pape contre la translation d'une partie du corps de saint Paul à Constantinople sont bien réels. Y avait-il en ce domaine une tradition différente des Églises d'Occident et des Églises d'Orient ? Ou bien le pape cherche-t-il un prétexte pour refuser un

ramener les égarés au troupeau du Seigneur de sorte que, tandis qu'il s'occupera là-bas de gagner des âmes, on ne trouve pas que vous ayez demandé des choses superflues, et que nous n'ayons pas à nous repentir d'avoir rétabli en vain ce qui avait jadis été détruit.

IV, 30

PL et *MGH* : IV, 30 – Juillet 594

Il refuse à l'impératrice Constantina des reliques de saint Paul qu'elle avait demandées pour les placer dans la nouvelle église de saint Paul à Constantinople. Il lui promet un fragment de ses chaînes.

Miracles des apôtres et reliques des saints

Grégoire à l'impératrice Constantina[1]

La Sérénité de Votre Piété, célèbre par son souci de la religion et son amour de la sainteté, a prescrit par ses ordres que, pour cette église que l'on construit au palais en l'honneur de saint Paul Apôtre, la tête du même saint Paul ou quelque autre partie de son corps doivent lui être envoyées par moi[2]. Et alors que j'aurais désiré que me fussent commandées des choses qui, au prix d'une obéissance très facile, m'auraient permis d'augmenter votre bienveillance à mon égard, une affliction assez grande m'a saisi, parce que ce que vous me prescrivez je ne puis ni n'ose le faire. En effet les corps des saints apôtres Pierre et Paul resplendissent dans leurs églises de tant de miracles et d'effroi que l'on ne peut y avoir accès, même pour prier, sans grande crainte. Pour tout dire, mon prédécesseur de bienheureuse mémoire, parce qu'il voulait déplacer un objet

don qui pourrait profiter aux prétentions du patriarche Jean le Jeûneur contre Rome ? C'est lui qui est manifestement visé à la fin de la lettre, voir *infra* note 12.

sacratissimum corpus sancti Petri apostoli erat, longe tamen
15 ab eodem corpore fere quindecim pedibus mutare uoluit, signum ei non parui terroris apparuit. Sed et ego aliquid similiter ad sacratissimum corpus sancti Pauli apostoli meliorare uolui, et quia necesse erat ut iuxta sepulchrum eiusmodi effodiri altius debuisset, praepositus loci ipsius
20 ossa aliqua non quidem eidem sepulchro coniuncta repperit. Quae quoniam leuare praesumpsit atque in alio loco transponere, apparentibus quibusdam tristibus signis, subita morte defunctus est.

Praeter haec autem sanctae memoriae decessor meus idem
249 25 ad corpus sancti Laurentii martyris quaedam meliorare desiderans, dum nescitur ubi corpus esset uenerabile collocatum, effoditur exquirendo. Subito sepulchrum ipsius ignoranter apertum est, et hi qui praesentes erant atque laborabant monachi et mansionarii, quia corpus eiusdem
30 martyris uiderunt, quod quidem minime tangere praesumpserunt, omnes intra decem dies defuncti sunt, ita ut nullus uitae superesse potuisset, qui semiustum corpus illius uiderat.

Cognoscat autem tranquillissima domina quia Romanis
35 consuetudo non est, quando sanctorum reliquias dant, ut quicquam tangere praesumant de corpore. Sed tantummodo in buxide brandeum mittitur atque ad sacratissima corpora sanctorum ponitur. Quod leuatum in ecclesia quae est

3. Le prédécesseur est Pélage II (578-590). Le *Liber pontificalis* LXV (éd. L. Duchesne, t. 1, Paris 1955, p. 309), dit seulement : « Il fit revêtir le corps du bienheureux Pierre apôtre de plaque d'argent doré. » ~ Au début de la phrase, je lis *denique tum*.

4. *Sed*, comme chez Salluste, marque une simple transition. ~ On n'a pas d'autre mention de cette affaire.

5. *Leuare* s'applique particulièrement à l'acte consistant à transférer un corps saint d'un lieu dans un autre. Quelques lignes plus loin, le mot est employé pour des *brandea*. C'est aussi le mot dont se sert GRÉG. T., *In glor. mart.* 27, pour la tombe de Pierre, (*MGH, SRM* 1, éd. Arndt – Krusch, p. 504, li. 11).

6. *Liber pontificalis* LXV (éd. L. Duchesne, t. 1, p. 309) : « Celui-ci fit bâtir au-dessus du corps du bienheureux Laurent martyr une basilique

d'argent qui se trouvait au-dessus du corps très vénérable de saint Pierre Apôtre, à une distance pourtant de près de quinze pieds de ce corps, un signe lui apparut qui n'était pas peu effrayant[3]. Moi-même[4], je voulus pareillement faire quelque aménagement près du corps très vénérable de saint Paul Apôtre, et parce qu'il était nécessaire de devoir creuser plus profond autour d'un tel tombeau, le préposé du lieu lui-même trouva quelques ossements qui à coup sûr n'appartenaient pas au même tombeau. S'étant permis de les enlever[5] et de les transporter en un autre lieu, à l'apparition de certains signes sinistres, il décéda d'une mort subite.

En outre, mon prédécesseur de sainte mémoire désirant lui aussi faire quelques aménagements auprès du corps de saint Laurent martyr, comme on ne savait pas où avait été placé le corps vénérable, on creuse pour chercher. Soudain son sépulcre fut ouvert par inadvertance, et ceux qui étaient présents et qui travaillaient, moines et gardiens, pour avoir vu le corps de ce martyr, sans même certes avoir osé le toucher, tous décédèrent dans les dix jours, de sorte qu'aucun de ceux qui avaient vu son corps à demi consumé n'avait pu survivre[6].

La Sérénissime Dame doit savoir que ce n'est pas la coutume chez les Romains, quand ils donnent des reliques des saints, d'oser toucher à leurs corps en aucune façon. Mais on se contente de mettre un morceau d'étoffe dans une pyxide et on le place près des très vénérables corps des saints. On l'enlève et on le dépose avec la vénération

construite à partir des fondations et il orna son tombeau de plaques d'argent. » ~ Pour l'adjectif-participe qui qualifie le corps de Laurent, brûlé, comme on sait, sur un gril, on peut hésiter, les manuscrits n'étant pas clairs : Ewald donne *sanctum inustum* qui est une conjecture ; Norberg s'appuie sur le fait que l'on a dans *r2 scm iustum* pour lire *semiustum*, *scm* qui est l'abréviation de *sanctum* pouvant facilement être confondu avec *sem*. Cela convient mieux pour le sens et pour la grammaire, l'asyndète chez Ewald étant surprenante. Il faut cependant remarquer qu'en III, 33, il est dit que Laurent *perustus est* et que son corps *crematum est*.

dedicanda debita cum ueneratione reconditur, et tantae per
40 hoc ibidem uirtutes fiunt, acsi illic specialiter eorum corpora
deferantur. Vnde contigit ut beatae recordationis Leonis
papae tempore, sicut a maioribus traditur, dum quidam
Graeci de talibus reliquiis dubitarent, praedictus pontifex
hoc ipsum brandeum allatis forficibus incidit, et ex ipsa
45 incisione sanguis effluxit. In Romanis namque uel totius
Occidentis partibus omnino intolerabile est atque sacrilegum,
si sanctorum corpora tangere quisquam fortasse uoluerit.
Quod si praesumpserit, certum est quia haec temeritas
impunita nullomodo remanebit. Pro qua re de Graecorum
50 consuetudine, qui ossa leuare sanctorum se asserunt,
uehementer miramur et uix credimus. Nam quidam Graeci
monachi hic ante biennium uenientes, nocturno silentio
iuxta ecclesiam sancti Pauli corpora mortuorum in campo
iacentia effodiebant, atque eorum ossa recondebant,
55 seruantes sibi dum recederent. Qui cum tenti et cur hoc
facerent diligenter fuissent discussi, confessi sunt quod illa
ossa ad Graecias essent tamquam sanctorum reliquias
portaturi. Ex quorum exemplo, sicut praedictum est, maior
nobis dubietas nata est, utrum uerum sit quod leuari
60 ueraciter ossa sanctorum dicuntur.

7. Un *brandeum* était un morceau d'étoffe que l'on plaçait au contact du tombeau du saint ou d'un objet lui ayant appartenu afin qu'il s'imprégnât de la *uirtus* (puissance miraculeuse) de celui-ci. Cette pratique est confirmée par GRÉGOIRE DE TOURS à propos de saint Martin, *De uirt. Mart.* I, 11 (*MGH, SRM* 1, éd. Arndt – Krusch, p. 595, li. 19-26) et à propos de saint Pierre, *In glor. mart.* 27 (*ibid.* p. 504, li. 7-12). Il ne parle pas de *brandeum,* mais dans le premier cas, de *pallium siricum* et dans le second de *palliolum.* Dans les deux cas, il signale que le morceau de tissu pesé au trébuchet gagne en poids après le contact avec la tombe sainte. Le pape est plus sobre : *ac si eorum corpora deferantur.* Sauf le miracle survenu à Léon Ier, il ne cherche pas à exploiter comme l'évêque de Tours le côté magique de cette pratique. Il y a là une différence intéressante de mentalité. Voir M. VAN UYTFANGHE, « Scepticisme doctrinal au seuil du Moyen Âge ? Les objections du diacre Pierre dans les *Dialogues* de Grégoire le Grand », dans *Grégoire le Grand, Colloque de Chantilly,* p. 315-326.

8. Léon Ier, pape de 440 à 461. ~ On n'a pas d'autre attestation de ce fait.

qui convient dans l'église à consacrer et, par lui, autant de miracles se produisent au même endroit que si leurs corps y étaient apportés spécialement[7]. Ainsi, au temps du pape Léon de bienheureuse mémoire, il arriva, selon une ancienne tradition, que, comme certains grecs avaient des doutes sur de telles reliques, le susdit pontife, s'étant fait apporter des ciseaux, incisa ce morceau d'étoffe et de l'incision du sang coula[8]. Chez les Romains en effet et dans toutes les contrées d'Occident, il est absolument insupportable et sacrilège que l'on puisse vouloir toucher les corps des saints[9]. Si l'on a cette audace, il est certain que cette témérité ne restera aucunement impunie. C'est pourquoi nous sommes fortement étonnés de la coutume des Grecs qui se font fort d'enlever les ossements des saints ; à peine le croyons-nous. En effet certains moines grecs venus ici il y a deux ans, dans le silence de la nuit, à côté de l'église de saint Paul, déterraient des corps de défunts qui reposaient dans un champ et ils cachaient les os, se les gardant jusqu'à leur départ. Comme on les avait pris et soumis à un interrogatoire approfondi sur les raisons de leur acte, ils confessèrent qu'ils s'apprêtaient à transporter ces ossements en Grèce comme des reliques de saints. L'exemple de ces hommes, comme on l'a dit plus haut, nous a fait douter encore davantage qu'il soit vrai, comme on le dit, que des ossements de saints soient vraiment enlevés[10].

9. Ce respect des tombes est aussi bien dicté par la piété que par la législation romaine, comme le rappelle C. Heitz, « Les monuments de Rome à l'époque de Grégoire le Grand », dans *Grégoire le Grand, Colloque de Chantilly*, p. 35-36. Il relève que les travaux entrepris par Constantin à partir de 324 ne touchèrent pas à la tombe elle-même. Les travaux ordonnés par Grégoire respectèrent la même règle. On en trouvera la description respectivement p. 36 pour Saint-Pierre et p. 38 pour Saint-Paul. ~ *Cod. Theod.* IX, 17, 6-7, repris par *Cod. Iust.* IX, 19, interdit le transfert des corps hors de la tombe.

10. Le sens de cette anecdote n'est pas clair. Si les moines grecs enlèvent des ossements pour en faire des reliques, cela pourrait montrer, au contraire, que cette pratique était en usage chez les Orientaux. Il faut sans doute comprendre que, pour Grégoire, le caractère nocturne et clandestin de l'opération prouve qu'elle n'était pas conforme aux usages des Grecs.

De corporibus uero beatorum apostolorum quid ego
250 dicturus sum, dum constet quia eo tempore quo passi sunt
ex Oriente fideles uenerunt, qui eorum corpora sicut ciuium
suorum repeterent ? Quae ducta usque ad secundum urbis
65 milliarium, in loco qui dicitur Catacumbas collocata sunt.
Sed dum ea exinde leuare omnis eorum multitudo conueniens
niteretur, ita eos uis tonitrui atque fulguris nimio metu
terruit ac dispersit, ut talia denuo nullatenus temptare
praesumerent. Tunc autem exeuntes Romani eorum corpora,
70 qui hoc ex Domini pietate meruerunt, leuauerunt, et in
locis quibus nunc sunt condita posuerunt.

Quis ergo, serenissima domina, tam temerarius possit
exsistere, ut haec sciens eorum corpora non dico tangere,
sed uel aliquatenus praesumat inspicere ? Dum igitur talia
75 mihi a uobis praecepta sunt, de quibus parere nullatenus
potuissem, quantum inuenio, non uestrum est. Sed quidam
homines contra me pietatem uestram excitare uoluerunt,
ut mihi, quod absit, uoluntatis uestrae gratiam subtraherent,
et propterea quaesiuerunt capitulum, de quo uobis quasi
80 inoboediens inuenirer. Sed in omnipotente Domino confido
quia nullomodo benignissimae uoluntati subripitur, et

11. Il est aujourd'hui à peu près établi que Pierre et Paul, après leur martyre, ont été ensevelis l'un au Vatican, l'autre sur la *via Ostiensis*. En 258, afin de protéger les corps saints des outrages de la persécution déclenchée l'année précédente par Aurélien, on les transporta au lieu dit *Catacumbas* au bord de la voie Appienne. Mais lorsqu'arriva la paix de l'Église, Pierre et Paul retrouvèrent le lieu de leur première sépulture. En ce qui concerne Pierre, on peut même préciser que ce fut en 336. Voir J. CARCOPINO, *Les fouilles de Saint-Pierre et la tradition*, nouvelle éd., Paris 1963 et *De Pythagore aux Apôtres,* Paris 1956, p. 223 s. ; H. LECLERC, art. « Pierre » dans *DACL* 14/1, col. 754-873. L'histoire que rapporte ici Grégoire n'a aucun rapport avec cette translation de 258, puisqu'elle se place *eo tempore quo passi sunt*. En fait, Grégoire s'inspire ici d'une légende tardive, qu'on peut dater du ve siècle, due au Pseudo-Marcel et qu'on trouve dans les *Acta Apostolorum apocrypha*, voir J. CARCOPINO, *Les fouilles,* p. 145.

12. JEAN DIACRE, *Vita Greg.* III, 56 (*PL* 75, 166), dit que le pape vise ici Jean le Jeûneur. Cela est sûr, quoique F.E. CONSOLINO, « Il Papa e le

Quant aux corps des bienheureux apôtres, qu'en dirai-je, alors qu'il est patent qu'au temps de leur passion des fidèles vinrent d'Orient pour réclamer leurs corps comme étant ceux de leurs concitoyens ? Ces corps conduits jusqu'au second milliaire de la ville furent déposés au lieu appelé Catacombes. Mais comme la foule de ces gens se rassemblant s'efforçait de les enlever de là, la puissance du tonnerre et des éclairs les terrifia et les dispersa dans une immense crainte, si bien qu'ils n'osèrent plus jamais tenter chose semblable. Alors les Romains, qui méritèrent cette faveur de la bonté du Seigneur, faisant une sortie, enlevèrent leurs corps et les déposèrent aux lieux où ils sont actuellement enfermés[11].

Qui donc, Sérénissime Dame, pourrait être assez téméraire, pour, sachant cela, oser, je ne dis pas toucher leurs corps, mais même d'une manière ou d'une autre y jeter un regard ? Comme donc les choses que vous m'avez commandées sont telles que je n'aurais pu en aucune façon m'y soumettre, autant que je sache, cela ne vient pas de vous. Ce sont certaines personnes qui ont voulu animer Votre Piété contre moi, pour m'ôter – ce qu'à Dieu ne plaise – la faveur de votre bienveillance, et qui pour cela ont cherché un sujet sur lequel on me trouverait comme en défaut à votre égard[12]. Mais le Seigneur tout-puissant me donne cette confiance qu'on ne s'arrache pas à sa très bienveillante volonté et que

regine : potere femminile e politica ecclesiastica nell'epistolario di Gregorio Magno », dans *Gregorio Magno e il suo tempo*, p. 231, le conteste pour la raison que la brouille avec Jean de Constantinople ne serait intervenue que l'année suivante. Mais avant le conflit sur le titre « œcuménique », il y a la lettre III, 52. En tout cas, mettre en cause le patriarche est un procédé habile puisqu'il évite à Grégoire d'avoir l'air de reprocher directement à l'impératrice une demande inconsidérée. En même temps Grégoire montre quelles sont ses arrière-pensées. Si le patriarche de Constantinople est l'instigateur de la requête de l'impératrice, c'est qu'il cherche, en se procurant la tête de saint Paul, à rehausser le prestige de son Église et à la mettre au même rang que la ville de Pierre.

sanctorum apostolorum uirtutem, quos toto corde et mente[a] diligitis, non ex corporali praesentia sed ex protectione semper habebitis.

85 Sudarium uero, quod similiter transmitti iussistis, cum corpore eius est. Quod ita tangi non potest, sicut nec ad corpus illius accedi. Sed quia serenissimae dominae tam religiosum desiderium esse uacuum non debet, de catenis, quas ipse sanctus Paulus apostolus in collo et in manibus gestauit, 90 ex quibus multa miracula in populo demonstrantur, partem uobis aliquam transmittere festinabo, si tamen hanc tollere limando praeualuero. Quia dum frequenter ex catenis eisdem multi ueniunt et benedictionem petunt, ut parum quid ex limatura accipiant, assistit sacerdos cum lima, et aliquibus 95 petentibus ita concite aliquid de catenis ipsis excutitur, ut mora nulla sit. Quibusdam uero petentibus diu per catenas ipsas lima ducitur, et tamen ut aliquid exinde exeat non obtinetur.

251 MENSE IVLIO INDICTIONE XII

IV, 31

GREGORIVS ANTHEMIO SVBDIACONO

Eis quos de Iudaica perditione redemptor noster ad se dignatur conuertere rationabili nos oportet moderatione

30. a. cf. Lc 10, 27 ; Mc 12, 30 ; Mt 22, 37

---

13. *Toto corde et mente* : même formule qu'en III, 47, où il s'agit de la fidélité de Colombus à l'Église romaine. De même ici, c'est une façon indirecte d'amadouer l'impératrice en flattant son dévouement au Siège de Rome. En même temps c'est une belle leçon de théologie destinée peut-être autant au patriarche qu'à l'impératrice. Grégoire va à l'encontre de la superstition de la présence corporelle des saints. Voir *supra* note 7.

1. Anthème, sous-diacre, défenseur de Campanie : voir *PCBE* 2, « *Anthemius* », p. 143-149. D'après les lettres I, 23 (*SC* 370, p. 120) ; 37 (p. 186) ; 53 (p. 244) ; 57 (p. 252) ; 63 (p. 264), le pape l'a nommé à

vous garderez toujours la puissance des saints apôtres que vous aimez de tout votre cœur et de tout votre esprit[a] non pas grâce à leur présence corporelle, mais grâce à leur protection[13].

Quant au suaire que vous avez semblablement commandé de vous envoyer, il est avec son corps. On ne peut pas plus y toucher qu'on ne peut accéder à son corps. Mais parce qu'un si religieux désir de la Sérénissime Dame ne doit pas rester sans réponse, je me hâterai de vous envoyer un fragment des chaînes que saint Paul Apôtre lui-même a portées au cou et aux mains et par lesquelles se manifestent de nombreux miracles dans le peuple, si toutefois je réussis à en prélever en limant. C'est que, comme souvent beaucoup viennent et demandent une relique venant de ces chaînes de manière à recevoir un peu de limaille, un prêtre se tient là avec une lime et pour quelques uns qui le demandent on extrait rapidement quelque chose des chaînes mêmes, si bien qu'il n'y a pas de retard. Mais pour certaines demandes, on passe longtemps la lime sur les chaînes mêmes et cependant on n'arrive pas à en extraire quoi que ce soit.

JUILLET 594. INDICTION XII

IV, 31

PL : IV, 33 et *MGH* : IV, 31 – Juillet 594

Il prescrit à Anthème, recteur du patrimoine de Campanie, d'accorder une aide à trois juifs convertis.

GRÉGOIRE AU SOUS-DIACRE ANTHÈME[1]

À ceux que notre Rédempteur daigne convertir à lui venant de la perdition judaïque, il faut que nous venions

ce poste, équivalant à celui de recteur, spécialement pour veiller aux intérêts des pauvres. La présente lettre répond bien à cette mission.

concurrere, ne uictus, quod absit, inopiam patiantur. Ideoque huius tibi praecepti auctoritate mandamus
5 quatenus filiis Iustae ex Hebraeis, id est Iulianae, Redempto et Fortunae, a tertia decima succedenti indictione annis singulis solidos eis dare non differas, quos tuis noueris modis omnibus rationibus imputandos.

IV, 32

Gregorivs Pantaleoni praefecto praetorio Africae

Haereticorum nefandissimam prauitatem qualiter lex persequatur instantius, excellentiae uestrae non habetur incognitum. Hi ergo quos et fidei nostrae integritas et legum damnat districtio mundanarum, non leue peccatum
5 est si uestris inueniant temporibus licentiam reserpendi. In
252 illis igitur partibus quantum didicimus ita donatistarum creuit audacia, ut non solum de suis ecclesiis, auctoritate pestifera, eiciant catholicae fidei sacerdotes, sed et hos quos uera confessione aqua regenerationis abluerat rebaptizare non
10 metuant. Valdeque miramur, si tamen ita est, ut, uobis illic positis, huiuscemodi liceat hominibus prauis excedere.

2. Le nombre des sous n'a pas été consigné par le scribe.

1. Pantaléon, préfet du prétoire d'Afrique : voir *PLRE* III B, « *Pantaleo* », p. 965. P. Goubert, *Byzance et l'Occident*, p. 210-211, remarque que c'est la seule mention de ce personnage dans le *Registrum*.

2. Constantin a entamé à la fin de son règne, en 336, la répression contre les donatistes. Constant poursuivit cette politique de son père et crut, par l'édit d'union de 347, avoir supprimé le donatisme. Julien fit preuve d'une tolérance dont les donatistes surent profiter. Valentinien Ier décida de réagir et, en 373, exclut du sacerdoce le prêtre qui rebaptiserait (*Cod. theod.* XVI, 6, 1). La loi du 22 avril 376 de Gratien (*Cod. theod.* XVI, 5, 4) adressée à Hesperius, *ppo* d'Afrique, ordonna la confiscation des lieux de culte hérétiques (*publicari loca omnia in quibus falso religionis obtentu altaria locarentur*). Mentionnons enfin l'édit de Théodose promulgué le 28 février 380 à Thessalonique (*Cod. theod.* XVI, 1, 2) qui imposa le catholicisme « du pontife Damase et de Pierre, évêque d'Alexandrie » à tous les peuples de l'Empire.

en aide par des dispositions raisonnables de peur qu'ils ne souffrent du manque de nourriture – ce qu'à Dieu ne plaise. C'est pourquoi en vertu de l'autorité de cette ordonnance, nous te mandons de donner sans retard aux enfants de Justa, d'anciens juifs, Julienne, Redemptus et Fortuna, chaque année à partir de la treizième indiction prochaine, des sous[2] que tu imputeras de toute façon, prends-en note, sur tes comptes.

IV, 32

PL : IV, 34 et *MGH* : IV, 32 – Juillet 594

Il exhorte Pantaléon, préfet du prétoire d'Afrique, à réprimer les donatistes et à envoyer au plus tôt l'évêque Paul.

Grégoire à Pantaléon préfet du prétoire d'Afrique[1]

Avec quelle force la loi poursuit la dépravation exécrable au plus haut point des hérétiques, Votre Excellence ne l'ignore pas. Ceux donc que condamnent l'intégrité de notre foi et la rigueur des lois de ce monde[2], ce n'est pas un péché léger s'ils trouvent de votre temps licence de s'insinuer à nouveau. Car en ces régions, ainsi que nous l'avons appris, l'audace des donatistes s'est accrue tellement que, avec une autorité désastreuse, ils chassent de leurs églises les évêques de la foi catholique, mais encore ne craignent pas de rebaptiser ceux que l'eau de la régénération avait lavés dans la vraie confession[3]. Et nous nous étonnons grandement, si cependant il en est ainsi, que, vous étant en place là-bas[4], de tels hommes dépravés puissent commettre des

Plus précisément, Grégoire se réfère ici à *Cod. Iust.* I, 6 qui reprend des lois antérieures et à *Nou.* XXXVII de Justinien.

3. On remarquera la peinture effrayante que le pape donne du danger donatiste. Sur cette prétendue renaissance du schisme donatiste, voir l'Introduction, p. 25 s.

4. *Vobis illic positis* : par cette formule et d'autres du même genre (III, 52 ; 59), Grégoire se plaît à reprocher à son interlocuteur son incapacité.

Primum siquidem quale de uobis hominibus iudicium relinquatis attendite, si hi qui aliorum temporibus iusta ratione compressi sunt, uobis administrantibus uiam sui 15 excessus inueniant. Deinde perditorum animas Deum nostrum de manu uestra scitote requirere[a], si tantum nefas, in quantum possibilitas exigit, emendare neglegitis. Hoc enim excellentia uestra non amare suscipiat. Nam quia uos ut filios proprios diligimus, propterea haec quae pro uobis esse non ambigimus 20 indicamus.

Paulum uero fratrem et coepiscopum nostrum ad nos sub omni festinatione dirigite, nec cuiquam impediendi eum aliqua excusatione detur occasio, ut ueritatem plenius agnoscentes, qualiter tanti facinoris ultio debeat prouenire, 25 Deo adiuuante, rationabili possimus tractatu disponere.

IV, 33

GREGORIVS THEODELINDAE REGINAE LANGOBARDORVM

Quorundam ad nos relatione peruenit ab aliquibus episcopis gloriam uestram usque ad hoc scandalum contra sanctam ecclesiam fuisse perductam, ut sese a catholicae unanimitatis communione suspenderet. Quod quantum uos

32. a. cf. Gn 9, 5 ; 1 S 20, 16 ; Ps 141, 5

5. On peut citer Julien, *ppo* d'Afrique, à qui est adressée la constitution de Valentinien de 373 (*Cod. Theod.* XVI, 6, 1) ; Flavien, vicaire d'Afrique (XVI, 6, 2) en 405 ; Hadrien en 405.

6. Première mention de Paul, évêque africain de la province de Numidie dont on ignore le siège. Sur ce personnage et ses relations avec Grégoire, voir l'Introduction, p. 26.

7. Sur le souci d'agir toujours de façon raisonnable, voir III, 35, note 2. Déjà quelques lignes plus haut, il est dit que la répression de l'hérésie doit se faire *iusta ratione*.

1. Ce sont les *tres episcopi* du début de IV, 2. ~ D. NORBERG, *Studia critica*, t. 1, p. 52, n. 2, a comparé IV, 33 avec IV, 4 : dans les deux lettres

fautes. D'abord prenez garde au jugement que vous laissez les hommes avoir sur vous, si ceux qui, au temps d'autres gouverneurs[5], ont été réprimés avec juste raison, trouvent sous votre administration le moyen de commettre des fautes. Ensuite, sachez que notre Dieu réclamera de votre main les âmes de ceux qui se sont perdus[a], si vous négligez de corriger un tel crime dans la mesure où la possibilité y oblige. Que Votre Excellence ne prenne pas cela avec amertume. En effet, c'est parce que nous vous aimons comme notre propre fils, que nous montrons ce que nous ne doutons pas être dans votre intérêt.

Envoyez-nous en toute hâte Paul, notre frère et collègue dans l'épiscopat et qu'à personne ne soit donnée l'occasion de l'empêcher sous quelque prétexte que ce soit[6], afin que, connaissant plus à fond la vérité, nous puissions avec l'aide de Dieu, organiser par un traitement raisonnable[7] la manière dont le châtiment d'un si grand méfait doit intervenir.

IV, 33

PL : IV, 38 et *MGH* : IV, 33 – Juillet 594

Il engage Théodelinde, reine des Lombards, à ne pas se séparer de la communion de Constance, évêque de Milan, puisqu'il embrasse la foi des quatre conciles catholiques et surtout de Chalcédoine. La même lettre est reproduite une deuxième fois dans le registre, cf. V, 52.

Grégoire à Théodelinde reine des Lombards

Sur le rapport de certains, il est parvenu à notre connaissance de la part de quelques évêques[1] que Votre Gloire a été amenée à ce point de scandale contre la sainte Église qu'elle se serait séparée de la communion de l'unanimité

reviennent les mêmes formules et le début, jusqu'à *quae audierint possunt*, est identique.

5 pure diligimus, tantum de uobis fortius dolemus, quia uos imperitis stultisque hominibus creditis, qui non solum ea quae loquuntur nesciunt sed uix ea percipere quae audierint
253 possunt[a]. Qui dum neque legunt, neque legentibus credunt, in ipso errore manent, quem sibi de nobis ipsi fecerunt.
10 Nos enim ueneramur sanctas quattuor synodos : Nicenam, in qua Arrius, Constantinopolitanam, in qua Macedonius, Ephesinam primam, in qua Nestorius atque Dioscorus, Chalcedonensem, in qua Eutyches damnatus est, profitentes quia quisquis aliter sapit quam hae quattuor synodi a fide
15 ueritatis alienus est. Damnamus autem quoscumque damnant et quoscumque absoluunt absoluimus, sub anathematis interpositione ferientes eum, qui earundem quattuor synodorum, maxime autem Chalcedonensis, de quibus dubietas imperitis hominibus nata est, fidei addere
20 uel adimere praesumit.

Cum itaque haec ex aperta mea professione cognoscitis, dignum est ut de ecclesia beati Petri apostolorum principis nullum ulterius scrupulum dubietatis habeatis. Sed in uera fide persistite et uitam uestram in petra ecclesiae, id est in
25 confessione beati Petri apostolorum principis[b] solidate, ne tot uestrae lacrimae tantaque bona opera pereant, si a fide uera inueniuntur aliena[c]. Sicut enim rami sine uirtute radicis arefiunt, ita opera quamlibet bona uideantur nulla

33. a. cf. 1 Tm 1, 7 b. cf. Mt 16, 18 c. cf. Ga 2, 16 ; Rm 3, 20 ; Rm 3, 27-28

2. Nicée en 325 et Constantinople I en 381 qui définirent le dogme trinitaire. Le concile d'Éphèse en 431 est qualifié ici de *prima synodus* pour le distinguer du « brigandage d'Éphèse » en 449, annulé par Chalcédoine en 451 qui condamna le monophysisme. ~ Noter une distraction de Grégoire : Dioscore a été déposé à Chalcédoine et non à Éphèse, comme il le dit très bien en I, 24 (*SC* 370, p. 154).

3. Le malentendu vient de ce que certains ont pris ou voulu prendre pour des décisions du concile de Chalcédoine des décisions prises entre

catholique. Nous déplorons cela d'autant plus fortement à votre sujet que nous vous aimons sincèrement, parce que vous faites confiance à des hommes ignorants et stupides qui non seulement ne savent pas ce qu'ils disent, mais peuvent à peine comprendre ce qu'ils ont entendu[a]. Ceux-ci, comme ils ne lisent pas, ni ne croient ceux qui lisent, demeurent dans l'erreur même qu'ils se sont faite à notre sujet.

Nous, en effet, nous vénérons les quatre saints synodes où furent condamnés Arius à Nicée, Macedonius à Constantinople, Nestorius et Dioscore au premier concile d'Éphèse, Eutychès à Chalcédoine[2], professant que quiconque pense autrement que ces quatre synodes est étranger à la foi de la vérité. Nous condamnons tous ceux qu'ils condamnent, et tous ceux qu'ils absolvent nous les absolvons, frappant, avec menace d'anathème, celui qui ose ajouter ou retrancher à la foi de ces mêmes quatre synodes, et surtout de celui de Chalcédoine, au sujet desquels un doute est né chez des hommes ignorants[3].

Donc puisque vous connaissez cela par ma profession de foi explicite, il convient que vous n'ayez plus désormais l'ombre d'un doute au sujet de l'Église du bienheureux Pierre, prince des apôtres. Mais persistez dans la vraie foi, et affermissez votre vie sur la pierre de l'Église, c'est-à-dire sur la confession du bienheureux Pierre, prince des apôtres[b 4], pour que ne périssent pas tant de larmes et tant de bonnes œuvres de vous, si elles se révèlent étrangères à la vraie foi[c]. De même en effet que les branches se dessèchent, privées de la vigueur de la racine, de même les œuvres, toutes bonnes qu'elles paraissent, sont nulles, si

le 26 octobre et le 1er novembre après la clôture du concile, voir P. MARAVAL, *HC* 3, p. 94-100.

4. Répétition insistante de la primauté de Pierre. *Petra ecclesiae* : voir Mt 16, 18.

sunt, si a soliditate fidei disiunguntur. Decet ergo gloriam
30 uestram ad reuerentissimum fratrem et coepiscopum meum
Constantium, cuius et fides et uita olim mihi bene est
approbata, sub omni celeritate transmittere, eique directis
epistulis indicare ordinationem eius quam benigne sus
ceperitis, et quia ab eius ecclesiae communione in nullo
35 separamini, ut sicut uere de bona ac fideli filia communi
exsultatione gratulemur. In hoc autem uos ac uestra opera
Deo placere cognoscite, si priusquam eius examen ueniat,
sacerdotum illius iudicio comprobentur.

254

IV, 34

GREGORIVS LEONI EPISCOPO CATENENSI

Multorum relatione comperimus hanc apud uos olim
consuetudinem tenuisse, ut subdiacones suis licite
miscerentur coniugibus. Quod ne denuo quisquam
praesumeret a Seruodei sedis nostrae diacone ex auctoritate

5. Cette belle phrase – qui n'a pas d'équivalent en IV, 4 – est un modèle de la manière dont les réminiscences de l'Écriture s'associent et s'entremêlent dans l'esprit de Grégoire pour former un discours tout sien. La proposition principale reprend la théologie paulinienne de la justification par la foi et non par les œuvres : voir Ga 2, 16. Cette idée est annoncée par une comparaison avec un arbre dont les branches se dessèchent si elles sont séparées des racines. Autrement dit, les branches (*rami*) sont les œuvres et la racine représente la foi. Ce genre de métaphore semble bien d'inspiration biblique. On pense au figuier desséché dans Mt 21, 19 : *et arefacta est continuo ficulnea* ; ou dans Mc 11, 20 : *uiderunt ficum **aridam a radicibus***. Ce peut être aussi la parabole du grain tombé dans la pierraille dans Mt 13, 6 : ... *et quia non habebant **radicem aruerunt*** (= Mc 4, 6 presque semblable ; le texte de Lc 7, 6 est un peu différent : au lieu de *radicem*, il écrit *humorem*). On peut rapprocher aussi Rm 11, 16 : *Si **radix** sancta et **rami***. Remarquons enfin que l'association *uirtute radicis* semble venir de Sg 7, 20. Pourtant, aucun de ces textes ne correspond à l'idée de Grégoire ici. Le figuier est puni pour avoir refusé des fruits au Christ. Le grain semé dans les pierres suggère que la parole divine reste sans effet si elle n'est pas accueillie par l'homme. Quant à la phrase elliptique de Paul, elle illustre l'idée que le peuple juif est toujours élu.

6. Constance, évêque de Milan.

elles sont séparées de la solidité de la foi[5]. Il convient donc que Votre Gloire envoie en toute hâte chez mon révérendissime frère et collègue dans l'épiscopat Constance[6], dont la foi et la vie ont depuis longtemps toute mon approbation, et lui fasse savoir par lettre à lui adressée que vous avez accueilli son ordination avec bienveillance et que vous ne vous séparez en rien de la communion de son Église, pour que nous nous réjouissions dans une commune exultation comme d'une vraiment bonne et fidèle fille. En cela, sachez que vous et vos œuvres plaisez à Dieu, si avant que vienne sa sentence, elles sont approuvées par le jugement de ses évêques.

IV, 34

PL : IV, 36 et *MGH* : IV, 34 – Juillet 594

Il donne ordre à Léon, évêque de Catane, de faire rendre à son second mari Honorata, veuve du sous-diacre Speciosus, laquelle a été injustement reléguée dans un monastère. Pour le reste, qu'il n'établisse sous-diacres que ceux qui s'abstiennent de relations avec leurs épouses.

GRÉGOIRE À LÉON ÉVÊQUE DE CATANE[1]

Nous avons découvert sur le rapport d'un grand nombre que cette coutume existe chez vous depuis longtemps que les sous-diacres aient licitement des relations avec leurs épouses. L'interdiction d'oser à l'avenir une telle pratique a été faite par Servusdei, diacre de notre siège[2], en vertu

1. Léon, évêque de Catane : voir *PCBE* 2, « *Leo* 17 », p. 1276-1279. Victime d'accusations mensongères, il vint à Rome où Grégoire le lava de tout soupçon et le renvoya en Sicile avec une lettre (II, 29) pour le préteur Justin.

2. Servusdei, diacre de Rome : voir *PCBE* 2, « *Seruusdei* 6 », p. 2044-2045. Recteur du patrimoine de Sicile sous Pélage II. Il fut remplacé en 590 par le sous-diacre Pierre.

5 nostri est decessoris istomodo prohibitum, ut eodem tempore hi qui iam uxoribus fuerant copulati unum e duobus eligerent, id est aut a suis uxoribus abstinerent, aut certe ministrare nulla ratione praesumerent. Et quantum dicitur, Speciosus tunc subdiaconus hac pro re ab administrationis 10 se suspendit officio et usque in obitus sui tempore notarii quidem gessit officium et a ministerio, quod subdiaconus oportuerat exhibere, cessauit. Post cuius obitum, quia relicta eius Honorata marito est sociata, a tua eam fraternitate in monasterio cognouimus deputatam. Ideoque si ut fertur eius 15 se maritus ab administratione suspendit, ante dictae mulieri non debet officere, quod ad secundam coniugii copulationem migrauit, praesertim si non tali mente subdiaconi iuncta est, ut a carnis uoluptatibus abstineret. Si ergo ita se ueritatem quemadmodum edocti sumus habere cognoscis, praedictam 20 te mulierem de monasterio per omnia conuenit relaxare, ut ad suum maritum sine aliqua possit formidine remeare.

De cetero uero fraternitas tua sit omnino sollicita, et quos ad hoc eam officium contigerit promouere, hoc quam maxime diligenter inspiciat, ne, si uxores habent, miscendi 25 se cum eis licentia potiantur. Sed ad similitudinem apostolicae sedis eos cuncta obseruare sua nihilominus districtione constituat.

3. Speciosus, sous-diacre de l'Église de Catane : voir *PCBE* 2, « *Speciosus* 2 », p. 2100-2101.

d'une instruction de notre prédécesseur, ainsi formulée : que ceux qui, dans le même temps, s'étaient déjà unis à une épouse choisissent l'un ou l'autre, c'est-à-dire ou bien s'abstiennent de leurs épouses, ou du moins n'osent en aucune façon exercer leur ministère. Et, à ce qu'on dit, Speciosus, alors sous-diacre[3], s'est pour ce motif retiré de l'office de son ministère et, jusqu'au moment de sa mort, a rempli l'office de notaire et cessé le ministère qu'il aurait dû exercer comme sous-diacre[4]. Après sa mort, parce que sa veuve Honorata a pris mari, nous avons appris qu'elle a été envoyée dans un monastère par Ta Fraternité. Ainsi donc, si, comme on le dit, son mari s'est retiré du ministère, la susdite femme ne doit pas pâtir de s'être établie dans une seconde union conjugale, surtout si elle ne s'est pas unie à un sous-diacre avec l'intention de s'abstenir des plaisirs charnels. Si donc tu apprends que la vérité est telle qu'on nous l'a dit, il convient que par tous les moyens tu fasses sortir la susdite femme du monastère, pour qu'elle puisse sans aucune crainte retourner auprès de son mari.

Pour le reste, que Ta Fraternité soit pleine d'attention et qu'elle veille avec le plus grand soin à ce que ceux qu'il lui arrivera de promouvoir à cet office, s'ils ont des épouses, n'usent pas de la licence de s'unir à elles. Mais qu'elle décide tout autant par sa propre rigueur de leur faire observer toutes les règles à l'imitation du Siège apostolique.

4. Le nominatif *subdiaconus* résulte de l'emploi personnel d'*oportuerat*, au sens de *debuit*. Sur ce tour qui n'est pas rare, voir E. LÖFSTEDT, *Philologischer Kommentar*, p. 46.

255

IV, 35

GREGORIVS VICTORI ET COLVMBO EPISCOPO AFRICAE

Qualiter neglectus inter initia morbus uires accipiat, ex nostris necessitatibus, quisquis in hac sumus uita constituti probauimus. Huic igitur nascenti si doctorum obstiterit prouisio medicorum, scimus quidem quia ante solet cessare, 5 quam noceat. Huius ergo considerationis ratio uehementer nos debet impellere, ut animarum morbis initiantibus tota festinemus possibilitate resistere, ne, dum salubria adhibere medicamenta neglegimus, multorum uobis uitam, quos Deo nostro contendimus lucrari[a], subripiant. Vnde oportet ita 10 nos caulas ouium, quibus nos custodes uidemur esse praepositi, uigilanti sollicitudine praemunire, quatenus lupus insidians undique pastores sibi repugnantes inueniat, et uiam ingrediendi in eis non habeat.

Comperimus siquidem donatistarum stimulos in illis sic 15 partibus gregem turbasse dominicum, ac si nullius pastoris moderamine regeretur. Nuntiatumque nobis est, quod dicere sine graui dolore non possumus, quoniam plurimi eorum uenenatis iam sint dentibus laniati, denique ut sacerdotes

35. a. cf. 1 Co 9, 20 ; Mt 18, 15

---

1. Cette lettre a été envoyée en même temps que IV, 32.
2. Sur Colombus, voir *supra* III, 47, note 1. Victor, dont le siège est inconnu, est le destinataire avec Colombus de la lettre VIII, 14 de février 598. En mars 602, le pape leur écrit séparément pour les inviter à sévir contre un confrère brutal et simoniaque et, dans la lettre à Colombus, il désigne Victor comme le primat de Numidie (XII, 7 et 9). ~ Sur le danger donatiste dont parlent IV, 32 et IV, 35, voir l'Introduction, p. 25 s.
3. Sur la métaphore de *lucrari*, voir *supra* III, 13, note 7. ~ La comparaison longuement développée dans le début de cette lettre rappelle que Grégoire aime les images médicales, comme le souligne B. Judic, éd. *Règle pastorale*, *SC* 381, p. 24-25, qui voit là l'influence d'Augustin. Plus généralement, le thème du *Christus medicus* est très développé en Afrique, peut-être à la suite des cultes païens indigènes. Il est donc normal que le pape s'y réfère en s'adressant

IV, 35 [1]

PL et *MGH* : IV, 35 – Juillet 594

Il exhorte Victor et Colombus, évêques de Numidie, à convoquer un concile contre les donatistes et à lui envoyer l'évêque Paul pour prendre une décision avec lui sur cette affaire.

Grégoire à Victor et Colombus évêques d'Afrique [2]

Comment une maladie négligée dans ses débuts prend des forces, nous l'avons éprouvé par nos difficultés à quelque rang que nous soyons placés dans cette vie. Donc si les soins de médecins compétents s'opposent à sa naissance, nous savons bien que d'ordinaire elle cesse avant de faire du mal. La prise en compte de cette observation doit nous pousser fortement à nous hâter de résister selon toute possibilité aux maladies des âmes dès leur début, de peur que si vous négligez d'appliquer les remèdes nécessaires, elles ne vous dérobent la vie de beaucoup de gens que nous tâchons de gagner à notre Dieu [a] [3]. C'est pourquoi il nous faut fortifier avec une sollicitude vigilante les bergeries auxquelles nous nous voyons préposés comme gardiens, afin que le loup à l'affût trouve partout des pasteurs qui lui résistent et qu'il n'ait pas par où y pénétrer [4].

Or nous avons découvert que l'aiguillon des donatistes avait troublé dans ces régions le troupeau du Seigneur comme s'il n'était pas gouverné par la direction d'un pasteur. Et on nous a annoncé, ce que nous ne pouvons dire sans grande douleur, qu'un grand nombre d'entre eux ont déjà été déchirés par des dents venimeuses, comment enfin ils

à des évêques africains. Voir G. Dumeige, art. « Médecin (Le Christ) », dans *DSp* 10, col. 791-901, spécialement col. 793 § 3, « Le Christ vainqueur d'Asclépios ». Il renvoie à *DACL* 11, col. 157-160. Voir aussi R. Herzog, art. « *Artz* » dans *RAC* 1, col. 723-724 et « *Asklepios* » dans *RAC* 1, col. 797-798 sur le « conflit » entre Asclépios et le Christ.

4. Cette phrase est un commentaire de Jn 10, 11-14 sur le bon pasteur.

catholicos prauissima de suis ecclesiis temeritate depellerent,
20 et multos insuper, quibus salutem regenerationis aqua praebuerat, rebaptizantes prauitate nefandissima necauisse. Quae res animos nostros ualde maestificat, cur, uobis illic positis, damnatae praesumptioni tantum scelus perpetrare licuerit.

Qua de re fraternitatem uestram scriptis currentibus
25 adhortamur ut, habito tractatu unitoque concilio, ita nascenti huic adhuc morbo inhianter ac tota uirtute debeatis obsistere, dummodo nec uires ex neglectu percipiat, nec in commisso uobis grege pestilentiae damna concutiat. Nam
256 si quolibet modo, quod non credimus, incipienti neglegitis
30 iniquitati resistere, plurimos erroris sui gladio uulnerabunt. Et est profecto grauissimum laqueo diabolicae fraudis[b] irretiri permittere, quos prius possumus ne alligentur eripere. Melius est autem ne quisquam uulneretur obsistere, quam uulneratus qualiter sanari possit exquirere. Hoc itaque
35 considerantes, sacrilegam prauitatem sedula oratione ac uirtute qua ualetis obruite, ut subsequens nuntius, Christi gratia suffragante, de eorum nos ultione laetificet magis quam de excessu contristet.

Paulum praeterea fratrem et coepiscopum nostrum ad
40 nos quo potestis studio omni sub festinatione dirigite, quatenus subtilius ab eo causas tanti facinoris agnoscentes, huic nefandissimae prauitati cum Creatoris nostri solacio medicinam dignae possimus correptionis imponere.

b. cf. 1 Tm 3, 7 ; 1 Tm 6, 9

chassaient des évêques catholiques de leurs églises par une témérité très perverse, et que, de plus, en rebaptisant un grand nombre auxquels l'eau de la régénération avait apporté le salut, ils les ont tués par une abominable perversité. Et ce qui afflige beaucoup notre âme, c'est qu'une audace condamnable ait pu perpétrer un tel crime, alors que vous êtes placés là[5].

C'est pourquoi nous exhortons Votre Fraternité par le présent courrier à vous faire un devoir, après en avoir débattu et avoir réuni un concile, de faire obstacle avec ardeur et de tout votre pouvoir à cette maladie encore naissante, pourvu qu'elle ne reçoive pas de force en étant négligée, et ne produise pas les dommages de la contagion dans le troupeau qui vous est confié. Car si d'une façon quelconque vous négligez, ce que nous ne croyons pas, de résister à l'iniquité qui commence, ils blesseront un très grand nombre du glaive de leur erreur. Et il est assurément très grave de laisser envelopper dans le filet de la ruse diabolique[b] ceux que nous pouvons auparavant soustraire au risque d'être enchaînés. Mais il vaut mieux empêcher que quelqu'un soit blessé, plutôt que de chercher comment il peut être guéri, quand il est blessé. Considérant donc cela, anéantissez une perversité sacrilège par une prière instante et de toute la force que vous avez, pour que le prochain messager, avec l'appui de la grâce du Christ, nous réjouisse du châtiment de ces gens-là plutôt que de nous attrister de leur faute.

En outre, envoyez-nous avec tout l'empressement possible et en toute hâte Paul, notre frère et collègue dans l'épiscopat, afin que, connaissant plus minutieusement grâce à lui les causes d'un tel crime, nous puissions appliquer à cette dépravation très pernicieuse, avec l'assistance de notre Créateur, le remède d'une correction appropriée.

5. Sur cette formule, voir *supra* IV, 32, note 4.

IV, 36

GREGORIVS MAXIMIANO EPISCOPO

Euplus praesentium portitor Eusanium, Agrigentinae ciuitatis episcopum, suum fuisse memorat genitorem, matrisque suae res apud eum plurimas indicat remansisse. Quem quoniam intestatum inquit esse defunctum, ideoque
5 et res sibi maternas petit debere restitui et antedicti episcopi patris sui se permitti substantiam adipisci. Qua de re fraternitati tuae huius praecepti serie deputamus quatenus diligenter curet addiscere, et si quid apud praedictam ecclesiam de rebus matris ipsius inueniri potuerit, siquidem
10 nihil est quod antedicto Euplo rationabiliter possit obsistere, ei secundum suam faciat portionem restitui. Perinde et de rebus paternis quas ante episcopatum noscitur habuisse, si eas in iure ecclesiae suae quolibet modo non transtulit, ei, quantum portioni eius legaliter scit competere, ut satisfieri
257 15 possit immineat. Nam omnino et contra rationem et contra nostrum probatur esse propositum, si cui ea quae iuste competunt restitui ac satisfieri denegemus. Ita ergo haec fraternitas tua implere festinet, ut superscripto portitori ad nos denuo ex hac re nulla remeandi necessitas imponatur.

1. Sur Maximien de Syracuse, voir *supra* III, 12, note 1.

2. Eusanius, évêque d'Agrigente : voir *PCBE* 2, p. 690. ~ Euplus, fils du précédent : voir *PCBE* 2, « *Euplus* 3 », p. 688-689. ~ Voir, par rapport à Grégoire d'Agrigente, *supra* III, 12 et note 2.

3. *Inquit* est construit ici avec une proposition infinitive, comme *dicit. R*1 a effacé *inquit* et l'a remplacé par *asserit* qu'Ewald a adopté. D. NORBERG, *Studia critica*, t. 1, p. 47-49, montre d'autres exemples de cet emploi dans le *Registrum.* Cela semble d'autant plus étonnant que le mot disparaît à peu près de la langue tardive, comme l'a remarqué E. LÖFSTEDT, *Philologischer Kommentar*, p. 229, selon qui le mot « est senti plus comme un signe de la citation que comme un verbe proprement dit ». La phrase est d'ailleurs d'une construction un peu rude avec la reprise de *quoniam* par *ideoque*, ce que je rends avec la lourdeur qui convient.

IV, 36

PL : IV, 37 et *MGH* : IV, 36 – Juillet 594

Il donne ordre à Maximien, évêque de Syracuse, de faire restituer à Euplus, fils d'Eusanius, évêque d'Agrigente, les biens de son père et de sa mère qui lui reviennent.

Grégoire à Maximien évêque [1]

Euplus, porteur des présentes, rappelle qu'Eusanius, évêque de la cité d'Agrigente, était son père et il signale que de très nombreux biens de sa mère sont restés chez lui[2]. Comme il dit que celui-ci est décédé intestat[3], il demande donc que les biens de sa mère doivent lui être restitués et qu'il lui soit permis d'obtenir la fortune du susdit évêque son père. C'est pourquoi nous déléguons Ta Fraternité dans le déroulement de cette ordonnance pour veiller à t'informer soigneusement et, si dans ladite Église on peut trouver quelque chose des biens de sa mère, si vraiment il n'y a rien qui puisse être raisonnablement opposé au dit Euplus, pour les lui faire restituer selon sa part. De même aussi, en ce qui concerne les biens de son père que l'on sait avoir été en sa possession avant l'épiscopat, s'il n'en a pas d'une façon ou d'une autre transféré les droits à son Église, qu'il y ait urgence[4] à lui donner satisfaction pour tout ce qu'il sait appartenir légalement à la part de celui-ci. En effet il est tout à fait reconnu comme chose contraire à la raison et à notre profession de refuser à quelqu'un de lui restituer ce qui lui revient de droit et de lui donner satisfaction. Ainsi donc que Ta Fraternité se hâte d'accomplir cela, afin que le susdit porteur ne soit pas mis dans l'obligation de revenir de nouveau auprès de nous

4. *Immineat ut* est un emploi impersonnel du verbe, voir *TLL* 7/1, col. 459, li. 46, qui le donne comme équivalent de *opus est*, mais avec l'infinitif.

20 Nam quod beatae recordationis decessor noster praeceptum direxerat ut, lapso eo, res eius omnes ecclesiae remanerent, hoc ideo eum credimus praecepisse, ne per eas adhuc amplius deperiret. Nunc uero aequum esse pensamus ut filium patris culpa non ingrauet. Sed fraternitatis tuae dispensatione 25 quicquid ei legaliter potest competere consequatur.

IV, 37

GREGORIVS CONSTANTIO EPISCOPO MEDIOLANENSI

Scriptis sanctitatis uestrae percursis, in graui uos maerore esse cognouimus, maxime propter episcopos et ciues Brixiae, qui uobis mandant ut eis epistulam transmittatis, in qua iurare debeatis uos tria capitula minime damnasse. 5 Quod si decessor fraternitatis uestrae Laurentius non fecit, a uobis quaeri non debet. Si autem fecit, cum uniuersali ecclesia non fuit et cautionis suae iuramenta transcendit. Sed quia eundem uirum sua credimus sacramenta seruasse atque in unitate ecclesiae catholicae permansisse, dubium 10 non est quod nulli episcoporum suorum iurauerit se tria capitula minime damnasse. Ex qua re colligat sanctitas uestra quia cogi non debet ad hoc, quod a decessore eius factum nullomodo est. Sed ne hi qui uobis ista scripserunt

5. Décret de Pélage II, édité dans *Regesta*, éd. Jaffé, n° 1062 (693), t. 1, p. 139.

pour cette affaire. En effet l'ordonnance qu'avait envoyée notre prédécesseur de bienheureuse mémoire[5] selon laquelle, après sa chute, tous ses biens revenaient à l'Église, nous croyons qu'il l'a prise pour que, à cause d'eux, sa perte ne fût pas plus assurée encore. Mais maintenant nous considérons qu'il est juste que la faute du père n'accable pas le fils. Mais qu'il obtienne par décision de Ta Fraternité tout ce qui peut lui revenir légalement.

IV, 37

PL : IV, 39 et *MGH* : IV, 37 – Juillet 594

Il exhorte Constance, archevêque de Milan, à écrire aux habitants de Brescia qui lui ont demandé de jurer qu'il n'avait pas condamné les Trois Chapitres, qu'il ne porte atteinte en rien à la foi du synode de Chalcédoine sous menace d'anathème. Sur la mention de Jean de Ravenne dans les messes. Sur les lettres (IV, 4 et IV, 33) à remettre à la reine Théodelinde. Sur Ursicin. Sur Fortunat. Sur les lettres à envoyer à Dynamius.

GRÉGOIRE À CONSTANCE ÉVÊQUE DE MILAN

Après lecture de la lettre de Votre Sainteté, nous savons que vous êtes dans une grande tristesse, surtout à cause des évêques et des citoyens de Brescia qui vous mettent en demeure de leur envoyer une lettre dans laquelle vous devriez jurer que vous n'avez pas condamné les Trois Chapitres. Si le prédécesseur de Votre Fraternité, Laurent, ne l'a pas fait, cela ne doit pas être requis de vous. Mais s'il l'a fait, il n'a pas été en accord avec l'Église universelle et il a été au-delà des serments qui l'engageaient. Mais parce que nous croyons que cet homme tout à la fois a observé ses serments et est demeuré dans l'unité de l'Église catholique, il n'y a pas de doute qu'il n'a juré à aucun de ses évêques qu'il n'avait pas condamné les Trois Chapitres. De cela Votre Sainteté doit conclure qu'elle ne doit pas être contrainte à ce qui n'a nullement été fait par son prédécesseur. Mais pour que

scandalizari uideantur, transmittite eis epistulam, in qua
258 15 sub anathematis interpositione fateamini neque uos aliquid
de fide Chalcedonensis synodi imminuere, neque eos qui
imminuunt recipere, et quoscumque damnauit damnare,
et quoscumque absoluit absoluere. Vnde credo eis posse
celerrime satisfieri.

20 Quod autem scripsistis quia scandalizantur plurimi
eorum, quia fratrem et coepiscopum nostrum Iohannem
Rauennatis ecclesiae inter missarum sollemnia nominetis,
requirenda uobis consuetudo antiqua est. Et si consuetudo
fuit, modo ab stultis hominibus reprehendenda non est. Si
25 uero consuetudo non fuit, fieri non debet, unde quibusdam
scandalum moueri possit. Tamen sollicite requirere studui
si isdem Iohannes frater et coepiscopus noster uos ad altare
nominet, quod minime dicunt fieri. Et si ille uestri nominis
memoriam non facit, quae necessitas cogit ignoro, ut uos
30 illius faciatis. Quod quidem si sine aliquorum scandalo fieri
potest, uos tale aliquid facere ualde laudabile est, quia
caritatem quam erga fratres uestros habeatis ostenditis.

Quod autem scripsistis quia epistulam meam reginae
Theodelindae transmittere minime uoluistis, pro eo quod
35 in ea quinta synodus nominabatur, si eam exinde scandalizari
posse credidistis, recte factum est ut minime transmitteretis.
Vnde nunc ita facimus sicut uobis placuit, ut quattuor
solummodo synodos laudaremus. De illa tamen synodo,

1. Rappelons qu'après la clôture solennelle du concile de Chalcédoine le 25 octobre, les questions de personnes furent abordées au cours de séances entre le 26 octobre et le 1er novembre. ~ *Quoscumque … absoluere* : reprise des mêmes termes qu'en IV, 33.

2. Cela signifie que le nom de Jean de Ravenne figurait sur les diptyques de l'Église de Milan, ce qui était une marque d'honneur. La lecture des diptyques (actuellement *memento* des vivants) est faite au cours de la messe à un moment différent selon la liturgie : à Rome, au début du canon, comme c'est encore le cas ; dans la liturgie ambrosienne, elle a lieu à l'offertoire, avant la préface ; voir F. CABROL, art. « Diptyques » dans *DACL* 14/1, col. 1045-1094, spécialement VIII (col. 1063) et XI (1074). Voir aussi P. LEJAY, art. « Ambrosien (rit) » dans *DACL* 1/1, col. 1405-1406.

ceux qui vous ont écrit cela n'apparaissent pas scandalisés, envoyez-leur une lettre par laquelle vous confessiez, sous menace d'anathème, que vous ne diminuez quoi que ce soit de la foi du synode de Chalcédoine ni ne recevez ceux qui la diminuent ; que tous ceux qu'il a condamnés, vous les condamnez et que tous ceux qu'il a absous, vous les absolvez[1]. Par là je crois qu'on peut très vite leur donner satisfaction.

Quant à ce que vous avez écrit, qu'un grand nombre d'entre eux se sont scandalisés de ce que vous fassiez mention dans la solennité de la messe de notre frère et collègue dans l'épiscopat Jean, de l'Église de Ravenne, il vous faut rechercher la coutume ancienne[2]. Et si c'était la coutume, il ne faut pas maintenant qu'elle soit critiquée par des hommes stupides. Mais si ce n'était pas l'usage, il n'y a pas lieu de faire ce dont certains pourraient se scandaliser. Cependant, je me suis attaché à rechercher avec soin si Jean, notre frère et collègue dans l'épiscopat, fait lui aussi mention de vous à l'autel, ce que l'on dit n'être pas le cas. Et si lui ne fait pas mémoire de votre nom, j'ignore quelle nécessité vous oblige à faire mention du sien. En tout cas, si cela peut se faire sans scandaliser personne, il est fort louable que vous fassiez quelque chose de tel, parce que vous montrez la charité que vous avez envers vos frères.

Quant à ce que vous avez écrit, que vous n'avez pas voulu envoyer ma lettre à la reine Théodelinde parce que le cinquième synode y était nommé, si vous avez cru qu'elle pouvait en être scandalisée, vous avez bien fait de ne pas la lui envoyer[3]. C'est pourquoi maintenant nous agissons à votre gré en alléguant seulement les quatre synodes[4].

3. Il s'agit de la lettre IV, 4 de septembre 593. Pourtant, cette lettre ne parle qu'à mots couverts du Ve concile, comme de « ce qui fut fait au temps dudit Justinien », *quicquid praedicti Iustiniani temporibus actum est*.

4. Dans la lettre IV, 33, en effet, il n'est plus question de ce qui s'est passé « au temps de Justinien ».

quae in Constantinopoli postmodum facta est, quae a multis
40 quinta nominatur, scire uos uolo quia nihil contra quattuor
sanctissimas synodos constituerit uel senserit, quippe quia
in ea de personis tantummodo, non autem de fide aliquid
gestum est, et de eis personis de quibus in Chalcedonensi
concilio nihil continetur. Sed post expressos canones facta
45 contentio et extrema actio de personis uentilata est. Nos
tamen sicut uoluistis ita fecimus, ut eiusdem synodi nullam
memoriam faceremus. Sed et de episcopis quae scripsistis
praedictae filiae nostrae reginae scripsimus.

Vrsicinum, qui uobis scripsit aliqua contra Iohannem
50 fratrem et coepiscopum nostrum, uos per epistulas uestras
et dulcedine et ratione ab intentione sua compescere
debetis.

De Fortunato autem fraternitatem uestram esse sollicitam
uolumus, ne uobis a malis hominibus in aliquo subripiatur.
55 Nam audio eum cum decessore uestro Laurentio ad mensam
ecclesiae per annos plurimos nuncusque comedisse, inter
259 nobiles consedisse et subscripsisse eoque quondam fratre
nostro sciente in numeris militasse. Et post tot annos modo
uidetur fraternitati uestrae ut de status sui condicione pulsetur.
60 Quod mihi omnino incongruum uidetur. Et ideo uobis hoc

---

5. Voir P. MARAVAL, *HC* 3, p. 420-421 : lors de la 4ᵉ session (13 mai) et de la 5ᵉ (17 mai), le concile de 553 condamna Théodore de Mopsueste et Théodoret de Cyr. Le 19 mai fut condamné non pas Ibas, mais une lettre à lui attribuée. La difficulté venait de l'attitude ambiguë de Vigile qui, par le *Constitutum*, avait refusé de condamner les personnes de Théodore, Théodoret et Ibas. Grégoire soutient à juste titre que le cas des trois évêques en cause n'a pas été examiné par le concile de Chalcédoine, voir P. MARAVAL, *HC* 3, p. 94 s.

6. Toujours dans la lettre IV, 33.

7. Ursicin, selon *PCBE* 2, « *Vrsicinus* 4 », p. 2355, pourrait être l'évêque de Turin mentionné en IX, 215 et IX, 227. Mais D. Norberg (*Index nominum*, *CCL* 140 A, p. 1172), fait de l' Urcisin de IV, 37 un personnage distinct de celui-là. ~ Jean, selon *PCBE* 2, « *Iohannes* 76 », p. 1112, est un évêque dont le siège est inconnu. Mais il semble plus simple de reconnaître en lui l'évêque de Ravenne qui est mentionné quelques lignes plus haut avec le même qualificatif de *frater et coepiscopus noster*. C'est ce que pense, semble-t-il,

Mais au sujet de ce synode qui s'est tenu après coup à Constantinople, que beaucoup appellent le cinquième synode, je veux que vous sachiez qu'il n'a rien décidé ni pensé contre les quatre très saints synodes, puisqu'il n'y a été traité que des personnes, mais non de foi ; et encore de personnes dont il n'est en rien question dans le concile de Chalcédoine. Mais après la rédaction des canons, il s'est élevé un conflit et un ultime débat a été suscité au sujet des personnes[5]. Nous cependant, nous avons fait comme vous l'avez voulu, en ne faisant nulle mention de ce même synode[6]. Mais au sujet des évêques nous avons écrit à notre susdite fille la reine ce que vous avez écrit.

Pour ce qui est d'Ursicin, qui vous a écrit certaines choses contre Jean notre frère et collègue dans l'épiscopat, vous devez par vos lettres réfréner ses attaques avec douceur et par la raison[7].

Au sujet de Fortunat, nous voulons que Votre Fraternité soit attentive à ne pas se laisser surprendre en quelque chose par de mauvaises gens. Car j'entends dire que pendant de nombreuses années jusqu'à présent il a mangé avec votre prédécesseur Laurent à la table de l'Église, qu'il a siégé et a signé parmi les nobles et qu'il a servi dans l'armée, en toute connaissance de notre défunt frère[8]. Et maintenant, après tant d'années, il semble bon à Votre Fraternité qu'il soit chassé de la condition de son rang. Cela me semble tout à fait indu. Je vous l'ai donc fait savoir par lui-même,

Hartmann (*MGH, Epist* 1, p. 273), bien qu'il intervertisse les notes 11 et 12.

8. Fortunat : voir *PCBE* 2, « *Fortunatus* 17 », p. 871. À la fin de V, 18, Grégoire demande à Constance de ne pas céder à la haine contre ce personnage et prend l'affaire en mains. Il l'invite à faire intervenir un arbitre pour régler le conflit afin que Fortunat n'apparaisse pas vaincu *non rationabiliter, sed sola potestate.* ~ *Consedisse et subscripsisse* fait allusion à des fonctions judiciaires. ~ Pour le sens de *numeri*, voir E. STEIN, *Histoire du Bas-Empire*, t. 2, p. 85 : « Désormais le terme de *numerus* désigne indifféremment tout corps de troupes, monté ou non, qu'il appartienne à l'armée de campagne ou à l'armée de frontière. »

per ipsum, sed secreto mandaui. Tamen si quid est rationabile quod ei possit opponi, in nostro debet iudicio uentilari.

Ad filium uero nostrum domnum Dynamium, si omnipotenti Deo placuerit, per hominem nostrum scripta 65 transmittimus.

IV, 38

GREGORIVS MARCELLO SCOLASTICO

Gloriae uestrae caritas sic in nostro corde semper inuigilat, ut nihil sibi corporis defendat absentia. Nam quamuis a carnalibus oculis longe est, tamen aspectibus numquam deest. Frequenter enim nos uoluntas ad scribendum desideranter 5 impellit, sed occupatio non permittit. Dum ergo nobilitatis uestrae peritia non ignoret, quantis sit locus noster occupationibus inuolutus, quod ab scribendi interdum cessamus officio, non uoluntatis sed necessitatis esse consideret. Gloria autem uestra quod tardius nos sua requirit epistula, qua 10 possit excusatione defendere non uidemus. In hoc igitur sola me debui taciturnitate defendere, sed feruor caritatis linguam meam non pertulit habere silentium.

Salutantes itaque cum omni affectu atque dulcedine, indicamus nos grauiter contristatos, quod illa a nobis uoluistis 15 expetere, in quibus dum uoluntatem uestram perficere quia

9. Ce Dynamius est différent du patrice Dynamius de III, 33. Il s'agit sans doute d'un ami de Grégoire marié à Aurélia (Aureliana), le même à qui est adressée la lettre VII, 33, bien que *PLRE* III A, p. 431 distingue un « *Dynamius* 3 » en IV, 37 et un « Dynamius 4 » en VII, 12 et VII, 33. Voir *supra* III, 33, note 1.

1. Sur Marcel, voir *supra* III, 22, note 7. Ce conseiller juridique du proconsul de Dalmatie ou du préfet du prétoire de l'Illyricum, était peut-être en sous-main mandaté par ses supérieurs pour tenter de fléchir le pape, au nom de leur commune amitié, en faveur de Maxime. D'où le ton chaleureux de la lettre en même temps que le refus inflexible de Grégoire.

2. L'expression *officium scribendi* se retrouve dans une lettre de MARCUS CICÉRON LE JEUNE à Tiron, *Epist.* 760 (éd. J. Beaujeu, *CUF*, t. 9, p. 180).

mais en privé. Cependant s'il y a quelque chose de raisonnable qui puisse lui être objecté, cela doit être discuté devant notre tribunal.

À notre fils le seigneur Dynamius, s'il plaît à Dieu tout-puissant, nous envoyons une lettre par notre messager[9].

IV, 38

PL : IV, 40 et *MGH* : IV, 38 – Juillet 594

Au scolastique Marcel qui le sollicite en faveur de Maxime de Salone, il répond qu'il ne peut lui accorder de pardon.

GRÉGOIRE AU SCOLASTIQUE MARCEL[1]

L'amour de Votre Gloire est toujours si vivant en notre cœur que son absence corporelle ne lui fait pas obstacle. Car bien qu'elle soit loin de nos yeux de chair, elle ne manque cependant pas à nos regards. Fréquemment, en effet, la volonté nous pousse ardemment à écrire, mais les occupations ne le permettent pas. Donc, comme l'expérience de Votre Noblesse n'ignore pas de quelles obligations notre position est embarrassée, elle doit considérer que si, par moment nous interrompons notre devoir d'écrire[2], ce n'est pas le fait de notre volonté, mais de la nécessité. Pourtant nous ne voyons pas par quelle excuse Votre Gloire peut se défendre de faire appel à nous trop tard par sa lettre[3]. À ce sujet donc j'aurais dû ne me défendre qu'en me taisant, mais la ferveur de l'amour n'a pas supporté que ma langue gardât le silence.

Ainsi, vous saluant en toute affection et douceur[4], nous nous déclarons gravement contristé de ce que vous avez voulu obtenir de nous une faveur à propos de laquelle, ne

3. Formule un peu obscure. On peut comprendre que Marcel lui a écrit en s'excusant de le faire avec retard, ce qui ne se justifie pas, parce qu'il n'aurait jamais dû écrire sur ce sujet et que sa lettre est sans objet.

4. Sur le thème de la *dulcedo*, voir *supra* III, 57, note 2.

obsistit ratio non ualemus, contristare uos quod nolumus uideamur. Nam hoc nos sine correctione relinquere 260 ecclesiastica non sinit aliquomodo disciplina. Nec uos pro talibus decet petere, ne non rectitudini sed indisciplinationi, 20 quod absit, uideamini consentire. Causa eiusdem Maximi, pro quo nobis scribitis, quem si missarum sollemnia celebrare praesumpserit, iam sacri corporis communione priuauimus, matura quando oportuerit deliberatione sicut Deo nostro placuerit iudicatur atque disponitur.

25 Oramus autem omnipotentem Dominum, ut et hic uos sua propitiatione custodiat, et ad aeternae praemia uitae perducat.

MENSE AVGVSTO INDICTIONE XII

IV, 39

GREGORIVS CLERO ORDINI ET PLEBI CONSISTENTI HORTONAE

Vestri antistitis obitum cognoscentes, curae nobis fuit destitutae ecclesiae uisitationem fratri et coepiscopo nostro solemniter delegare. Cui dedimus in mandatis ut nihil de reditu, ornatu, ministeriisque a quoquam usurpari patiatur.

5. Insistance sur la *ratio*.

6. La *rectitudo* n'est plus ici seulement une valeur morale, puisqu'elle s'oppose à l'*indisciplinatio*, un hapax, semble-t-il, qui vient de CASSIODORE, *Variae* VII, 3.

7. Il s'agit de l'élection du successeur de Natalis à Salone, voir III, 46 ; IV, 16 et 20. Grégoire avait écarté sa candidature de façon formelle.

8. Il est difficile de respecter le présent des deux verbes : *iudicatur* et *disponitur*.

1. Hortona (ou Ortona) est le nom de deux villes : l'une sur l'Adriatique dans le pays des *Frentani* et l'autre dans le Latium mentionnée par TITE-LIVE, *Hist.* II, 43, 2 et III, 30, 7. C'est de la première qu'il s'agit sans doute. ~ *Ordo*, comme dans l'adresse de III, 11 et III, 14, désigne le sénat local.

pouvant satisfaire votre désir, parce que la raison[5] s'y oppose, nous avons l'air de vous contrister, ce que nous ne voulons pas. C'est que la discipline ecclésiastique ne nous permet en aucune façon de laisser cela sans correction. Vous non plus, il ne convient pas que vous fassiez une requête pour de telles choses, de peur que vous ne paraissiez consentir – ce qu'à Dieu ne plaise – non à la rectitude, mais à l'indiscipline[6]. La cause du même Maxime[7] en faveur de qui vous nous écrivez, que nous avons déjà privé de la communion du Corps sacré, s'il se permettait de célébrer les solennités de la messe, sera jugée et tranchée[8] selon qu'il plaira à notre Dieu, quand il le faudra après mûre délibération.

Nous prions le Seigneur tout-puissant qu'il vous garde sous sa protection et vous conduise aux récompenses de la vie éternelle.

AOÛT 594. INDICTION XII

IV, 39

PL : IV, 41 et *MGH* : IV, 39 – Août 594

Il prescrit aux habitants d'Hortona d'obéir au visiteur et d'élire un évêque. Cf. II, 33.

GRÉGOIRE AU CLERGÉ, AU SÉNAT
ET AU PEUPLE HABITANT HORTONA[1]

Apprenant le décès de votre évêque[2], nous avons eu soin de déléguer solennellement à notre frère et collègue dans l'épiscopat la visite de l'Église abandonnée[3]. Nous lui avons donné pour mandat de ne souffrir pas que personne s'approprie rien du revenu, du mobilier et des vases sacrés.

2. L'évêque d'Hortona décédé est Blandus, mentionné en I, 32 (*SC* 370, p. 172, li. 5).
3. Le nom de l'évêque n'est pas noté. Seule la formule est conservée. Sur le style formulaire, voir D. NORBERG, *Studia critica*, t. 1, p. 10.

Cuius uos assiduis adhortationibus conuenit oboedire. Hoc tamen scitote quia ei [ordinandi] presbyteros ac diacones, si necesse fuerit et dignos ad hoc officium inuenire potuerit, dedimus ordinandi licentiam, quatenus in ecclesiastico obsequio <non desint qui digne famulentur. Et remoto strepitu uno eodemque consensu talem uobis praeficiendum expetite> sacerdotem, qui et a uenerandis canonibus nulla discrepet ratione, et tanto ministerio dignus ualeat repperiri. Qui dum fuerit postulatus cum sollemnitate decreti, omnium subscriptionibus roborati, et uisitatoris pagina prosequente, ad nos ueniat ordinandus. Prouisuri ante omnia ne cuiuslibet uitae uel meriti laicam personam praesumatis eligere. Et non solum ille ad episcopatus apicem nulla ratione prouehetur, uerum etiam uos nullis intercessionibus ueniam promereri posse cognoscite. Sed omnes quos ex uobis de laica persona aspirasse constiterit ab officio et a communione alienos faciendos proculdubio noueritis.

IV, 40

GREGORIVS VALENTINO ABBATI

Peruenit ad nos eo quod in monasterio tuo passim mulieres ascendant, et quod adhuc est grauius, monachos tuos mulieres sibi commatres facere, et ex hoc incautam cum eis communionem habere. Ne ergo hac occasione humani generis inimicus sua eos, quod absit, calliditate

4. Norberg signale ici une lacune, que nous traduisons telle qu'il la complète dans son apparat critique à partir de IX, 82.

5. On comprend pourquoi en III, 29, pour l'élection de Constance de Milan, le pape s'étonne de l'absence de *subscriptio*.

1. Valentin, selon *PCBE* 2, « *Valentinus* 18 », p. 2234, était abbé d'une communauté italienne, sans autre précision de lieu. D. Norberg (*Index nominum*, *CCL* 140 A, p. 1170, n'exclut pas un rapprochement avec le Valentin, abbé d'un monastère dans le diocèse de Spolète, que mentionne IX, 108. C'est aussi ce que pense V. Recchia (éd. *Lettere*, t. 2, p. 98, n. 1). Mais *PCBE 2* met ce dernier à part, « *Valentinus* 19 », p. 2235.

À ses exhortations assidues il convient que vous obéissiez. Sachez cependant que nous lui avons donné pouvoir d'ordonner prêtres et diacres si c'est nécessaire et s'il peut en trouver dignes de cet office, en sorte que dans le service ecclésiastique <ne fassent pas défaut des hommes capables de s'y dévouer. Et, sans éclats, dans un même et unique accord, choisissez pour vous gouverner>[4] un évêque qui en aucune façon ne soit en contradiction avec les vénérables canons et qui puisse être trouvé digne d'un tel ministère. Quand il aura été demandé, qu'il vienne à nous pour être ordonné avec un décret solennel, corroboré par les signatures de tous[5], et accompagné d'une lettre du visiteur. Vous veillerez avant tout à n'avoir pas l'audace d'élire un laïc quels qu'en soient la vie ou le mérite. Et non seulement il ne sera promu pour aucun motif à la dignité de l'épiscopat, mais encore sachez que vous ne pourrez en obtenir le pardon par aucune intercession. Et tous ceux qui parmi vous apparaîtront avoir soutenu un laïc, sachez que, sans hésitation, ils seront écartés de leur office et de la communion.

IV, 40

PL : IV, 42 et *MGH* : IV, 40 – Août 594

Il interdit à l'abbé Valentin de laisser les femmes entrer dans le monastère et les moines les prendre comme commères.

GRÉGOIRE À L'ABBÉ VALENTIN[1]

Il est parvenu à notre connaissance que de tous côtés des femmes montent à ton monastère et, ce qui est plus grave encore, que tes moines en font leurs commères et, par là, entretiennent avec elles une fréquentation imprudente. Afin donc qu'à cette occasion l'ennemi du genre humain ne les trompe par sa ruse – ce qu'à Dieu ne plaise –, nous

decipiat, ideoque huius te praecepti serie commonemus ut neque mulieres in monasterio tuo deinceps qualibet excusatione permittas ascendere, neque monachos tuos sibi commatres facere. Nam si hoc denuo ad aures nostras 10 quocumque modo peruenerit, sic te seuerissimae noueris ultioni subdendum, ut emendationis tuae qualitate ceteri sine dubio corrigantur.

262

IV, 41

Gregorivs Bonifatio viro magnifico Africae

Si ita ut audieram magnitudo uestra intentione sollicita de animae suae uita cogitaret, nequaquam mihi de fide sua per epistulas sed per semetipsam potuit respondere. Nam quod in excusatione molestia corporalis adducitur, exspectato 5 salutis tempore, laborem summopere potuistis pro commodo aeternae salutis assumere, ut et uos de nostra ratione et nos de uestra credulitate gauderemus. Ea etenim quae in meis scripsi epistulis replicanda nunc non sunt, neque alia ratiocinatione monstranda, quia apud nolentis animum, 10 quamuis sit euidens ratio, haec ipsa obstaculum esse solent. Sed per uos uenite, beati Petri apostolorum principis liminibus praesentate, et cuncta quae scripsi nisi ex lectione monstrauero, cum qua uultis disputatione recedite. Hortor tamen ut, dum uitae spatium superest, ab eiusdem beati

1. Boniface : voir *PLRE* III A, « *Bonifatius* 3 », p. 238. On ne sait quelles fonctions remplissait ce personnage ni d'où venaient ses doutes sur la foi.

2. Distinction d'inspiration augustinienne entre *ratio* (explications) et *credulitas* (*fides*). Plus loin, Grégoire insiste fortement sur *alia ratiocinatione … euidens ratio.*

3. D. Norberg, *Syntaktische Forschungen*, p. 185, a montré que *praesentate* avait une valeur intransitive et qu'il n'y avait pas de raison de suivre, comme Ewald (*MGH, Epist* 1, p. 277, li. 16), la leçon de *R*1[c] : *uos praesentate.*

t'avertissons, dans le déroulement de cette ordonnance, de ne pas permettre que les femmes désormais montent à ton monastère sous quelque prétexte que ce soit, ni que tes moines en fassent leurs commères. Car si cela parvient de nouveau à nos oreilles d'une manière ou d'une autre, sache que tu seras soumis à une punition très sévère, pour que les autres soient sans hésitation corrigés par l'importance de ton châtiment.

IV, 41

PL : IV, 43 et *MGH* : IV, 41 – Août 594

Il ordonne au magnifique Boniface, qui vit en Afrique, de venir à Rome avec ceux qui partagent ses doutes, pour qu'il leur expose sa foi.

GRÉGOIRE AU MAGNIFIQUE BONIFACE EN AFRIQUE [1]

Si, comme je l'ai entendu dire, Votre Grandeur réfléchissait avec une attention pleine de sollicitude à la vie de son âme, ce n'est nullement par des lettres, mais par elle-même qu'elle aurait pu me répondre de sa foi. Car si, comme excuse, vous invoquez une indisposition corporelle, vous auriez fort bien pu, ayant attendu le retour de votre santé, faire un effort dans l'intérêt de votre salut éternel, pour que nous nous réjouissions, vous de nos raisons, et nous de votre croyance [2]. En effet il n'y a plus lieu maintenant de revenir sur les choses que j'ai écrites dans mes lettres, ni de les démontrer par d'autres raisonnements, parce que dans l'esprit de qui s'y refuse, quelque évidente que soit la raison, ces choses mêmes sont habituellement un obstacle. Mais venez vous-même, présentez-vous [3] au seuil du bienheureux Pierre, prince des apôtres, et si je ne démontre pas par l'Écriture tout ce que j'ai écrit, retirez-vous avec l'argumentation que vous voulez. Je vous exhorte cependant à faire en sorte que, tant que reste un moment de vie, votre âme ne se trouve pas séparée de l'Église de ce même

15 Petri ecclesia, cui claues caelestis regni commissae sunt et ligandi ac soluendi potestas attributa[a], uestra anima non inueniatur diuisa, ne, si hic beneficium eius despicitur, illic uitae aditum claudat.

Hi autem qui dubitationis uestrae participes sunt, si ad 20 me uenire uoluerint, nullam in me quasi ex potestate prodeuntem uiolentiam pertimescant. Nam nos, licet in omnibus causis, in his praecipue quae Dei sunt ratione magis stringere homines quam potestate festinamus.

263

IV, 42

GREGORIVS MAXIMIANO EPISCOPO SYRACVSANO

Indicauit nobis Bacauda frater et coepiscopus noster quosdam de clero suo in Siciliae partibus ad sacros ordines peruenisse. Qui quoniam neque presbyterum neque diacones se habere commemorat, eos ad se petiit debere transmitti. 5 Proinde fraternitas tua ubicumque illos, latore praesentium indicante, reppererit, huc eos sine dilatione transmittat, quatenus et illi in ecclesia, in qua olim militati sunt, reuocentur, et ante dictus episcopus optatum de eis possit habere solacium.

41. a. cf. Mt 16, 19

---

4. *Ratione magis … quam potestate* : encore insistance sur la *ratio* et son importance en matière de foi. C'est aussi la doctrine qu'il veut qu'on suive pour la conversion des juifs, voir II, 45 (*SC* 371, p. 426). Mais on a vu aussi, en IV, 26, que, pour convertir les paysans païens de Sardaigne, il était prêt à augmenter leurs fermages.

bienheureux Pierre à qui ont été remises les clefs du royaume des cieux et attribué le pouvoir de lier et de délier[a], de peur que, si sa faveur est méprisée ici-bas, là-bas il ne ferme l'entrée de la vie.

Quant à ceux qui partagent votre doute, s'ils veulent venir à moi, ils n'ont pas à craindre de trouver en moi une violence qui viendrait du pouvoir. Car nous, comme en toutes affaires, mais principalement en celles qui sont de Dieu, nous avons hâte de contraindre les hommes plus par la raison que par le pouvoir[4].

IV, 42

PL : IV, 44 et *MGH* : IV, 42 – Août 594

Il donne ordre à Maximien, évêque de Syracuse, de renvoyer les clercs de Bacauda, évêque de Formies, qui ont été promus en Sicile.

GRÉGOIRE À MAXIMIEN ÉVÊQUE DE SYRACUSE

Bacauda, notre frère et collègue dans l'épiscopat, nous a signalé que certains de ses clercs ont été promus aux ordres sacrés en Sicile[1]. Comme il rappelle qu'il n'a ni prêtre ni diacres, il a demandé qu'on se fît un devoir de les lui envoyer. Ainsi donc, que Ta Fraternité, partout où, sur indication du porteur des présentes, elle les aura trouvés, les envoie ici sans retard, de sorte que ceux-ci soient rappelés dans l'Église dans laquelle ils ont autrefois servi, et que ledit évêque puisse recevoir d'eux le secours qu'il souhaite.

1. Bacauda, évêque de Formies : voir *PCBE* 2, « *Bacauda* 4 », p. 247. ~ La lettre I, 7 (*SC* 370, p. 92) d'octobre 590, parle déjà de la pauvreté de l'Église de Formies à laquelle le pape accepte de rattacher les revenus de l'Église de Minturnes qui n'a plus ni clergé, ni peuple. Les clercs ordonnés en Sicile avaient fui l'invasion lombarde.

IV, 43

Gregorivs Fantino defensori

Lator praesentium Cosmas Syrus in negotio quod agebat debitum se contraxisse perhibuit, quod ex multis aliis et lacrimis eius attestantibus uerum esse credimus. Et quia centum quinquaginta solidos debebat, uolui ut creditores 5 illius cum eo aliquid paciscerentur, quoniam et lex habet ut homo liber pro debito nullatenus teneatur, si res defuerint 264 quae possint eidem debito addici. Creditores ergo suos, ut asserit, ad octoginta solidos consentire possibile est. Sed quia multum est ut a nil habente homine octoginta solidos petant, 10 sexaginta tibi solidos per notarium tuum transmisimus, ut tu cum eisdem creditoribus subtiliter loquaris, rationem reddas, quia filium eius quem tenere dicuntur secundum leges tenere non possunt. Et si potest fieri, aliquid minus quam nos dedimus condescendant. Et quicquid de eisdem 15 LX solidis remanserit, ipsi trade, ut cum filio suo exinde uiuere ualeat. Si autem nil remanet, uel ad eandem summam eius debitum incide, ut possit sibi libere postmodum laborare. Hoc tamen sollerter age ut, acceptis solidis, ei plenariam munitionem scripto faciant.

1. Fantin, défenseur de l'Église romaine en Sicile : voir *PCBE* 2, p. 739-744. Il fut promu recteur du patrimoine de la région de Palerme à l'automne 598 (IX, 23).

2. Déjà en juillet 593, Grégoire avait demandé au diacre Cyprien de prendre des renseignements sur la situation de Côme, voir *supra* III, 55 et note 1. On rapprochera le cas de Côme de celui du juif Nostamnus (IX, 40), autre cas de *negotiator* en faillite dont Fantin doit protéger les intérêts.

3. *Nou.* CXXXIV, 7 (éd. R. Schöll – G. Kroll, p. 682-683).

4. *Transmisimus* est un parfait épistolaire, ce qui est rare chez Grégoire. D'ailleurs *r*1 donne la variante *transmittimus*. Voir un autre cas *supra* IV, 26, note 6.

IV, 43

PL : IV, 45 et *MGH* : IV, 43 – Août 594

Il envoie soixante sous au défenseur Fantin par l'intermédiaire du notaire de celui-ci, afin qu'il s'acquitte envers les créanciers du Syrien Côme auxquels il doit cent cinquante sous. Il ordonne de libérer son fils qu'ils retiennent.

Grégoire au défenseur Fantin [1]

Le porteur des présentes, le Syrien Côme[2], a déclaré avoir contracté une dette dans une affaire commerciale qu'il traitait, ce que nous croyons vrai sur la foi de nombreuses autres personnes et de ses larmes. Et parce qu'il devait cent cinquante sous, j'ai voulu que ses créanciers transigeassent un peu avec lui, puisque la loi porte qu'un homme libre ne doit en aucune façon être retenu pour dette, si manquaient les biens qui pourraient être consacrés à sa dette[3]. Donc, affirme-t-il, il est possible que ses créanciers consentent à quatre-vingts sous. Mais, parce que c'est beaucoup de réclamer quatre-vingts sous à un homme qui n'a rien, nous t'envoyons[4] soixante sous par ton notaire, pour que toi, en traitant minutieusement avec les mêmes créanciers, tu leur fasses valoir qu'ils ne peuvent selon les lois retenir son fils qu'ils retiennent, dit-on. Et si cela se peut, qu'ils consentent à quelque chose de moins que ce que nous avons donné. Et tout ce qui restera de ces soixante sous, remets-le lui, pour que de cela il puisse vivre avec son fils. S'il ne reste rien, réduis sa dette à la même somme, pour qu'il puisse travailler librement pour lui-même. Cependant agis en cela avec sagacité pour qu'après avoir reçu les sous, ils lui fassent par écrit une quittance entière.

IV, 44

GREGORIVS RVSTICIANAE PATRICIAE

Excellentiae uestrae scripta suscipiens libenter agnoui qualiter ad montem Sina perrexerit. Sed mihi credite, ego quoque uoluissem uobiscum ire sed uobiscum minime redire. Quamuis ualde mihi sit difficile credere quia ad
5 Sancta Loca fuistis, patres multos uidistis. Nam credo si uidissetis, tam celeriter redire ad Constantinopolitanam urbem minime poteratis. At postquam talis ciuitatis amor de corde uestro nullomodo recessit, suspicor quia excellentia uestra sancta quae corporaliter uidit ex corde minime
10 attendit. Sed omnipotens Deus mentem uestram gratia suae pietatis illustret, donet uobis sapere, et temporalia omnia quam sint fugitiua pensare. Quia dum haec loquimur, et
265 tempus currit et iudex superuenit, et mundum quem sponte nolumus ecce iam prope est ut relinquamus inuiti.

1. Rusticiana, *patricia* : voir *PLRE* III B, « *Rusticiana* 2 », p. 1101-1102 et *PCBE* 2, « *Rusticiana* 2 », p. 1948-1950. Elle vivait à Constantinople tout en ayant conservé des domaines en Italie. En faveur à la cour impériale, elle était aussi une amie du pape. T.S. BROWN, *Gentlemen and Officers*, p. 29, dit qu'elle était probablement la petite-fille de Boèce (voir le tableau généalogique p. 30) et qu'elle faisait partie avec Dominica (III, 63) des grandes familles sénatoriales réfugiées à Constantinople. ~ Sur le sens du titre de *patricia*, voir *supra* III, 17, note 3.

2. *Fuistis* au sens d'*iuistis* : sur *esse* comme *uerbum eundi, proficiscendi* par adjonction de *ad*, voir E. LÖFSTEDT, *Philologischer Kommentar*, p. 171. ~ Le pèlerinage aux Lieux saints était déjà en avril 592 dans les projets de Rusticiana, voir II, 24 (*SC* 371, p. 358).

3. Les Pères du désert, anachorètes surtout, nombreux dans le Sinaï, voir B. FLUSIN, *HC* 3, p. 590-591.

4. Ne pas comprendre que Grégoire soupçonne Rusticiana de lui mentir, mais il veut dire que, si elle avait bien observé les moines du Sinaï, elle aurait été tellement pénétrée de leur exemple qu'elle aurait prolongé son séjour auprès d'eux. C'est une formulation précieuse qu'il explique dans la phrase qui suit : elle a regardé avec les yeux du corps et non avec les yeux

IV, 44

PL : IV, 46 et *MGH* : IV, 44 – Août 594

Il reproche à la patricia *Rusticiana d'être vite revenue à Constantinople après être allée au mont Sinaï. Il salue ses fils et ses filles. À sa nourrice il présente tous ses bons vœux.*

GRÉGOIRE À RUSTICIANA, *PATRICIA*[1]

En recevant la lettre de Votre Excellence j'ai été heureux de savoir comment elle s'est rendue au mont Sinaï. Mais croyez-moi, moi aussi j'aurais voulu aller avec vous, mais point revenir avec vous. Pourtant il m'est bien difficile de croire que vous avez été[2] aux Lieux saints, que vous avez vu de nombreux pères[3]. Car je crois que si vous les aviez vus, vous n'auriez pas pu revenir si vite à la ville de Constantinople[4]. Quand un tel amour de la cité n'a nullement quitté votre cœur, je soupçonne que Votre Excellence n'a pas apporté l'attention de son cœur aux saintes choses qu'elle a vues corporellement. Mais que Dieu tout-puissant illumine votre âme de la grâce de sa piété, qu'il vous donne de comprendre et de mesurer combien sont fugitives toutes les choses temporelles. C'est que, tandis que nous disons cela, le temps court et le Juge survient, et voilà qu'approche déjà le moment de quitter contre notre gré un monde que nous ne voulons pas quitter spontanément.

du cœur. Voir A. SOLIGNAC, « *Oculus* », dans *DSp* 11, col. 591-601 : la vision du cœur vient de Mt 5, 7, et Ep 1, 18 parle d'*oculos cordis*. Grégoire s'inspire aussi d'Augustin et l'on retrouve ce thème, vers le même moment, développé dans *Hom. in Ez.* I, 4, 9 et II, 1, 18. ~ Quatre ans plus tard, en mai 598 (VIII, 22), il exhorte Rusticiana à le rejoindre à Rome et lui reproche de céder au charme de Constantinople. Si elle redoute la guerre, elle n'a qu'à considérer comment, depuis des années, Pierre, le prince des apôtres, protège sa Ville.

15 Domnum Appionem et domnam Eusebiam eorumque filias mea peto uice salutari. Domnam uero illam nutricem meam, quam mihi per litteras commendatis, omnino diligo et grauari in nullo uolo. Sed tantis angustiis premimur, ut ab angariis atque oneribus hoc iam tempore nec nosmetipsos 20 excusaremus.

5. Appion, patrice et consul honoraire : voir *PLRE* III A, « *Fl. Apion* 4 », p. 98-99. À la fin de la lettre II, 24 (*SC* 371, p. 360), il est question d'Appion et Eusébie d'une part et d'Eudoxe et Gregoria d'autre part. La lettre VIII, 22, adressée à Rusticiana en mai 598, désigne explicitement Eusébie comme sa fille et mentionne plus loin Eudoxe qui doit donc être le fils. Gregoria était donc la femme de ce dernier. C'est l'avis d'Hartmann, *MGH, Epist* 1, p. 124, n. 4. La lettre VII, 22 nous apprend que Gregoria était dame d'atour (*cubicularia*) de l'impératrice. Dans la traduction de V. Recchia, éd. *Lettere*, t. 2, p. 451, n. 1, une erreur d'impression fait de Gregoria la sœur (*suora*) de Rusticiana au lieu de sa belle-fille (*nuora*).

6. Selon *PCBE* 2, p. 589, Domna serait le nom de la nourrice de Grégoire, « s'il ne s'agit pas du titre *domina*, réservé en principe à des femmes de haute naissance ». On peut aussi se demander pourquoi la nourrice de Grégoire était à Constantinople. Y était-elle restée après avoir accompagné Grégoire lors de sa mission d'apocrisiaire ? S'était-elle réfugiée là-bas, dans la famille de Rusticiana, pour fuir l'invasion lombarde ?

Je vous prie de saluer de ma part le seigneur Appion et Madame Eusébie ainsi que leurs filles[5]. Quant à Domna ma nourrice[6] dont vous me faites l'éloge dans votre lettre, je l'aime beaucoup et ne veux en rien lui faire de la peine. Mais nous sommes écrasés de tant de tourments qu'en ce temps-ci, nous ne nous affranchissons pas des corvées et des fardeaux.

INDEX

INDEX SCRIPTURAIRE

Sont indiquées en romain les références sûres. Les allusions ou réminiscences possibles sont en *italique*.

INDEX DES NOMS DE LIEUX ET DE PEUPLES

Les termes latins sont signalés par l'*italique*. Le numéro de la ligne n'est pas indiqué quand le nom figure dans l'adresse de la lettre. ~ Les lieux indiqués sur la carte, p. 428, sont suivis d'une astérisque *.

A

B

C

F

G

H

I – J

L

M

N

O

P

INDEX DES NOMS DE PERSONNES

Les homonymes sont classés selon l'ordre d'apparition dans les livres III et IV. Sont marqués d'une astérisque * les noms des personnes ou les numéros des lignes où ils apparaissent, quand ils ne sont désignés que par leur titre ou leur fonction. Quand le nom figure dans l'adresse de la lettre, seul est mentionné le numéro de la lettre, sans numéro de ligne.

A

B

D

E

F

G

H

I

J

N

S

T

U

V

INDEX DES MOTS LATINS

A

E

F

H

I

N

O

P

T

V

L'Italie
à la fin du VIe siècle

TABLE DES MATIÈRES

SOURCES CHRÉTIENNES

Dans la liste qui suit, dite « liste alphabétique », tous les ouvrages sont rangés par noms d'auteurs anciens et titres d'ouvrages anonymes, les numéros précisant pour chacun l'ordre de parution depuis le début de la collection.
Pour une information plus complète, une « liste numérique » est téléchargeable sur le site Internet, à l'adresse suivante : www.sources-chretiennes.mom.fr. Elle présente les volumes et leurs auteurs actuels d'après les dates de publication ; elle indique également les réimpressions et les ouvrages momentanément épuisés ou dont la réédition est préparée.
On peut se la procurer aussi au secrétariat de l'Institut des « Sources chrétiennes », 29 rue du Plat, F-69002 Lyon (Tél. : 04 72 77 73 50 et Courriel : sources.chretiennes@mom.fr).

LISTE ALPHABÉTIQUE (1-520)

SOUS PRESSE

Eusèbe de Césarée, **Questions évangéliques.** C. Zamagni.
Grégoire le Grand, **Homélies sur l'Évangile. Livre II**. R. Étaix (†), B. Judic, C. Morel (†).
Pseudo-Justin, **Réponses aux orthodoxes**. B. Pouderon.
Grégoire de Nysse, **Contre Eunome. Livre I.** R. Winling.

PROCHAINES PUBLICATIONS

Bernard de Clairvaux, **Office de Saint Victor**. C. Maître, E. Lenaerts-Lachapelle.
Bernard de Clairvaux, **Sermons variés**. F. Callerot, P.-Y. Emery, G. Raciti.
Grégoire le Grand, **Morales sur Job, 30-33**. Moniales de Wisques, A. de Vogüé.
Lois religieuses des empereurs romains, de Constantin à Théodose II (312-438). Tome II, Code Théodosien I-XV, Code Justinien, Lois Sirmondiennes. R. Delmaire, L. Guichard, O. Huck, F. Richard.
Maxime le Confesseur, **Questions à Thalassios.** Tome I. J.-C. Larchet, F. Vinel.
Nil d'Ancyre, **Commentaire sur le Cantique.** Tome II. M.-G. Guérard.

RÉIMPRESSIONS PRÉVUES EN 2008

42 bis. Jean Cassien, **Conférences.** Tome I. E. Pichery.
54. Jean Cassien, **Conférences.** Tome II. E. Pichery.
126 bis. Cyrille de Jérusalem, **Catéchèses mystagogiques.** A. Piédagnel, P. Paris.
279. Clément d'Alexandrie, **Stromate V, tome 2.** A. Le Boulluec.
393. Bernard de Clairvaux, **L'Amour de Dieu. La Grâce et le Libre Arbitre.** F. Callerot, J. Christophe, M.-I. Huille, P. Verdeyen.

Également aux Éditions du Cerf

LES ŒUVRES DE PHILON D'ALEXANDRIE
publiées sous la direction de
R. ARNALDEZ, C. MONDÉSERT, J. POUILLOUX.
Texte original et traduction française

1. **Introduction générale, De opificio mundi.** R. Arnaldez.
2. **Legum allegoriae.** C. Mondésert.
3. **De cherubim.** J. Gorez.
4. **De sacrificiis Abelis et Caini.** A. Méasson.
5. **Quod deterius potiori insidiari soleat.** I. Feuer.
6. **De posteritate Caini.** R. Arnaldez.

7-8. **De gigantibus. Quod Deus sit immutabilis.** A. Mosès.

9. **De agricultura.** J. Pouilloux.
10. **De plantatione.** J. Pouilloux.

11-12. **De ebrietate. De sobrietate.** J. Gorez.

13. **De confusione linguarum.** J.-G. Kahn.
14. **De migratione Abrahami.** J. Cazeaux.
15. **Quis rerum divinarum heres sit.** M. Harl.
16. **De congressu eruditionis gratia.** M. Alexandre.
17. **De fuga et inventione.** E. Starobinski-Safran.
18. **De mutatione nominum.** R. Arnaldez.
19. **De somniis.** P. Savinel.
20. **De Abrahamo.** J. Gorez.
21. **De Iosepho.** J. Laporte.
22. **De vita Mosis.** R. Arnaldez, C. Mondésert, J. Pouilloux, P. Savinel.
23. **De Decalogo.** V. Nikiprowetzky.
24. **De specialibus legibus.** Livres I-II. S. Daniel.
25. **De specialibus legibus.** Livres III-IV. A. Mosès.
26. **De virtutibus.** R. Arnaldez, A.-M. Vérilhac, M.-R. Servel, P. Delobre.
27. **De praemiis et poenis. De exsecrationibus.** A. Beckaert.
28. **Quod omnis probus liber sit.** M. Petit.
29. **De vita contemplativa.** F. Daumas et P. Miquel.
30. **De aeternitate mundi.** R. Arnaldez et J. Pouilloux.
31. **In Flaccum.** A. Pelletier.
32. **Legatio ad Caium.** A. Pelletier.
33. **Quaestiones in Genesim et in Exodum. Fragmenta graeca.** F. Petit.

34 A. **Quaestiones in Genesim,** I-II (e vers. armen.). Ch. Mercier.
34 B. **Quaestiones in Genesim,** III-IV (e vers. armen.). Ch. Mercier et F. Petit.
34 C. **Quaestiones in Exodum,** I-II (e vers. armen.). A. Terian.

35. **De Providentia,** I-II. M. Hadas-Lebel.
36. **Alexander** *vel* **De animalibus** (e vers. armen.). A. Terian.

*Cet ouvrage
a été achevé d'imprimer
en août 2008
par l'Imprimerie Floch
53100 – Mayenne*

*Dépôt légal : août 2008.
N° d'imprimeur : 71662.
N° d'éditeur : 14487.*